Joachim Fernau

Die Genies der Deutschen

Wilhelm Goldmann Verlag

Ungekürzte Ausgabe

1. Auflage Mai 1979   · 1.– 40. Tsd.
2. Auflage Dezember 1980 · 41.– 60. Tsd.
3. Auflage Mai 1982   · 61.– 70. Tsd.
4. Auflage September 1982 · 71.– 95. Tsd.
5. Auflage September 1982 · 96.–120. Tsd.

Made in Germany
Genehmigte Taschenbuchausgabe
© 1972 by F. A. Herbig Verlagsbuchhandlung, München/Berlin
Umschlagentwurf: Atelier Adolf & Angelika Bachmann, München
Druck: Mohndruck Graphische Betriebe GmbH, Gütersloh
Verlagsnummer: 3828
Lektorat: Martin Vosseler · Herstellung: Peter Papenbrok/Er
ISBN 3-442-03828-6

INHALT

Es ist kaum mehr als eine Handvoll Sand in einer Wüste, was an Gedanken, Werken und Namen die Jahrtausende überdauert hat. Völker kamen und gingen, die Zeit deckte mit Staub und Ruinen zu, wo einstmals Kulturen blühten, das Leben der Sahara verwehte, und Atlantis versank mit ihren Palästen im Meer. Die Menschen, Geschlecht auf Geschlecht in endloser Folge, haben gelebt, geliebt, gelacht, geweint wie wir und sind vergangen, wie wir vergehen werden. Die Mächtigen, wenn sie nichts als nur Herr über Leben und Tod waren, die Reichen, die ein Leben lang rafften, sind vergessen, die Schönen, die Begehrten, die Glücklichen sind vom Winde verweht.

Es sind die Namen ganz anderer, weniger Menschen, die unsterblich wurden. Sand und Meer haben sie nicht verschütten können, die Zeit hat sie nicht ausgelöscht. Die Erde, auf ihrer rätselhaften Wanderung durch das Weltall, trägt sie weiter.

Es sind die Namen der »Genies«.

Immer hat es irgendein Volk, irgendein Land an einem Zipfel der Welt gegeben, das das Gedächtnis an sie bewahrte. Eine Kette von Händen hat die Zeugnisse ihrer Werke weitergegeben, oft über Jahrhunderte hinweg, in denen die Namen, die Gedanken, die Schöpfungen dieser Großen für ganze Erdteile vergessen waren.

Denn wir verdanken es den alten, den müde und weise gewordenen Völkern, daß wir die Genies der Menschheitsgeschichte kennen. Immer, zum Glück, ist irgendwo auf der Erde ein Volk in diesem Stadium.

Junge Kulturen, Völker im Frühling ihrer Kraft, haben kein Gefühl dafür. Sie sind egozentrisch wie die Kinder und grausam gegen die Vergangenheit. Solange Griechenland und Rom jung waren, lebten sie in der Wucht des Augenblicks. Die Vergangenheit war für sie vergangen, war tot und kaum mehr als eine Sage.

In dieser Zeit müssen alte Völker am anderen Ende der Welt das Wissen hüten, sonst wäre es längst verloren.

Wenn dann der Frühling vorbei ist, kommen die ersten Vorboten: zuerst die Helden, dann die Heiligen. Aber noch nirgends fällt ein Wort, das an das große Mysterium des Genies rührt. Als Drakon vor zweieinhalbtausend Jahren in Griechenland die Verehrung alter Helden als Kult in sein Gesetzbuch aufnahm, nahm er sie nicht als Vorfahren aus Fleisch und Blut, sondern als Halbgötter. Noch niemand empfand den Bogen, die Kette des Menschengeschlechts, niemand sah die Erde geheimnisvoll durch das Nichts wandern.

So fühlte auch das Abendland bis zum Mittelalter. An den Kaminen der winterlich verschneiten Burgen ließ man sich das Nibelungenlied vom schönen Siegfried und schrecklichen Hagen vorsingen, wie einst in Athen die Ilias vom schönen Paris und schrecklichen Hektor.

Das war keine faustische Sehnsucht. Alle fühlten rücksichtslos gegenwärtig wie die Kinder.

Es ist also eigentlich eine Elegie, daß wir, nun uns selbst das Verständnis dafür aufgegangen ist, darin zugleich die Gewähr sehen können, daß wir alt geworden sind.

Wenn das Blut müder wird und die Kultur sich langsam

abwärts zu neigen beginnt, tritt die große Wandlung ein. Wenn es Abend wird, beginnt man zu frösteln.

Dann ist der Augenblick da, wo man anfängt, Museen zu bauen.

Ein neuartiges, zuvor nie gekanntes Gefühl für Vergänglichkeit kommt auf. Man *sieht* diesen großen Bogen des Menschengeschlechts plötzlich. Man steht gedankenvoll vor den Vitrinen, in denen man nun die Vergangenheit einweckt, und spricht zum erstenmal das inhaltsschwere Wort »Menschheit« aus, das Wort, zu dem der Weg so weit war.

Man beginnt, in der Vergangenheit »Menschen« zu sehen, Ahnen, Väter, darunter große Beweger und Zeitenwender. »Genies«, deren Taten und Gedanken sich über alle Zeiten erhalten haben und vor denen nun andachtsvoll der Urenkel steht. Und man spürt die Möglichkeit irdischer Unsterblichkeit.

Das geschah bei uns vor 500 Jahren. Als der Renaissance-Mensch das Wort »Genie« zum erstenmal aussprach, als den Menschen die Augen aufzugehen begannen für die Größe und das Geheimnis der Weltbeweger, machte sich mit der unerbittlichen Gesetzmäßigkeit, mit der die Vertreibung aus dem Paradies auf die Erkenntnis folgt, das Abendland gerade fertig zum Abstieg.

Es war faustisch geworden, sehend, sehnend, fröstelnd. In dem Maße, wie der Himmel der glücklichen Kindheit versank und die alten Götter, die tröstenden Schreine der Heiligen, die feste Burg Luthers in einem Meer von Zweifeln und im Grübeln untergingen, stieg aus dem Horizont das Bild der Genies herauf.

Zunächst das Bild der Genies alter, längst vergangener Zeiten. Fremde Genies. Die Kette der eigenen hatte eben erst begonnen, man erkannte sie noch nicht.

Aber wenig später, als die Distanz größer wurde zu den ersten neuen Perlen der Kette, erkannte man auch sie.

Wie dieses Erwachen zustande kommt, ist im letzten Grunde unerklärbar.

Generation auf Generation fügte nun die Namen neuer großer Männer und Werke hinzu und gab dieses Wissen über gute und schlechte Zeiten, über Kriege und Frieden weiter. Neue Größen entthronten zwar alte Größen; frühere Maßstäbe wichen mitunter schon neuen.

Aber das schien nicht bedenklich, man ließ sich belehren, man las sie aus den Werken heraus. Die Genies selbst bestimmten sie. Man stand mit einem so universellen Wissen und zugleich solcher Ehrfurcht und Demut vor ihnen, wie es heute gar nicht mehr denkbar ist. Heute meiden wir in unserer Arbeit tunlichst jede Erinnerung an den Lehrmeister oder an die Vorbilder, die uns geformt haben, wie die Pest. Ein Wort wie »er malt in der Art von Lovis Corinth« oder »er erinnert an Litai-pe« kann tödlich mißkreditieren. Damals aber war die Andacht und Dankbarkeit gegenüber den gewaltigen Ahnen und Genies noch so naiv und groß, daß man stolz war, direkt als von Dürer oder von Erasmus kommend erkannt zu werden. Selbst der Größere häufte auf den von ihm Entthronten seine Ehre.

Sie alle wurden die Nothelfer der Klugen, Wissenden, Verstehenden, Ehrfürchtigen.

Wenn im Leben Perioden des Sturmes und Dranges herrschten, wie im 16. und 18. Jahrhundert, so wurden diese Männer zu Fackelträgern, zu Trägern im Winde knatternder Fahnen. In Zeiten der Stille und der Resignation wurden sie zu melancholischen, tröstenden Freunden. Immer waren sie zur Stelle. Sie, die selbst oft so wenig im Leben sich zurechtgefunden hatten, waren

Tröster, Helfer, Wegweiser, Mahner und Richter durch ihr Werk.

In der Romantik des 19. Jahrhunderts erreichte die Begeisterung für die Genies sprunghaft einen wahren Taumel. Man sah sie als die einzigen unerhört souverän schaffenden Geister der Menschheitsgeschichte an. Nie zuvor und nie mehr darnach ist Geschichte so geliebt worden. Um dieser Großen willen. Man ging so weit, sie als die einzigen zu bezeichnen, um derentwillen es sich lohnte, Mensch zu sein. Sie schienen die Vollendung, der Sinn des menschlichen Lebens schlechthin. Sie allein waren es, die die Hoffnung gaben, daß das Menschengeschlecht sich aus der Trostlosigkeit des irdischen Daseins einmal befreien und den Sinn seines Lebens erkennen würde.

Ein Schritt von großer Tragweite fällt in diese Zeit: In der Romantik ist das Bewußtsein für Genie, Ruhm und Größe auch in das einfache Volk gedrungen. In seinen Augen waren die Genies Helden mit leuchtenden Augen und wehendem Mantel, mit hohen Stirnen, wunderbar beneidenswerte Gestalten, deren Worten ständig eine ganze Nation gelauscht hatte. Raffael schritt für sie unentwegt königlich durch die Stanzen des Vatikans; um Shakespeare brandete Weimarer Jubel allabendlich auf, die Florentiner hatten nichts anderes zu tun, als Tag und Nacht auf Zehenspitzen um die von flackernden Kerzen erleuchtete Werkstatt Michelangelos zu kreisen; und Aristoteles ging sein Leben lang mittleren Alters mit Alexander dem Großen Arm in Arm in Piniengärten auf und ab.

Vor dieser irdischen Unsterblichkeit standen die einfachen Menschen mit anderen Gefühlen, als die wirklich Wissenden bisher gestanden hatten. Ihre Masse und das

Aufkommen der Großmacht Presse, die zu allen Zeiten von Halbbildung durchsetzt gewesen ist, gaben den Ausschlag, daß sich das Bild des »Genies« wieder zurückzuentwickeln begann zu dem primitiven Bild der Vorzeit: dem »Helden«. Ein Vorgang, der eigentlich ganz verständlich ist, denn die Masse als Geniebegreifer ist eben ein Widerspruch in sich.

In ihrem Staunen war von Anfang an Neid gewesen. Helden beneidet man.

Diesen schwärmerischen Schwung der Massen findet man an der gleichen Stelle der Entwicklung im Leben jedes Volkes. Er ist gänzlich unfruchtbar.

Es sollte sich bald zeigen, was daraus entstehen würde, und wir werden am Schluß des Buches sehen, daß darin eine Wirkung von noch viel größerer als nur zeitlicher Tragweite lag.

Nach der Jahrhundertwende setzte die Vermassung ein. Masse Mensch stand auf. Das Wort scheint hart, aber es trifft leider zu.

Der Wahn von der Gleichheit und Brüderlichkeit wurde unter besonderem Schutz der Humanitas gestellt.

Der billigste »gesunde Menschenverstand« wurde heiliggesprochen, da Kultiviertheit und Wissen für die faule Menge nicht billig genug erreichbar waren.

Mit dem ganzen Instinkt eines gekränkten Haufens protestierte sie von nun an gegen den Ausreißversuch einzelner Menschen aus der Normung. Sie spürte sofort, daß hier ihre neueste heilige Überzeugung, daß alle Menschen gleich seien, in Gefahr geriet; daß sich hier jemand befreien wollte, daß er ausbrechen wollte aus dem Kollektiv.

Nichts kann die blinde Wut einer zur Herrschaft gelangten Masse mehr erregen!

»Wer sich irgendwie über den Gesichtskreis des Pöbels zu erheben wagt, gilt für geächtet ...«, hat schon der große Humanist Konrad Celtis vor 450 Jahren in seinem Antrittskolleg an der Ingolstädter Universität gesagt. Nur konnte es ihm damals egal sein.

Inzwischen hatten sich die Machtverhältnisse gründlich verändert.

Mediziner, Psychologen, materialistische Philosophen und Analytiker machten sich gegen das geringe Entgelt persönlichen Erfolges und der Originalität mit Bienenfleiß an die Arbeit, eine neue »Wahrheit über die Genies« bloßzulegen, und es wäre ja verwunderlich gewesen, wenn ihnen nicht hätte gelingen sollen, was selbst einem Kinde bei der Untersuchung seiner Puppe gelingt: Es entdeckt, daß sie aus Tuch und Seegras besteht.

Die Psychoanalytiker ließen vor dem Volk die kleine Schar der Genies nun mal aufmarschieren! Da kamen sie, die Unsterblichen: grauhaarig, gebückt, pathologisch, griesgrämig, ärmlich, irrsinnig, unscheinbar, im Schlafmantel, mit ungeputzten Schuhen, ohne Auto, mit ihrem Pudel murmelnd, den Hauswirt devot grüßend, Küchengeruch im Haar und ein kümmerlich-irdisches Bewerbungsschreiben zum Briefkasten bringend.

Die Masse betrachtete befriedigt das Seegras.

Endlich brauchte man kein Minderwertigkeitsgefühl mehr zu haben!

Es ging also alles mit rechten Dingen zu. Man selbst war nicht mehr klein und winzig, man spielte das gleiche Achtellos in der Lotterie wie alle anderen.

Das Gefühl für Größe und irdische Unsterblichkeit hatte damit seine letzte Wandlung durchgemacht.

An diesem Punkt stehen wir heute. Es ist müßig, sich etwas vorzumachen.

Eine andere Erscheinung, im zweiten Viertel des 20. Jahrhunderts, war vorauszuberechnen. Folgendes: Genieverehrung setzt historisches Gefühl voraus. Die Masse aber lebt ganz in der Gegenwart. Die Vergangenheit sagt ihr wie einem egozentrischen Kinde nichts. Folglich wünschte sie den ganzen Komplex der Ruhmbildung in die Gegenwart verlegt. Mehr noch: Sie wünschte das Kontingent an Größe und Bedeutung *selbst* zu verteilen. Was für einen Sinn hatte für sie das Spielen eines Achtelloses, wenn die Ziehung erst in 100 Jahren war. Nein, die Gewinnauszahlung mußte sofort erfolgen!

Seitdem lächeln uns von den Häuserwänden, von den Filmflächen, aus den Seiten der Illustrierten die kreidigen Gesichter der Stars an; Rudolf Valentino ist »unsterblich«, Millionen weinen an seinem Sarkophag; auf Tausenden von Fotografien, sorgsam in jedes Dorf getragen, entsteigt irgendein leeres Gesicht einem Luxusauto, und die Unterschrift hämmert allen den Namen dieses Millionärssohns ein. Schriftsteller, die das Plusquamperfekt nicht vom Imperfekt unterscheiden können, aber eine neuartige, kühne Auffassung von der Moral eines Deserteurs oder Straßenmädchens haben, steigen zu schwindelnder Höhe auf. Das Wort »berühmt« ist in aller Munde. Das kleine, neunjährige Mädchen, das ein Lied von eigentümlicher Primitivität besonders allgemeingültig singen kann, ist berühmt; der Boxer, der mit einem Schlag einen Ochsen umlegen kann, ist berühmt; die Halbwüchsige, die sich bei einem Fest vordrängt, um ihren originellen Appell an das Gute im Menschen loszuwerden, wird berühmt; die Stimme, die im Radio allabendlich die gleichen Tanzschlager mit der gleichen schiefen Munterkeit ansagt, ist berühmt; und der Mann, der die Röcke der Damen zum erstenmal um 30 Zentimeter länger schneidert, ist berühmt.

Das sind sie, die die Genies abgelöst haben, die neuen Nothelfer der Masse, die kein eigenes Minderwertigkeitsgefühl mehr aufkommen lassen.

Nichts wäre falscher, als darüber zu lächeln. Natürlich ist das ein leichter Weg, in den Ruf des Darüberstehens zu kommen. Die tödliche Belehrung folgte bei allen Kulturen auf dem Fuße. In einem Zeitalter, in dem Menschen und Stimmen nicht mehr gemessen, sondern abgezählt werden, ist diese skurrile Ruhmverschiebung nicht damit abgetan, daß man über ihr steht. Jede Zeit hat letztlich nur *eine* Wahrheit. Die heutige ist *diese!* Hier betätigt sich nicht eine »Sekte«, dies hier ist »Staatsreligion«.

Daß Ruhm und Verehrung jetzt so haarscharf neben jedermann einschlagen, das macht, wie in der Lotterie, Mut! Und die Masse des 20. Jahrhunderts braucht Mut! Denn sie hat, seit sie die Puppe öffnete, nichts mehr, nichts, gar nichts.

Es ist Spätabend geworden.

Selbstverständlich darf man das nicht sagen!

Man spricht in einem Krankenzimmer, seit Dr. Oswald Spengler die Diagnose gestellt und es verlassen hat, nicht vom Sterben. Im Gegenteil, nach jeder neuen Stufe abwärts, nach jeder neuen Katastrophe ist es genau wie nach jedem neuen Kriege die vornehmste Aufgabe aller blinden Hennen, die im Legen ihrer drängenden Eier nicht gestört werden wollen, zu erklären, daß in Wahrheit die Welt schön und der Mensch gut sei. Die ein Zentimeter über dem Horizont hängende Sonne wird zur aufgehenden Sonne ernannt.

Aber sie geht nicht auf, sie geht *unter*.

Wir sind die Zeugen — die von der Nachwelt vielleicht einmal viel beneideten Zeugen — des letzten Aktes eines Dramas.

Es ist leider so gut wie sicher.

Der Blick zurück auf die großen Geister der Vergangenheit ist von den wenigen Orientierungen, die uns heute geblieben sind, die unbestechlichste und sicherste.

Wir werden am Schluß unserer Untersuchung sehen, daß in ihr sogar eine Prophetie von äußerster Konsequenz für die Zukunft liegt: ein bisher verdeckt gelegener Ausblick auf ein neues Zeitalter. Ein Ausblick, wie er großartiger nicht denkbar ist!

DIE ANATOMIE DES GENIES

Wenn »Genie« etwas organisch Bedingtes ist, muß es zu fassen sein. Begeben wir uns also in den Saal der Anatomie, den die Ärzte, sie werden wissen warum, das »Anatomische Theater« zu nennen pflegen.

Auf dem Seziertisch liegt eine tote, also eine bereits historische Gestalt. Dies hat den Vorteil, daß eine Untersuchung für den Autor ungefährlich ist.

Die Gestalt möge ein Genie sein. Dort unter dem weißen Tuch liegt sie. Wir wollen sie einmal gründlich untersuchen.

Es bedarf jedoch keiner besonderen Feierlichkeit unsererseits. Die Genies — die meisten jedenfalls — waren ihrer schon zu Lebzeiten ungewohnt.

Die Gestalt auf dem Seziertisch ist nicht besonders ehrfurchtgebietend. Sie ist alltäglich. Sie ist weder sehr groß noch sehr klein, weder stets blond noch stets dunkel, sie muß weder athletisch noch leptosom, weder pyknisch noch asthenisch sein. Nirgends ist ein ungewöhnliches Merkmal zu entdecken. Genie scheint nichts Äußerliches zu sein.

Öffnen wir also den Mann. Vielleicht bringt das Messer Klarheit.

Dies hier ist das Herz. Das Herz des Genies! Es ist ein normales Herz, wie Sie sehen.

Dies ist das Blut. Gruppe A, Gruppe B, Gruppe O.

Hier ist die Lunge. Es ist die Lunge wie von mindestens tausend Millionen Menschen.

Alle inneren Organe sind normal. Sie müssen zweifellos einmal normal funktioniert haben.

Das Gehirn ist mal groß, mal klein, meistens mittel. Der Befund der Hirnrinde sowie der gesamten Großhirn-halbkugeln, die den hohen seelischen Regungen dienen, ist ohne Sonderheiten.

Die fünf Sinne müssen normal funktioniert haben. Auf einen weiteren, unbekannten deutet nichts hin.

Unzählige Male sind solche Untersuchungen durchge-führt worden.

Psychopathische Anlagen sind im durchschnittlichen Maße möglich. Nietzsche, Hölderlin, Schumann wurden wahnsinnig, Kant, Goethe, Kopernikus, Bach hatten noch im hohen Alter einen glasklaren Verstand. Zieht man die moderne Statistik und ihre Ausdeutung, die Soziologie und Umweltskunde, hinzu, so ergibt sich die Erkenntnis, daß der Prozentsatz der Geistesgestörten unter den Genies nur wenig höher ist als unter der All-gemeinheit. Es ist zu berücksichtigen, daß ein Genie dem allgemeinen Interesse und der scharfen Beobachtung un-vergleichlich stärker ausgesetzt ist als ein Namenloser. Ferner ist in Rechnung zu stellen, daß das Genie viel größerer seelischer und geistiger Belastung ausgesetzt ist als die Masse. Das heißt, es ist viel wahrscheinlicher, daß »Genie« geistige Störungen zur Folge haben kann als umgekehrt. Nichts, aber auch gar nichts deutet darauf hin, daß Geisteskrankheit die Ursache der Genialität oder gar eine Voraussetzung ist.

Die wie ein Alpdruck auf allen Gemütern liegenden tief-sinnigen Abhandlungen über den Zusammenhang von »Genie und Irrsinn«, die sich inzwischen zu Bergen von

Büchern getürmt haben, besagen also sachlich und nüchtern gesehen lediglich: Diese Untersuchungen nützen der Erforschung des Irrsinns, nicht aber des Genies. Leider.

Wir sind am Ende. Wir haben etwas Absolutes, das als Genie in diesem Körper hätte stecken können, nicht gefunden.

Bedauerlicherweise hat sich damit die Frage nach dem Wesen des Genies nicht erledigt, und wenn ich es mir recht überlege, so scheint mir, daß das Rätsel »Ruhm und Größe« ungelöst bleibt, solange nicht die Frage geklärt ist, warum Rembrandts Bild »Die Nachtwache« vierzig Millionen Mark kostet und Zabateris bekanntes Schlafzimmerbild »Der Elfenreigen« nicht mehr als 100 Mark und 50 Pfennige.

Die Gedankenverbindung beider Fragen hat nur scheinbar etwas Verblüffendes an sich. Die Kühnheit täuscht. Tatsächlich deckt das Beispiel mit der »Nachtwache« und dem »Elfenreigen« für die Geniefrage einen neuen Weg auf.

Das Rijksmuseum in Amsterdam soll nach dem Kriege als letztes Angebot aus Amerika die Summe von zehn Millionen Dollar für die »Nachtwache«genannt bekommen haben. In auffallendem Gegensatz steht dazu die Tatsache, daß die »Nachtwache« als Kopie oder Reproduktion höchstens in hundert Wohnungen auf der ganzen Erde hängt, also offenbar von nur hundert Personen zur Erbauung als ständiger Anblick gewünscht wird.

Es ist eine andere Tatsache, daß der bewußte »Elfenreigen« auch als Original nicht mehr als den vierhunderttausendsten Teil kosten würde. *Seine* Reproduktion hängt jedoch in schätzungsweise einer Million Schlafzimmern.

Es ist offensichtlich, daß hier an Fragen gerührt wird, die

keineswegs mehr spaßig, sondern beängstigend und unheimlich sind.

Wer ist dieser Rembrandt? Wer sind diejenigen, die die ungeheure Macht besitzen, gegen den Willen von Millionen anderer Menschen diesen Preis, dieses Werturteil über Rembrandt festzusetzen? Es ist doch sicher, daß die Masse dieses Urteil weder versteht, noch ihm in der Praxis zu folgen bereit ist. Dennoch nimmt sie es als Gesetz hin. Es liegen einige Antworten auf der Hand, die aber alle falsch sind:

Die Antwort, daß für die Masse das Gebiet unzugänglich ist und sie daher Fachleuten vertrauen muß, ist nicht möglich. Es handelt sich ja nicht um Mathematik oder Hindustanisch, sondern schlicht um einen »Anblick«. Daß der Maler aus seinem Gemälde ein Rätsel oder eine Vorlesung macht, ist eine Erfindung der modernen Dekadenz.

Vor den Bildern Rembrandts dürfen Gehirne sehr wohl arbeitslos bleiben. Rembrandt hatte das nicht nötig. Das Auge, das gleiche Auge, das eine Wolke, eine Blume, ein Filigran betrachtet, genügt. Der Masse ist also von vornherein gar nichts verschlossen.

Die Antwort, daß die Nachfrage den Preis regelt, ist hier ebenfalls falsch. Es wurde gerade festgestellt, daß der »Elfenreigen« weit mehr gefragt ist.

Auch stimmt es nicht, daß etwa in einem kleinen, exklusiven Kreis eine beständige Nachfrage den Börsenwert, gerade diesen ungewöhnlichen Börsenwert, bestimmt hat. Die »Nachtwache« war nie im Handel. Ja, bei genauerer Betrachtung stellt sich sogar heraus: auch diese angenommene kleine Schicht von Menschen weiß offensichtlich nichts von einem absoluten Gesetz und urteilt nicht zeitlos. Johann Sebastian Bachs gesamtes

Werk, zu Lebzeiten hochgeschätzt, war 100 Jahre lang verkannt und vergessen. Auch von *jenem* Kreise. Walther von der Vogelweide war einst weltberühmt und ist es heute wieder. Dazwischen liegen 500 Jahre, wo er nichts galt.

In diesen bescheidenen Überlegungen sind wir unmerklich immer mehr darauf gekommen, daß bei dieser Frage das Publikum interessanter ist als das Bild, und der »Verbraucher des Genies« wichtiger als das Genie.

Ganze Generationen haben diese Möglichkeit nicht gesehen. Sie waren alle vom Genie als etwas Absolutem, Zeitlosem, Beziehungslosem überzeugt. Man war sehr lange von der Vorstellung eines geeichten Metermaßes beherrscht, das man an einen Mann und sein Werk anlegen könne. Das 19. Jahrhundert entdeckte zum erstenmal, daß das Maß nicht mehr stimmte. Da sich beispielsweise Walther von der Vogelweide nicht gewandelt hatte, denn er war ganz und gar tot, mußten sich die Menschen, die »Verbraucher« der von Walther angebotenen Ware, geändert haben!

Und damit schien die Frage nach Genie, Ruhm und Größe als etwas ganz Neues entlarvt: nämlich gar nicht mehr als eine Suche nach etwas Absolutem im Werk selbst, sondern als eine Frage des Zeitgeschmacks, als eine Frage der »Verbraucher«, als eine Frage, in welcher *Verfassung* sich der Betrachter befindet.

Kurz als eine sogenannte soziologische.

Bei diesem Stichwort möge man mir bitte eine sofortige abgrundtiefe Skepsis nicht verübeln.

Die Soziologie, die Forschung nach den Gründen von dem Verhalten der Menschen in der Gesellschaft, ist eine »Errungenschaft«, die etwa vergleichbar ist mit der australischen Karnickelplage. »Die ich rief, die Geister, werd' ich nun nicht los ...« Die Idee, Kaninchen in dieses so wenig Möglichkeiten bietende Land einzuführen, war einstmals ausgezeichnet. Leider haben sie sich zu einer Landplage entwickelt, für die die gewinnreiche Pelzausfuhr wirklich nur ein schwacher Trost ist.

Das Wesen der Soziologie, solange sie nicht politisch vergewaltigt ist, was ihr bereits im zarten Alter widerfuhr, besteht darin, keinerlei Werturteile, keinerlei absolute Maße zu verkünden, sondern stets nur relative Beziehungen feststellen zu wollen.

Folgerichtig sagt die Soziologie nun zu der Frage der Rembrandtschen »Nachtwache« und des »Elfenreigens«: Jede Zeit urteilt aus ihrer Sicht, jeder Kreis aus seiner Sicht, und würde ein Zeitgeist kommen, der die »Nachtwache« für peinlich und den »Elfenreigen« für genial hielte, so wäre das kein kurzlebiger Witz, sondern genau so gültiger Ernst wie das heutige Urteil. Die Soziologie, die heute so viel konsultierte, versetzt also »wissenschaftlich« der Hoffnung auf ein absolutes Wertmaß anscheinend den Todesstoß.

Der Satz ist aus dem Munde der Soziologie keine große Überraschung, aber er müßte mit Bestürzung erfüllen, wenn er sich bewahrheiten würde. Denn er meint ja nicht, daß es Zeiten gibt, die bestimmte bleibende Werte nicht *erkennen,* sondern er stellt die ungeheuerliche Behauptung auf, daß die wenigen tröstlichen Fixsterne, die unser Blick in der Vergangenheit sieht, gar keine Sterne sind, sondern Laternen, die wir uns erst selbst angezündet haben. Er sagt, daß der Mann und sein Werk sein können wie sie wollen, sie werden erst von den Menschen zu dem gestempelt, als was sie gelten. Und das jeweilige Urteil dieser Menschen setzt sich nicht aus *einem* Gefühlswert, etwa dem malerischen bei einem Bild, zusammen, sondern wird mitbestimmt von Tausenden von Gefühlsverbindungen, die zum großen Teil mit dem Bild selbst gar nichts mehr zu tun haben, sondern unsichtbar zusammenhängen mit der Lebenslage, der Politik, der Körperkonstitution, der Ernährung, der Religion und der Geographie.

Scharf ausgedrückt lautet z. B. für die Rembrandtsche »Nachtwache« die Erklärung der Soziologie so: Die Masse lebt vorwiegend in einer Umwelt, die halbdunkel ist wie das Rembrandtgemälde, pflichtbedrückt wie das Motiv der »Nachtwache« und von den gleichen peinigenden Sozial- und Rangunterschieden gedemütigt, wie auf dem Bilde. Da die Masse nicht gelernt und auch keine Veranlassung hat, in der Wiederholung der Wirklichkeit eine erfreuliche »Entspannung« zu sehen, sucht sie Entspannung in naiven Farbträumen mit Motiven, die die Erinnerung an Zwang, Arbeit und Unterschiede vermeiden. Also etwa in dem »Elfenreigen«. Die geistig geschultere und kultiviertere kleine Gruppe, die den Rembrandt liebt, hat ganz andere Wunschziele und Gefühle. Sie nimmt ihre Macht, das eigene Urteil als gültig zu erklären, auch gar nicht aus der Logik, sondern aus ihrer sozialen Stellung: sie ist die im Alltag mächtigere Gruppe, die in wichtigen Positionen sitzt, die die Publizistik beherrscht und die Möglichkeit hat, durch die Theatralik und Feierlichkeit der Museen die Masse zu einem Verhalten wie in der Kirche zu bewegen. Das ist alles. Es gibt auch für Rembrandt kein »Mehr«.

Dies gilt heute als die tiefste bisher gelungene Lotung. Aber es erhebt sich der schreckliche Verdacht, daß es eine sogenannte Echo-Lotung war und daß das, was hier ausgelotet wurde, nicht der Meeresboden, sondern ein Schwarm ambulanter Heringe gewesen ist.

Es ist ein trauriges Ergebnis, und das einzige wirklich Erfreuliche daran ist seine Unglaubwürdigkeit.

Wenn man das Experiment macht, einen bettelarmen jungen Menschen in seiner sorgenvollen, bedrückten Umgebung zu lassen, ihm aber die Möglichkeit einer guten Bildung zu vermitteln, so wählt er von nun an nicht mehr den »Elfenreigen«, sondern den Rembrandt. Andererseits hängt der »Elfenreigen« in den Wohnungen zahlloser reicher Menschen, die die Sorgen nur vom Hörensagen kennen. Noch viel mehr ließe sich gegen grundsätzliche Unterstellungen der Soziologie sagen. So ist die Unterstellung, das Milieu irgendeines Kreises sei bedrückend, schon ein absolutes Werturteil von sehr zweifelhafter Geltung.

Ein noch interessanterer Einwand aber ist der: Bei jedem, der auf der Stufe des »Elfenreigens« steht, ist eine Verwandlung zum Rembrandt hin denkbar. Umgekehrt aber ist eine Rückverwandlung unvorstellbar. Noch kein Rembrandtverehrer ist reumütig zum »Elfenreigen« zurückgekehrt.

»Wer je die Flamme umschritt, bleibe der Flamme Trabant«, sagt Stefan George.

Alles das deutet darauf hin, daß Genie und echte Größe, so wenig sie etwas Organisch-Greifbares darstellen, ebensowenig etwas gänzlich Schwankendes sein können. Dieser seelische »Fort-Schritt« von einer Stufe zur anderen, der so erstaunlicherweise keinen »Rückschritt« erlaubt, muß logischerweise bestimmte Kräfte als Ursache haben, Kräfte, die in den Werken und damit in der Person des Genies stecken. Die seelische Verwandlung muß, da sie so unwiderruflich ist, zweifellos eine »Höherentwicklung« sein. Sie muß einer wesentlichen Vermehrung der Erkenntnis und des Gefühlsreichtums gleichkommen. Es ist nicht nur etwas »anders« geworden, sondern »mehr«.

Ja, es ist nicht nur ein »mehr« geworden, sondern auch ein »höher«, denn es ist ein typisches Merkmal, daß der Mensch, der sich weiterentwickelt hat, die früher zurückgelegten Stufen nun *überblickt*. Der Verwandelte kann durch rückblickende Erklärung *Zeugnis* ablegen von seinem Fortschreiten. (*Das* ist es, was die Masse einschüchtert und nachdenklich macht!) *Daher* nimmt er seine Macht. Er ist imstande, die Stufen souverän zu beschreiben und zu sezieren.

Vorwärts jedoch, aufwärts zu blicken, ist er nicht im geringsten imstande. Er ahnt höchstens, daß es noch »Höheres« gibt. Dies tut er nur, solange er seelisch noch in Bewegung ist. Ist der Stillstand erfolgt, hält er seine Plattform für die höchste.

Hiermit ist das ominöse Wort gefallen.

Welche ist die höchste?

Wer kennt sie?

Wir haben uns mit Mühe und Not von der trostlosen Gleichmacherei und allgemeinen Relativität befreit und stehen nun vor einer *neuen* Unsicherheit. Es ist die überhaupt entscheidende Frage: Wo fängt das »Genie« an? Wo hört es auf?

Tausende von Namen sind uns als »groß« aus der Vergangenheit überliefert, Tausende lieben wir, Tausende lassen uns gleichgültig. Böcklin hat Rembrandt gehaßt, Schiller hat Hölderlin nicht begriffen, Beethoven hat Kaiser Napoleon verachtet. Es ist eine riesige Schar von Aspiranten, von Thronanwärtern da, aber aus dieser Fülle von »Genies« hat Liebe oder Ästhetik immer andere auf den Thron gehoben.

Alle bisherigen scharfsinnigen Versuche, das Wesen des

Genies herauszuschälen, sind daran gescheitert, daß man außer ethischen und ästhetischen Vorstellungen keinen anderen Maßstab sah, und daß diese Vorstellungen eben wandelbar sind. Wohl war man sich über den Abstand von bedeutenden Größen zu unbedeutenden Menschen im klaren, aber in der großen Schar der im Laufe der Zeiten als Genies gesammelten Namen schien es immer noch größere und kleinere zu geben, gewaltigere und zierlichere, ehrfurchtgebietende und rührungerweckende. Und es schien fast hoffnungslos, »Tatgenies« wie Kolumbus mit »Formgenies« wie Stefan George vergleichen oder auf irgendeinen gemeinsamen Nenner bringen zu wollen. Selbstverständlich sprach man von dem »Genie« Adolf Menzels oder van Goghs, von dem »Genie« Friedrichs II. oder Leibniz', aber jedes Buch, jede Abhandlung, jede Aufzählung war von vornherein vor die Notwendigkeit gestellt, eine Auswahl zu treffen, und ließ vielleicht Menzel und Leibniz aus. Das letzte Urteil war damit der Zeit, der Ästhetik und der Liebe überlassen.

Man zeigte also »große Männer« aus der Schar »großer Männer«. Man zeigte »glänzendste Leistungen« aus der Fülle »glänzendster Leistungen«.

Einen schärferen, einen bleibenden Maßstab schien es für die Schar der Genies nicht zu geben. Dieses Wort ist beachtenswert: für Genies. Die Bezeichnung ist geblieben für die ganze Schar, man anerkennt sie weiter, man nennt sie weiter so, man kann ja auch nicht anders, auch wenn eine Generation sie aussortiert. Nein, sie *sind* noch alle Genies, nur: relative. Und setzt eine Zeit einmal einige von ihnen ab, so dürfen sie wie ausgediente Majore hinter ihren Rang die Buchstaben a. D. setzen, und es wird ihnen bescheinigt, daß sehr wohl eine Zeit kommen kann, wo sie wieder reaktiviert werden können.

Dies ist das Fazit aller bisherigen Überlegungen.

Es sagt über das Wesen des Genies so gut wie nichts aus! Man muß also entweder die Frage aufgeben und sie als ein Scheinproblem betrachten, oder man muß annehmen, daß ein grundsätzlicher Denkfehler die Beantwortung der Geniefrage bisher verhindert hat.

Verstehen Sie mich recht: Wenn ich mich immer wieder hartnäckig weigere, jene große Gruppe von berühmten Namen als Genies anzusprechen und mich damit zufriedenzugeben, daß sie in der Wertschätzung eben wechseln, so bin ich mir natürlich sehr wohl darüber im klaren, daß ich sie Genie nennen *könnte*. Und ich wäre auch sofort bereit, mich dieser landläufigen Meinung anzuschließen, wenn mich das der Sorge entheben würde, dann eben einen anderen, neuen Namen für jene kleine Schar von Männern zu erfinden, die, wie wir Grund haben zu vermuten, historisch feststellbar absolut *»mehr«* sind. Es soll versucht werden, dies zu beweisen.

Es ist notwendig, bei unseren Überlegungen ohne alle Voraussetzungen zu beginnen, um nicht alte Fehler zu übernehmen. Denn: in allen bisherigen Überlegungen steckte ein hartnäckiger Denkfehler. Wir werden sehen, daß er darin bestand, daß man zuerst Genies ernannt und dann ihre Stabilität untersucht hat. Man hat aus einer Fülle von im voraus bezeichneten, zum Teil untauglichen Namen festgestellt, daß ihr Wert im Wandel der Zeiten schwankt, und daraus geschlossen, daß es für Genies keinen bleibenden Maßstab gäbe.

Die *Reihenfolge* der Gedanken war falsch. Beginnen wir also voraussetzungslos.

Wir wollen einmal alle Namen vergessen. Wir wollen annehmen, keiner wäre uns überliefert und kein Werk würden wir kennen, gar keines. Wir wissen nichts von ihnen. Wir suchen lediglich die unbekannten »X«. Wir können also weder sie noch ihr Werk untersuchen.

Wir wissen nicht einmal, auf *welchem* Gebiet sie etwas geschaffen haben. Ja, die bloße Vermutung, es hätte bedeutende Größen gegeben, wäre allein schon eine kühne Behauptung. Wir wollen annehmen, wir wüßten selbst *das* nicht gewiß.

Aber es wird nicht lange dauern, da wird uns eins gelingen: an irgendwelchen Punkten der Geschichte des geistigen Lebens unseres Volkes eine starke Wirkung »Unbekannter« festzustellen und dadurch zu beweisen, *daß* sie existierten und daß ihre Wirkung *unabhängig* von unserem heutigen Gefallen, Nichtgefallen oder Kennen historisch ist.

Schon an dieser Stelle kann man mit Sicherheit sagen, daß ihre Anzahl nicht sehr groß sein wird, und man ahnt bereits, daß es sich hier um ganz andere Männer handeln könnte, als um wohlgefällige Könner und virtuose Talente. Für eine riesige Schar von Bewunderten schwindet die Hoffnung, zu dieser Gruppe zu zählen, bereits dahin, so herrlich auch ihre Werke, so groß sie selbst sein mögen. Es nützt ihnen nun nichts, daß Urgroßvater, Großvater und Vater sie mit Liebe in der Schublade aufbewahrt haben. Wer sagt, daß die, die wir finden werden, je geliebt worden sind?

Aber immer noch kennen wir niemand. Wir kennen nur die Tatsache ihrer Spuren, die also dort zu finden sein müssen, wo die Kraft dieser Unbekannten in die Geschichte unseres geistigen und seelischen Lebens eingegriffen hat.

Stellen wir uns vor, wir würden das wechselvolle geistige und seelische Leben unseres Volkes in einer graphischen Linie veranschaulichen können, einer Linie, die sich bald nach links, bald nach rechts neigt, je nach den unterschiedlichen geistigen Strömungen.

Das genügt für die Behauptung, daß die Spuren der großen unbekannten »X-Gestalten« jene Punkte darstellen, wo diese graphische Linie eine Richtungsänderung erfahren hat: wo sie z. B. zu einer Kurve anhebt oder wieder zur Geraden wird.

Eines ist bereits klar: Solche gigantischen Wirkungen im geistigen Leben eines ganzen Volkes müssen Verursacher von gleichem gigantischen Format haben! Wer und wie viele es immer sein mögen, die das ganze Denken und Fühlen herumgeworfen haben: es sind die großen Sinneswender, die Wandler und neuen Gefühlsgeber.

Die großen, die geschichtlichen Seelenbeweger und Sinneswender, das müssen die Genies sein, die sich unendlich über die Masse und über alle »Majore« erheben — ob wir sie lieben oder nicht.

Die Jahreszahlen ihrer Spuren sind schlechthin Schlachtendaten unserer Geschichte vergleichbar!

Wir kennen ihre Namen noch nicht, es interessiert uns auch noch nicht, aus welchem Lager sie kommen und was für Menschen uns erwarten.

Um nun den nächsten Schritt zu tun und zu sehen, *wann* es Veränderungen von solchem Ausmaß gegeben hat, also *wo* die gedachte graphische Linie Richtungsänderungen anzeigt, ist es notwendig, die Geschichte unseres geistigen und seelischen Lebens zu untersuchen.

Wir Deutsche haben in unserer Geschichte Perioden durchlaufen, in denen wir ganz von weltanschaulichen und religiösen Fragen beherrscht waren, dann Perioden, in denen die Blickrichtung ganz auf eine Gemeinschaftsbildung, Raumordnung, Lebensordnung, Staatsbildung ging, oder Perioden, in denen die seelische und geistige

Haltung der Zeit durch die erste Bekanntschaft mit der Musikalität geprägt war. Wie, wo und wann diese Perioden liegen, wollen wir zunächst nicht untersuchen. Aber sie sind historisch nachweisbar, und zwar ziemlich leicht. Wir können eine, diesen Periodenwechsel verdeutlichende Linie zeichnen, angefangen von frühester Zeit bis heute, die in unregelmäßigen Wendungen und Kurven durch die verschiedensten Lebensbereiche, durch die verschiedensten »Rubriken« läuft.

Das könnte so aussehen:

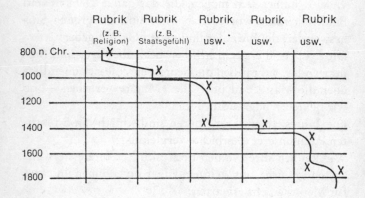

Wir wissen es noch nicht. Wir wissen nur, daß das Prinzip richtig ist (und sei es, daß es auch nur so weit »richtig« ist, wie es Bilder und Symbole, die sich der menschliche Geist als Brücken baut, überhaupt sein können).

Jede Richtungsänderung, ob es der Ansatz zu einer Kurve oder der Übergang von ihr in eine Gerade ist, ist die Spur derer, die wir suchen, der Ort, an dem wir graben müssen!

Es ist leicht zu überblicken, welche ungewöhnlichen Folgerungen sich aus diesen Erkenntnissen ergeben.

Es ist zunächst nicht mehr vorstellbar, daß es ein »frei im Raum« schwebendes Genie gäbe. Ein Genie-Werk in der Schublade gibt es nicht. Genie ist Wirkung und überhaupt nur an Hand der geschichtlichen Linie eines Volkes erkennbar. Ein »Genie« ohne Rückhalt in einem Volk, ohne Rückhalt in einer bestimmten geistigen Schicksalsgemeinschaft kann seine angebliche historische Wirkung einfach nicht beweisen, ist beziehungslos, also unvorstellbar als Genie.

Dies gleicht einem mathematischen negativen Beweis.

Genies werden vom eigenen Volk *erlebt*, von anderen Völkern nur *gesichtet.*

Genies müssen einem Volk zugerechnet werden können, einer geistigen Lebensgemeinschaft. Genießer, »Verbraucher« des Genies aber können viele, es kann die ganze Welt sein. Ein Genie kann von einem fremden Volk und einer fremden geistigen Schicksalsgemeinschaft gesichtet und genossen werden, entweder als außerordentliche Kraft, oder als mittlere, ja sogar als winzige, *nie* jedoch so wie im eigenen Volk erlebt werden. Es wird bei besonders leuchtenden Namen dem fremden Volk vielleicht so *scheinen,* aber es ist im letzten Grad eben eine Täuschung. Es stehen Mittler, größere oder kleinere »Übersetzer« der Kraft dazwischen.

Zwischen Genies verschiedener Völker und Kulturkreise gibt es auch keine Vergleichsmöglichkeiten ihrer Größe. Einzelne Genies des eigenen Volkes mögen heller leuchten als andere des gleichen Volkes, aber zu fragen ob Konfuzius oder Luther das »größere« Genie ist, wäre unsinnig.

Ein anderer Gedanke von Tragweite ist, daß notwendigerweise alle, die einmal als ein »X«, als ein Zeiten- und Sinneswender klar erkannt worden sind, es auch bleiben. Kein späterer Zeitgeist wird sie mehr absetzen, denn als »Zeitenwender« liegen sie historisch im Geschichtsablauf fest.

Eine weitere Folgerung: Wenn wir Genies als Zeitenwender begreifen, liegt auch ihre Zahl fest; denn die einschneidenden geistigen und seelischen Verwandlungen in unserer Geschichte sind erkennbare historische Fakten. Das heißt nicht mehr und nicht weniger als: jedes Volk hat in seiner Vergangenheit nicht beliebig viele, sondern nur eine bestimmte Anzahl von Genies. Sie ist zwar nicht von vornherein, sondern rückblickend aus dem tatsächlichen Geschichtsablauf begrenzt.

Dieser Tatbestand lockt zu einem Vergleich mit einer Situation, die die chemische Wissenschaft vor 100 Jahren durchlaufen hat.

Wir müssen das untersuchen.

Die beiden Chemiker Mendelejew und Lothar Meyer waren damals wie alle Welt auf der Suche nach den sogenannten Elementen, den chemischen Grundstoffen der materiellen Welt. Es waren damals bereits einige Dutzend Elemente bekannt, aber es wurden immer wieder neue gefunden. Wie lange sollte das weitergehen? Gab es unendlich viele oder eine berechenbare, naturbedingte Grenze? Mendelejew und Meyer erkannten 1869, daß sich die Atomgewichte der Elemente durch eine gesetzmäßige Steigerung unterschieden. Sie ordneten so dementsprechend die damals bekannten Elemente zu einer Reihe. Es wurde eine lückenreiche Linie, und die beiden Forscher waren überzeugt, daß die Lücken auf noch unentdeckte Elemente hinwiesen. Zugleich entdeckten sie, daß bestimmte Elemente gleiche Merkmale, gleiche Eigenschaften aufwiesen. Sie stellten sie jeweils in senkrechten Rubriken untereinander. Nun rutschten damit

auch die Lücken, also die Stellen, wo man ein unentdeck-
tes Element vermuten mußte, jeweils in die verschiedensten Rubriken. Mendelejew und Meyer zogen daraus
den kühnen aber richtigen Schluß, daß auch das noch
unentdeckte Element die gleichen Eigenschaften wie die
Nachbar-Elemente seiner Rubrik haben werde. Lag ein
solches Loch in der Rubrik der Gase, so konnte man darauf schließen, daß das fehlende Element ein Gas war.
Lag es bei den Metallen, so würde man ein Metall finden. Kannte man in einer Gruppe, zum Beispiel in der
Rubrik Nr. 1 wenigstens *ein* Element, also etwa den
»Wasserstoff«, so konnte man darauf schließen, daß die
anderen noch unbekannten in dieser Gruppe ähnliche
Eigenschaften und gleiche chemische Wertigkeit besaßen.
Man wußte also, wo, in welchem Lager man nach ihnen
zu suchen hatte. Ferner konnte man an den Lücken des
Schemas ablesen, wie viele Elemente noch fehlten, wie
viele *nur* noch fehlen *konnten.*
Diese Erkenntnis und Grundlage ist bis heute nicht um-
gestoßen.
Die Gesetzmäßigkeit in der Folge der chemischen Elemente ist für unsere systematische Suche nach den Genies
zumindest interessant. Sie stößt uns für ihr Auffinden
auf einige weitere Parallelerscheinungen hin. Mendelejew und Meyer waren noch der Ansicht, daß an einem
bestimmten Platz des Schemas nur *ein* ganz bestimmtes
Element stehen könne. Heute weiß man, daß von diesem
Element auf gleichem Platz eine oder mehrere Varianten
gefunden werden können, die sogenannten Isotopen.
Auch das wird sich analog bei der Untersuchung der
geistigen »X«-Gestalten abspielen. Auch hier muß die
Zeit korrigieren.
Wir werden auch Punkte an der graphischen Linie ent-

decken, wo zwar ganz *sicher* ein Unbekannter »X«, wahrscheinlich sogar mehrere, gestanden haben müssen; wir werden ihre Spuren sehen; es müssen ungeheure Größen gewesen sein, und dennoch werden alle unsere Überlegungen und Nachforschungen vielleicht vergeblich bleiben. Ihre Namen sind völlig im Dunkel, alle Dokumente, alle Hinweise sind verschollen, ihre persönlichen Werke unerkannt. Wir sehen nur ihre Spuren. Wenn wir Glück haben, bekommen wir wenigstens *einen* heraus. Dieser Fall wird uns bald zu Anfang des Buches an einer Stelle begegnen.

Denn der faszinierendste Teil beginnt erst jetzt!

Wir wissen, wo und wie wir zu graben haben, aber es ist ein weites Feld: die Historie der Herzen eines Volkes.

Wen wir finden werden, ist noch völlig ungewiß!

Wer weiß, welche Namen und Antlitze hinter den »X« auftauchen werden.

Werden es Staatsmänner sein? Tyrannen? Philosophen? Erfinder? Ist es denkbar, daß auf diesen Plätzen einfache Maler und Musiker gestanden haben?

Wird uns das Gesicht eines Dichters anblicken?

Gleichviel! Wir haben nicht das Recht, zu wählen, wie mangelhafte Genie-Erkenntnis es bisher glaubte. Die Genies sind nicht Gewählte, sie sind von Gottes Gnaden. Wie antike Könige.

Sie sind das, ob wir sie lieben oder nicht.

Sie haben regiert, ob die Masse wollte oder nicht.

Unser Herz ist die Summe *ihrer* Herzen.

Nennen wir sie klein, so sind *wir* klein.

Nennen wir sie groß, so sind *wir* groß.

Andere Große mögen uns erbauen, *sie* haben uns gestaltet.

Alle die Menschen aber, die heute noch die Andacht vor den Genies im Herzen hüten und die Siegel bewahren, sind der wahre und letzte Adel im Volke!

Sie sind es, die den Richterspruch über die »Nachtwache« und über den »Elfenreigen« fällen. Aber glauben Sie nicht (denn es ist nicht wahr), daß ihre Macht auf dem läppischen, profanen Alltag und auf führenden Stellungen beruht. Glauben Sie nicht, was den heutigen Zeitgeist-Destillateuren als letzte Weisheit erscheint. Die geistige Macht kommt woanders her:

Es ist die Macht des leidenschaftlichen Einstehens, die Macht des Bekennermutes.

Er war von jeher ein Vorrecht adliger Menschen.

AUF DER SUCHE

Die Reise in die Vergangenheit ist für manche Völker nur eine kurze Fahrt. Man reist zwischen Wolkenkratzern ab, der Weg bleibt klar und deutlich wie ein Kontoauszug in der Mittagssonne, und mit der »Mayflower«, dem ersten Einwandererschiff, endet er.
Für das uralte China dagegen ist es ein Weg, der endlos scheint, der nie ganz hell ist, aber auch nie ganz dunkel. So weit man zurückgeht, immer schon war das Gesicht Chinas wie altes Pergament und anscheinend niemals jung.
Der Weg in die Vergangenheit der *deutschen* Geschichte endet nach 2000 Jahren im Dunkel. In der Dämmerung und Stille.
Die endlosen Wälder rauschen, man hört ein Summen und Raunen, aber man sieht keine Gestalt und kein gemeinsames Schicksal.
Wir sind viel zu weit zurückgegangen!
Es müssen noch ein paar hundert Jahre vergehen. Die Römer-Märchengestalten erscheinen, und die Völkerwanderung geht über das Land hinweg. Dann stößt eine neue Religion vor, die schon den weiten Weg von Kleinasien bis Rom siegreich zurückgelegt hat. In langen Jahren verblassen die alten gehörnten und hammerschleudernden Götter und machen dem großen Dulder Jesus von Nazareth Platz. Die abendländische Gestalt Karls

des Großen unternimmt den Versuch, alle, die soeben dieses gemeinsame gewaltige Glaubenserlebnis hatten, zusammenzuschweißen. Er ist ganz erfüllt davon, daß das als Bindung genügt. Er kommt viel stärker, als wir wahrscheinlich ahnen, vom Religiösen her.

Aber was er erschafft, ist weit entfernt von Staat, Volk oder Nation. Es ist ein Glaubensreich.

Sein Reich zerbricht als politisches Gebilde erst noch einmal vollständig, ehe sich dann Völker herauskristallisieren. Es bedarf noch großer Erschütterungen, ehe völkische Schicksalsgemeinschaften wie Kristalle in einer Salzlauge erstarren und sich zusammenballen. Dies aber ist die Grundlage für den Beginn einer »Linie«. Es ist zugleich stets die erste »Rubrik«.

Für uns, ebenso wie für Frankreich zum Beispiel, liegt also das Erlebnis Christus *vor* dem Beginn der »Linie«. Das Religionserlebnis hat sich für uns auch später nicht mehr wiederholt, denn was 700 Jahre darnach Martin Luther tat, darf nicht damit verwechselt werden. Wir werden sehen, daß es etwas anderes ist.

Wir sind also dadurch, daß dieses Erlebnis in die Vorzeit fällt, einer Rubrik »Glaubensfassung« oder »Religionserfassung« oder wie man sie nennen mag, verlustig gegangen.

Zwei, drei Generationen später kann man dieses »Auskristallisieren«, von dem ich sprach, deutlich erkennen. Tiefe Einschnitte, Brüche, Cañons ziehen sich durch das ehemalige Glaubensreich. Drei, vier Riesenmoleküle bilden sich. Jedes der Stoff für eine völkische Schicksalsgemeinschaft und einen späteren Staat.

Die drei großen Komplexe »Frankreich«, »Lothringen« und »Deutschland« heben sich ab, ohne einstweilen weder die Namen Deutschland und Frankreich zu führen, noch zu verdienen. Der Mittelteil »Lothringen« erweist sich später als politischer Irrtum, als *kein* Grundstock zu einem Volksgebilde oder Staat; er zersplittert und fällt den Nachbarn rechts und links anheim.

Von diesem späteren Schicksal ahnt zunächst noch niemand etwas. Niemand würde verstanden haben, wieso das das Los des Zwischenlandes »Lothringen« sein *mußte*. Begriffe wie Nation und Volksstaat fehlen noch. Man ist sich lediglich bewußt, in einem mehr oder minder zufälligen Machtbereich zu leben. Die Gedanken kreisen um die alten Begriffe, das Leben um Hof, Familie, Sippe. Der Stamm, die nächst größere Gemeinschaft, ist zugleich die letzte, die äußerste, die weltenfernste, bis zu der gedanklich vorzustoßen fast wie ein Vorstoß ins Globale ist.

Hier und da, vereinzelt, flackert es auf; es ist die Zeit, in der jemand das Hildebrandlied aufschreibt; aber wir wissen nicht, wer. In der das Wessobrunner Gebet entsteht; aber wir wissen nicht, durch wen. Wo in den Wäldern des Nordens der Heliand gedichtet wird; aber wir wissen nicht, von wem.

Kriegerische Ereignisse, Schlachten, Krönungen heben sich heraus. Um 900 herum sieht man, wie sich die »Inseln«, die »Kristalle« schärfer gegeneinander abgrenzen und in sich enger zusammenfügen.

Als im östlichen Teil, dem späteren »Deutschland«, der letzte Ostkarolinger König »Ludwig das Kind« im Jahre 911 stirbt, da holt man sich nicht aus dem Westen (Frankreich) einen neuen, obwohl dort die Karolinger noch nicht ausgestorben sind. Man wählt einen König »aus den eigenen Eingeweiden«, wie ein Zeitgenosse schreibt. Da deutet sich also schon ein Gefühl an, das lediglich noch nicht verstandesmäßig begriffen ist. Auch von König Konrad I. und König Heinrich I. noch nicht, ganz zu schweigen davon, daß sie imstande gewesen wären, ihr Volk diesen neuen Begriff »Nation« verstehen und erleben zu lassen.

Aber noch einmal eine Generation später ist das Land nun plötzlich ungeheuer in Bewegung! Es ist gar nicht zu verkennen, daß das große geistige und seelische Erlebnis stattgefunden haben muß!

Die Menschen haben sich verändert!

Sie sprechen und denken Neues. Mönche schreiben Romane, Nonnen dichten Dramen, der Stabreim wird abgetan, Verse tauchen auf, man hört norddeutsche Laute in Bayern, fränkische in Schwaben, schwäbische in Sachsen. Ein seltsames, zuvor nie gekanntes Lebensgefühl ist sichtbar.

Was ist das?

Es wird gehämmert, gemeißelt, geschrieben, neue Begriffe bilden sich, die Masse der Menschen ist in einem Maße innerlich daran beteiligt wie noch nie zuvor in solcher klar abgegrenzten Geschlossenheit; der Blick geht bald mit Leichtigkeit über Hof, Familie, Sippe und Stamm hinweg. Im Planen spürt man bis ins kleinste ein Gemeinschaftsziel: die Bauern führen die Dreifelderwirtschaft ein, die Siedlungen den Ausgleichsvorrat. Neue Stände entwickeln sich, eine neue Lebensweise. Jeder ist begierig, das Neue zu hören, das aus dem Land, aus »Deutschland«, gemeldet wird.

Kein Zweifel: die deutsche Geschichte beginnt! Die »Linie« setzt ein.

Aus allen Lebensäußerungen der damaligen Zeit, aus allen Dokumenten und allen Handlungen leuchtet klar und eindeutig diese neue geistige und seelische Haltung, diese neue Blickrichtung der Deutschen heraus.

Noch ist es eine prosaische, amusische Haltung, aber bald wird daraus auch die »Romanik« entstehen! Die Mönche von Gernrode, Quedlinburg und Worms sitzen schon über den Plänen.

Hier, an dieser Stelle liegt also die Spur des ersten großen Zeiten- und Sinneswenders! Hier, in diesem Zeitabschnitt liegt die Spur des ersten »X«. Sie ist von geradezu klassischer Klarheit, und alles, jede Einzelheit, weist nur auf einen einzigen Mann hin.
Der Wesenszug der neuen Zeit, die Richtung der Gedanken, die Art der Umwälzungen, alles deutet, durch Berge von Dokumenten belegt, nicht auf mehrere Erreger, sondern auf einen einzigen Menschen hin, einen einzigen Mann, der damals unter der Regierung Ottos I. gelebt haben muß.
Es ist kein Dichter, kein Baumeister, kein Philosoph, kein Maler, kein Sänger, kein Mönch, kein Prediger, der die Menschen innerlich so verwandelt hat.
Es ist der Kaiser selbst!

OTTO I.

Deutscher König und Kaiser
des Römischen Reiches Deutscher Nation
Geboren am 23. November 912 in Walhausen
Gestorben am 7. Mai 973 in Memleben

In den Augusttagen 936 sind in den deutschen Wäldern
eine Menge Reitertrupps unterwegs.
Sie kommen von der Krönung Ottos in Aachen.
Sie befinden sich auf dem Heimweg.
Der alte Herzog Eberhard, den langen weißen Bart über
die Schulter gelegt, reitet nach Franken zurück.
Der alte Hermann ist auf dem Wege nach Schwaben.
Der alte Arnulf kehrt in sein Bayern heim.
Lauter alte Herren.
Nur einer ist jung: der neue König.
Der Vierundzwanzigjährige ist in Norddeutschland auf
dem Wege nach Hause.
Er reitet quer durch sein riesiges Herzogtum Sachsen.
Dann von Magdeburg flußaufwärts zur Königspfalz
nach Memleben.

> *An der Saale hellem Strande,*
> *stehen Burgen stolz und kühn.*

Alle unter seinem Vater erbaut, seine Erfindung.
Vor drei Jahren sind an diesen Burgen die Horden der
Ungarn zerschellt.

> *Ihre Mauern sind zerfallen,*
> *und der Wind streicht durch die Hallen,*
> *Wolken ziehen drüber hin.*

936 sind die Mauern noch frisch. Aber der Wind streicht
schon durch die Hallen.

Es gibt noch keine Glasfenster.

Höfe und Dörfer liegen in den Waldtälern und an den Flußläufen hingesät wie eine Handvoll Körner in den Furchen.

Vor zehn Jahren hat jeder neunte Mann das Dorf verlassen und ist in die Mauern als »Bürger« gezogen.

Das war auch eine Erfindung des Vaters.

Auf jedem Hof ist ein Sohn als Reiter ausgebildet. In seiner Kammer hängt eine Rüstung.

Der Vater war ein Soldatenkönig.

Er hat das Reiterheer geschaffen.

Gold und Silber in den Gewölben von Memleben gestapelt.

Es ist alles tadellos geordnet.

Er hat ihm den Staat hinterlassen, wie Friedrich Wilhelm I. dem jungen Fritz.

Der Trupp, mit dem König in der Mitte, reitet schweigsam.

Otto ist in sich gekehrt und still.

Das wirkt nach dem Trubel in Aachen, als läge etwas in der Luft.

In Memleben erwartet den jungen König die gesamte Familie.

Eine seltsame Familie.

Da ist die Königinwitwe.

Eine kluge, herrische, riesenhafte Frau. Urenkelin Wittekinds und der sagenumwobenen Friesin Reinhildis.

Im Hintergrund steht eine zweite Frau, schüchtern lächelnd.

Das ist Ottos Gemahlin Edith, Tochter des englischen Königs.

Dann ein dreißigjähriger unruhiger Mann.

Das ist Thankmar, Ottos älterer Halbbruder. Sohn einer

vornehmen Nonne. Ein rastloser, merkwürdiger Geist. Dann ist ein sechzehnjähriger Jüngling da.

Ottos jüngerer Bruder Heinrich. Ein schöner, liebenswürdiger junger Mann. »Porphyrogenetos«, purpurgeboren. Das heißt, der Vater war bei seiner Geburt schon König.

Das Wort hat er aus Byzanz gehört. Es spukt seitdem in seinem Kopf herum.

Dann ein Knabe von 12 oder 13 Jahren.

Bruno. Jüngster Bruder. Repetiert in Gedanken lateinische Vokabeln.

Hinter ihm drücken sich noch zwei Schwestern herum. Gerberga und Hathui.

Auf die Zehenspitzen gereckt, um den gekrönten Bruder zu sehen. Sie sind recht enttäuscht. Er hat keine Krone auf.

Er ist am schlichtesten von allen gekleidet. Er hat die geschnürte leinene Hose und das Wams der einfachen Sachsen an.

Er ist ziemlich groß von Gestalt, blond, blauäugig, mit farblosen Wimpern, wie man sie heute noch auf Schritt und Tritt bei den Ost- und Westfalen findet, mit hellen Albinobrauen und einer goldgelben Löwenmähne auf der Brust.

Alle Chronisten erwähnen das ausdrücklich.

Er ist ruhig in seinen Bewegungen.

Er reitet ausgezeichnet. Seine Tapferkeit ist erprobt. Er trinkt und ißt gern, aber maßvoll. Er jagt gern.

Er kann sehr schlagfertig sein, überläßt das Reden aber ebenso bereitwillig anderen.

Er singt auch.

Sächsisch.

Und dann hat er noch eine Kuriosität an sich: er spricht

im Schlaf. Und zwar so klar und deutlich, daß man lange glaubte, er sei in Wahrheit wach und mache sich nur einen Witz.

Dieser Mann, 24 Jahre alt, ist jetzt Herzog und König. Nachdem ihn alle lange genug rätselratend betrachtet haben, sieht er es als seine vorderste Aufgabe an, sich zunächst einmal auszuschlafen.

Der Alltag kommt mit seinen Aufgaben von selbst.

Das ist eine ganz einfache Methode. Man kann es also abwarten. Arnulf, Giselbert, Eberhard und Hermann machen es so. Das ist Beamtentechnik. Damals wie heute!

Was soll Otto sonst vorhaben?

Man wacht des Morgens auf, und die Ereignisse liegen auf dem Tisch wie die Morgenpost.

Hagelschlag hat den Roggen vernichtet.

Die Gaue müssen die Lebensmittel ausgleichen.

Eine Fehde hat einen Kleinkrieg mit zwanzig Toten entfesselt.

Es muß Gerichtstag gehalten werden.

Die Normannen sind in Friesland gelandet und haben ein Dorf geplündert.

Die Böhmen haben die Grenzen überschritten.

Das Heer der Dienstmannen muß zusammengerufen werden.

Abgaben müssen eingetrieben werden.

Die Kapelle zum Heiligen Benedictus muß geweiht werden.

Was macht der Schwabe?

Der Franke? Der Sachse? Der Lothringer? Der Bayer?

Sie machen alle das gleiche.

Vor allem wehren sie sich ihrer Haut.

Im Norden fallen die Normannen ein. Im Osten plündern die Slawen. Im Süden brennen die Ungarn. Im Westen rüsten die Franzosen.

Wenn der eine um sein Leben kämpft, sehen die anderen immer interessiert zu.

Im Augenblick richten sich alle Blicke nach Norden, und man findet es sehr spannend, daß die Böhmen ihren Herrn, den Wenzel, totgeschlagen haben und in Richtung Sachsen reiten, und daß die Slawen sich erheben und die Elbe überschreiten. Und wenn nicht alle Meldungen trügen, befindet sich auch ein ungarisches Heer bereits jenseits der Donau im Marsch auf Sachsen.

Das ist alles sehr spannend.

Für Otto natürlich weniger.

Mit der Exaktheit eines preußischen Generalstäblers beruft er das sächsische Heer ein. Es funktioniert tadellos. Der kampferprobte vierundzwanzigjährige Herzog setzt sich an die Spitze.

Sein erster Feldzug beginnt!

In wenigen Tagen, wie unter seinem Vater, rollt das Geschehen ab. Die Slawen werden vernichtend geschlagen.

Er läßt eine Wendung von 90 Grad machen und reitet gleich weiter nach Süden.

Im Schutz der Saale wartet er auf die gefürchteten Ungarn. Man meldet ihm laufend die Standorte.

Sie nähern sich.

Aber unmittelbar vor der sächsischen Grenze verzichten sie dankend auf einen Zusammenstoß mit dem Slawen-Besieger.

Sie schwenken im großen Bogen westwärts und rasen durch das bestürzte Franken und Lothringen.

Im Nu sind sie drüber weg und in Frankreich verschwunden.

Otto kehrt heim.

In Magdeburg, das er sehr liebt, macht er Station.

Von hier aus schickt er seinen ersten »Kriegsbericht« nach Corvey. Er hat sich vorgenommen, von Zeit zu Zeit über alle Ereignisse Notizen ins Kloster Corvey zu geben.

Dort soll ein Mönch namens Widukind eine große Chronik anlegen.

Er würde sie gern selbst führen, aber er ist leider des Schreibens nicht mächtig.

Ein Analphabet als Genie? Er ist noch keins.

Pater Widukind weiß ein Lied davon zu singen. Er versteht den jungen Herrn zunächst überhaupt nicht und begleitet seine Chronik mit vielen Wehs und Achs.

Otto scheint entsetzliche Fehler zu machen:

So gibt es einen Skandal, als er für die neuen elbischen Grenzgebiete seine Brüder und Verwandten übergeht und Hermann Billung im Norden und Gero im Süden als Markgrafen einsetzt.

Gero ist ein völlig neuer Mann. Ein Unbekannter. Ein Nichts. Widukind weiß gar nicht, was er schreiben soll. (300 Jahre später wird Markgraf Gero in die Heldensagen eingehen! Otto hat eine untrügliche, eine ans Unheimliche grenzende Menschenkenntnis.)

Falsch!, sagt Giselbert von Lothringen.

Gänzlich falsch!, sagt Eberhard von Franken.

Sie setzen sich sofort mit dem tödlich beleidigten Thankmar in Verbindung.

Auch Heinrich (»Porphyrogenetos«) reitet über Nacht davon und vergräbt sich in einer seiner Burgen in Westfalen.

In Bayern stirbt der alte Arnulf, und der neue junge Herzog denkt gar nicht daran, einen Fuß zu rühren.

Er erscheint nicht. Er leistet keinen Treueid. Er hat Otto nicht gewählt. Er braucht keinen Aufsichtsratsvorsitzenden. Er schweigt. Es liegt etwas in der Luft. Sie warten ab.

Wenn Widukind in seiner Klosterzelle in Corvey die ersten Seiten der Chronik überblickt, seufzt er.

Die Mönche unterhalten einen ausgezeichneten Nachrichtendienst, und Widukind weiß vieles. Er hat die Kunst des Möglichen beim alten König Heinrich bewundert.

Aber: Paterno regno nequaquam contentus — das Ei will klüger sein als die Henne, seufzt er.

Was will der junge Herr? Was er tut, ist so gegen alle alten Vorstellungen, daß es niemand fassen kann. Warum schafft er sich so viel Feinde? Es wäre so einfach, alle zu befriedigen und ruhig zu halten. Widukind sieht eine Lawine wachsen.

Es dauert nicht lange, dann prasseln die Ereignisse los. Die Kette der rasch aufeinanderfolgenden Geschehnisse brennt wie ein Feuerwerk ab, mit tödlicher Gefährlichkeit für den König, der sich dabei höchst seltsam verhält. Acht, neun Jahre lang wiederholen sich Dinge mit merkwürdig gleichbleibendem Charakter.

Und mit gleicher rätselhafter Hartnäckigkeit weigert sich der König, Konsequenzen zu ziehen.

Es mutet an, als wiederhole er dauernd einen Versuch.

Es ist in der Tat ein Versuch!

Ein Versuch von bewunderswerter Großartigkeit. Aber noch sieht es niemand.

Heinrich (»Porphyrogenetos«) wiegelt Westfalen gegen den König auf.

Thankmar verbündet sich mit Eberhard von Franken.

Burgen werden brannt, Wälder niedergebrannt, Ernten

zertrampelt. Thankmar nimmt Heinrich gefangen und übergibt ihn den Franken als Geisel.

Mit bemerkenswerter Geschwindigkeit erscheint Otto auf dem Plan. Ein kleines Sachsenheer begleitet ihn.

Er zieht vor die Burgen und winkt einmal leicht mit der Hand. Er steht da, sehr königlich und groß, gelassen, milde. Neben ihm knattert die königliche Standarte im Winde.

Die Burgbesatzung öffnet die Tore!

Thankmar, in wirrer Angst, flüchtet in die Kapelle der Eresburg. Er wirft Schwert und Schild von sich und erwartet den Bruder kniend.

Aber statt des Königs stürmen die Ritter herein.

Ein Speer saust durch die Luft und durchbohrt den mit erhobenen Händen Knienden.

(Der erste Mord im Dom!)

Pater Widukind in Corvey trägt schaudernd in seine Chronik ein: »Der König kam zu spät. Aber er verzieh seinem Bruder und ehrte den Sterbenden.«

Otto schlägt das Kreuz über dem Toten und wendet sich ab.

Sie fallen vor ihm nieder:

Wichmann Billung, der ältere Bruder des Markgrafen.

Herzog Eberhard.

Heinrich.

Er hebt sie alle auf.

Widukinds Federkiel kratzt Tag für Tag über das Pergament.

Das eben abgerollte Geschehen wird sich nun jahrelang wiederholen!

Der junge Bayernherzog empört sich offen.

Über Nacht steht Otto vor den Toren.

Wie die Bayern am nächsten Morgen erwachen, haben

sie einen neuen Herzog. Widukind bekommt nüchtern in ein paar Sätzen gemeldet: der König enthob den geflüchteten Herzog seiner Würde und setzte Berchtold, den Bruder des verstorbenen Arnulf, als Herzog ein.

Wir können heute kaum noch begreifen, was die Meldung bedeutet.

Stellen wir uns vor: Unter Ottos Vater, Heinrich I., war Deutschland nichts als ein loses »Commonwealth« und nie etwas anderes gewesen. Daß es einen König gab, war ausschließlich eine freundliche Abmachung von fünf Leuten gewesen, den Herzögen von Sachsen, Franken, Lothringen, Schwaben und Bayern. Die Herzöge hatten keinen Schimmer von einem »Nationalstaat«, für sie war es so eine Art Konsumgenossenschaft. Das war nicht böser Wille, das war das Fehlen eines Begriffes. Für die Bevölkerung vollends hörte die Welt jenseits des Stammes auf. Dort konnte man sich gar keine Interessen vorstellen. Dort saßen Fremde. Auch der König war ein »Fremder«. Mit dem eigenen Herzog aber war es etwas anderes, er kam aus dem Volksstamm, er war der »Angestammte«. Die Vorstellung, daß ein Sachse daherkam und einen Herzog »absetzte«, war unerhört und zwang nun auch den einfachen Mann in Bayern, seine Gedanken neu zu ordnen und sich den König irgendwie *anders* vorzustellen. Wir werden noch sehen, wie einige Jahre später vollends alle Begriffe zusammenstürzen, wenn Otto einen Nichtbayern, einen wildfremden Mann, als Herzog einsetzt.

Noch eine Kleinigkeit trägt Widukind in die Chronik nach: Otto nimmt den Bayernherzögen bei dieser Gelegenheit das Recht ab, Bischöfe zu ernennen.

Eine Kleinigkeit?

Wir wollen sehen: Von nun an besteigen nur königstreue Männer den Bischofsstuhl. Aber das ist nur eine Begleiterscheinung. Das Wichtigste ist, daß jetzt kein Bischof des Morgens mehr erwacht, ohne sich bei dem ersten Gedanken an sein königliches Amt zu erinnern. Die Schranken des eigenen Herzogtums wird er jetzt ständig als enges Hindernis empfinden; bei Landstreitigkeiten, wie sie zwischen Kirche und Herzog an der Tagesordnung sind, ist der Herzog von nun an nicht mehr zugleich Richter, sondern einfach Gegenpartei vor dem König. Solche Gedanken gibt der Bischof natürlich an seine Geistlichen weiter, und die Priester beginnen, sie ins Volk zu tragen.

Eine Kleinigkeit? Mit schlafwandlerischer Sicherheit steuert Otto auf die Verwirklichung seiner Idee zu.

Inzwischen wiederholen die Aufrührer ihr Experiment.

Im Westen bricht es los.

Der Lothringer und der Franke verbinden sich.

Sie schieben Heinrich (»Porphyrogenetos«) vor.

Ihr Heer setzt sich in Richtung Sachsen in Marsch.

Bei Birten am Rhein kommt es zur Schlacht.

Sie beginnt kritisch für den König.

Eine Stunde lang steht hier das Schicksal des ganzen Abendlandes am Scheidewege.

Aber es tritt ein Wunder ein. Der König siegt.

Heinrich und der alte Eberhard fliehen.

Otto bietet ihnen von selbst Verzeihung an.

Die beiden winken dankend ab. Sie wissen besser, was jetzt sogleich passieren wird. Sie haben es selbst arrangiert:

An der Elbe greifen die Slawen an.

Otto macht kehrt und eilt Gero zu Hilfe.

Die Zeit genügt, die Rebellen organisieren sich neu.

Sie haben jetzt noch einen Verbündeten: den französischen König.

Die Hochverräter haben also auch noch den Schritt zum Landesverrat gewagt.
Otto wendet nach einem Sieg über die Slawen sein müdes Heer noch einmal.
Einige hundert Ritter des treuen alten Hermann von Schwaben stoßen zu ihm. Das ist alles.
Kuriere kommen und gehen.
Die Franzosen sollen schon am Rhein stehen.
In seinem ganzen Leben ist Otto nur noch einmal in einer so verzweifelten Lage.
Sie scheint so hoffnungslos, daß ein Graf — selbst baß verwundert über seine Königstreue — zu Otto geht und ihn fragt, ob er ihm die Abtei Lorsch schenke, wenn er bei ihm bliebe.
Ganz im Geist der alten Zeit.
Otto sieht ihn freundlich an und antwortet:
»Vor allem Volke sage ich dir: Niemals! Laufe! Eile! Dort drüben warten die Empörer auf dich!«
Der Graf staunt.
Er bekommt einen hochroten Kopf, kniet vor dem König nieder — und bleibt.
Es wäre leicht gewesen, ihn zu belohnen.
Aber wieder dieser merkwürdige Zug: Otto lehnt jede Kompensation für sein Königtum ab.
Einige Tage später stiebt die ganze Gefahr, in der Otto schwebt, wie ein Spuk auseinander:
Zwei schwäbische Grafen stoßen bei Andernach auf einige biwakierende Herren, erkennen die Aufrührer höchst persönlich und greifen ohne Besinnen zum Schwert.

Der alte Eberhard fällt im Kampf, Giselbert von Lothringen ertrinkt im Rhein.

Heinrich aber entwischt in Richtung Frankreich.

Das Wunder von Birten hat sich wiederholt!

Das Volk spürt einen mystischen Schauer.

Während Otto mit der rechten Hand wieder diverse Kniende aufhebt, winkt er mit der linken zum Aufbruch nach Frankreich. Er will sich den Bruder holen.

Ein großer Augenblick ist gekommen. Otto betritt das fremde Reich! Was wird geschehen?

Wilde Gerüchte kommen ihm entgegen. Aber wie eine Seifenblase zerplatzt alles.

Auf der alten Königspfalz an der Aisne wirft sich dem König der Herzog von Paris zu Füßen.

Otto hebt ihn auf.

Dann eilt Louis IV. von Frankreich herbei, stürzt zu Otto und huldigt ihm.

Otto hebt ihn auf.

Und nun folgt Heinrich.

Porphyrogenetos.

Der Landesverräter, Hochverräter, Friedensbrecher, Verschwörer.

Otto hebt auch ihn auf.

Da steht er nun.

28 Jahre alt.

Unter den Albinobrauen blicken seine Augen nachdenklich über die drei Gestalten (einen Bruder und zwei Schwäger!) hinweg in das Land.

In diesem Augenblick hält Otto das ganze Reich Karls des Großen in den Händen!

Frankreich ist offen bis zu den Pyrenäen. Es liegt vor ihm, er braucht bloß zuzupacken!

Bismarck hat einmal gesagt: »Der Staatsmann muß

warten und lauschen, bis er den Schritt Gottes durch die Ereignisse hallen hört — dann vorspringen und den Zipfel des Mantels fassen, das ist alles.«

Kann es einen Zweifel für Otto geben?

Ist das der Schritt Gottes?

Dem Mönch Widukind stockt die Feder, als er die Kunde erhält. Aber Otto antwortet, wie Bismarck nach den Siegen von 1866 und 1871:

Nein.

Der Achtundzwanzigjährige, der so jung ist und das Herz eines Heiligen hat, ist als König vollkommen illusionslos und nüchtern. Er sieht, daß sich die beiden Reiche in den hundert Jahren seit Karl dem Großen auseinandergelebt haben.

Es gibt nichts Schicksalhaftes mehr, was sie zueinander zwingen könnte. Die andere Rasse, die römische Überfremdung, das Leben am Mittelmeer — eine andere Welt.

Es ist hundert Jahre zu spät oder tausend Jahre zu früh. Wir wissen heute: das Riesenreich hätte seinen Schöpfer um keine Sekunde überlebt. Das kleinere aber überstand Slawen, Ungarn, Normannen, Türken und alle Brände im Innern. Nur in dieser kleineren Zelle war es Otto möglich, die Menschen zu verwandeln und sie zu einem neuen Begriff, zu einem vollständig neuen Gefühl hinzuführen. Dieses neue Gefühl, das wußte Otto, war etwas Kostbares, eine Waffe, und *keine* Exportware. —

Der König kehrt nach Deutschland zurück.

Damit ist eine der größten Entscheidungen der Geschichte gefallen!

Ostern 941 verbringt er mit allen Angehörigen in Quedlinburg bei der Mutter.

Sie sieht ihn seit langer Zeit zum erstenmal wieder.
Ein großer Ruf ist ihm vorausgeeilt.
Sie kommt Otto mit Ehrfurcht entgegen. (Er ist 29 Jahre alt!)
Seine Gesten sind sparsam geworden.
Er spricht langsam und ganz präzise.
Während sein Mund lächelt, starren seine Augen jeden bohrend an. Wenn er jetzt einen Raum betritt, erheben sich alle schon unwillkürlich.
In auffallendem Widerspruch zu seiner Ruhe steht in diesen Ostertagen eine merkwürdige Unruhe seiner Umgebung. Beständig taucht die Leibwache auf. Ritter quirlen herum. Auch Heinrich ist nervös.
Nach dem Fest löst sich das Rätsel furchtbar auf, ein Blitz saust aus heiterem Himmel nieder:
Der König sollte ermordet werden!
Otto hat es gewußt, aber nichts unternommen.
Jetzt, nach den heiligen Tagen, schlägt er zu.
Innerhalb von Minuten sind die Verschwörer verhaftet und hingerichtet. Zum ersten Male sieht man ihn kalt und mitleidlos. Aber das Haupt der Mörder ist entkommen: sein Bruder Heinrich.
Schaudernd trägt Widukind in seiner Zelle in die Chronik ein, was sich nun schon zum vierten Male wiederholte.
Der Grund der Verschwörung?
Lauter Enttäuschte! Sie verstehen den König nicht. Sie sind Männer der bisherigen Zeit. Was sie tun, ist nicht abgrundtief schlecht und nicht teuflisch. Es sind Nibelungenmenschen.
Otto brüskiert sie vorsätzlich. Er schickt sie seit 7 Jahren in das Fegefeuer. Solange, bis sich die Begreifenden herauskristallisieren.

Was sollen sie begreifen?

Ja — das ist ja das Schwierige: etwas, was noch gar nicht da war!

Den Staatsgedanken.

Darum hebt er die Empörer immer von neuem auf. Er braucht Lebendige, nicht Tote. —

Heinrich reitet durch Nacht und Nebel nach Lothringen. Aber jetzt erfährt er die Auswirkungen von Ottos Erfolgen. Keiner nimmt ihn auf.

Der mystische Ruhm des Königs wirkt bereits.

Den Heiligen Abend 941 verbringt Otto in Frankfurt am Main.

In dieser Nacht schleicht sich Heinrich in die Stadt.

Im Dom, der still und leer auf die Frühmesse wartet, legt er ein Büßerhemd an und zieht die Schuhe aus.

So legt er sich auf die Stufen vor den Thronsessel.

Die Menge und die Geistlichkeit, die als erste noch in der Dunkelheit des Wintermorgens erscheinen, sehen die Gestalt und geraten in Aufregung.

Zu spät. Der König erscheint schon.

Die Menge hält den Atem an.

Da —

— er bückt sich und hebt den Bruder auf.

Den endgültig Verwandelten.

Sechs Jahre aber wartet er noch. Dann erst sind alle durch die Mühle durch. Der Rest ist brauchbar.

Heinrich wird Herzog von Bayern. (Berchtold ist gestorben.)

Bruno, der jüngste, gelehrte Bruder, wird Erzbischof von Köln.

Der junge fränkische Graf Konrad, »der Rote«, wird Herzog von Lothringen.

Hermann Billung wird, als Stellvertreter des Königs in seinem Stammland, Herzog von Sachsen.

Der Tag der »Bescherung« ist da, nachdem alle die Hoffnung auf ihn überwinden gelernt haben.

Widukinds Federkiel kommt mit den Ereignissen kaum noch mit. Der Mönch weiß, daß sich da umwälzende Dinge ereignen: Der König setzt Herzöge und Bischöfe ein wie Beamte! Er tut das aus tausend Kilometer Entfernung! Alle Schranken sind gefallen, eine Schicksalsgemeinschaft ist da! Im Herzen des Abendlandes ist ein »Staat« entstanden, der erste seit langen, langen Jahren.

Die klügsten Köpfe dieser Zeit sehen:

Dieser Vorsprung der Deutschen ist zunächst nicht mehr einzuholen. —

Otto kommt etwas zur Ruhe.

Aber in diese Zeit fällt der Tod seiner Gemahlin Edith. Das Ereignis erschüttert ihn mehr, als alle ahnen. Er wird immer schweigsamer.

Seine Gedanken haben nun kein »Zuhause« mehr.

Er beschäftigt sich mit Lesen, Schreiben und Studieren, er lernt Sprachen, er geht völlig in seinem Dienst auf.

Von jetzt an schweifen seine Gedanken nie mehr und zu nichts anderem mehr ab.

Er setzt nun seinen größten Plan in Szene! Unauffällig und schweigend.

Die Staatskanzlei des Königs gibt eines Tages die anscheinend ganz belanglose Notiz heraus: Das Herrscherhaus in Burgund, eine schwäbische Seitenlinie, hat den König gegen den aufständischen italienischen Markgrafen Berengar von Ivrea zu Hilfe gerufen. Berengar hat die lombardische Königinwitwe Adelheid unter Mißhandlungen gefangengesetzt.

Nun — Adelheid ist 19 Jahre alt, aber so zart besaitet

ist Otto nicht, daß ihn irgendwelche Damen in Kerkern nicht schlafen ließen. Er ist ein Heiliger, aber mit Nerven wie Schiffstaue.

Widukind von Corvey ist daher zutiefst bestürzt und verwirrt, als er die Meldung bekommt, daß der König seine Hilfe zugesagt hat. Der Mönch erinnert sich Ottos weiser Beschränkung in Paris und versteht diesen gefährlichen Schritt nun wirklich und beim besten Willen nicht mehr.

Was für ein rätselhafter Mensch ist der König!

Er tunkt seufzend die Feder ein, schreibt voller Ahnung: »Den tieferen Grund zu erörtern und die königlichen Geheimnisse aufzudecken, geht über meine Aufgabe.«

Geheimnisse?

Wir wissen genau soviel und sowenig wie Otto. Sehen *wir* Geheimnisse?

Was sah der König?

Folgendes:

Berengar ist im Begriff, das völlig zerrissene Italien mit Gewalt und notdürftig zu einen. Es ist nur noch eine Frage von Monaten. Der Papst wird damit in der Hand Berengars sein. Es ist nur ein Schritt zu der Folgerung, daß damit auch die deutschen Bischöfe und Klöster in der geistigen Gewalt Berengars sind. Was Otto hier sieht, ist bis zum heutigen Tag ein Begriff geblieben: die Gefahr des »Transmontanismus«. Aber das ist nicht alles. Italien ist ohnmächtig, aber reich. Seine Städte sind die Tore zum Mittelmeer. Das Mittelmeer ist die größte aller Handelsstraßen. Die lombardischen Alpenstädte halten den Schlüssel zu den Gebirgspässen in den Händen. Sie können den Riegel zuschieben und den ganzen Norden vom Handel aussperren. Berengar wird das tun. Die Italiener sind Romanen, die Südfranzosen sind Romanen, sie werden eine Basis der Verständigung finden. Italien hat keine Grenzfeinde, Frankreich hat keine Grenzfeinde. Deutschland ist nach allen Seiten offen.

Diese Gedanken eilen der Zeit weit, weit voraus. Otto weiß es und schweigt.

Er denkt noch an etwas anderes.

Das ist für uns heute hochinteressant:

Er stellt in Rechnung, daß seine Zeit gänzlich in dem Glauben an die Prophezeiungen der Kirchenväter befangen ist. Er weiß: im Trubel der täglichen Ereignisse vergißt das Volk sie leicht, aber wenn die Prophezeiungen durch Ereignisse bestätigt werden, erinnert es sich erschauernd. Das Abendland glaubt zu Ottos Zeit daran, daß das alte »Römische Reich«, dessen Ruine Italien ist, jenes 4. Weltreich ist, von dem Daniel in der Bibel sagt, es werde das letzte sein und bis zum Weltuntergang dauern. Diese Prophezeiung bleibt so lange vergessen, wie *niemand* das »Römische Reich« erneuert. Aber es werden große seelische Kräfte ins politische Spiel kommen, *wenn* es jemand erneuert. Das darf nicht Berengar sein.

Große Gedanken!

Hohe Schule der Staatsführung.

Es ist nicht der Schritt der neunzehnjährigen Adelheid, den Otto hört, sondern jener andere, von dem Bismarck spricht.

Otto handelt schnell.

Er steht eines Morgens vor Pavia.

Berengar flieht.

Adelheid flüchtet aus dem Kerker.

Man führt sie dem König zu.

Das alles vollzieht sich in wenigen Tagen.

Leidenschaftslos und nüchtern faßt er einen Entschluß, von dem er hofft, daß er seinem Werk leichter zum Ziel verhelfen wird: Er heiratet Weihnachten 951 Adelheid. Aber gerade dieser Schritt löst eine unerwartete Reaktion aus.

Es ist etwas, was dem Corveyer Mönch den Schreck in die Glieder fahren läßt! Er sieht schon die Jahre der Bruderkämpfe sich wiederholen: Ottos Sohn Ludolf empört sich!

Ludolf ist 21 Jahre alt.

Er durchleidet in diesem Augenblick alle die Wutschmerzen gegen die jüngere Stiefmutter, die auch heute noch, tausend Jahre später, die Jugend in solchem Moment durchmacht.

Er ist ein Ottone. Das heißt: ein Michael Kohlhaas.

Für eine kurze (blutige und beschämende) Zeitspanne tritt er in die Fußtapfen seines Onkels Heinrich.

Der Vater besiegt ihn.

Gründlich.

Dann hebt er ihn auf.

Unergründlich.

Ist das nun der letzte Kelch gewesen, den der König leeren muß?

Noch nicht.

Dieses Drama von antiker Tragik gebiert ein neues Ungeheuer:

Die Ungarn kommen!

Sie wittern das Aas.

Ein Schrecken geht durch Deutschland!

Otto ruft den Heerbann durch Eilboten auf.

Von allen Seiten strömen Tausende von Rittern nach Süden.

Das Heer formiert sich an der Donau und zieht den

Lech aufwärts. Die Boten melden, daß die Ungarn vor Augsburg liegen, in dem sich der alte Bischof Ulrich wie ein Rasender verteidigt. Hoch zu Roß. Ohne Rüstung. Die Stola um die Schultern.

Auf einen Augsburger kommen hundert Ungarn.

Und wenn es dem König gelingt, noch rechtzeitig einzutreffen, werden auf jeden Deutschen zehn Ungarn kommen.

Es ist allen klar: Der nächste Tag ist der Schicksalstag der Nation.

In den Morgenstunden des 10. August 955 beginnt auf dem Lechfeld bei Augsburg die Schlacht mit einer fatalen Wendung.

Es sieht sofort sehr böse für die Deutschen aus.

Die beiden Chroniken von Ulrich und Widukind berichten den Verlauf des Kampfes Phase um Phase.

Danach ist kein Zweifel, daß Otto in dieser Schlacht als Feldherr das Format eines Napoleons und unerhörte persönliche Tapferkeit gezeigt hat.

Die Schlacht wendet sich — und wird gewonnen.

24 Stunden später existieren von dem riesigen Ungarnheer nicht mehr als ein paar Versprengte, die die Heimat zu erreichen versuchen. Von dieser Stunde ab erscheint in den Chroniken aller Länder zum erstenmal bei dem Namen Ottos der Zusatz »Imperator«.

Kaiser. Es ist das Urteil des Abendlandes.

Das Volk hat ihn gekrönt.

Sechseinhalb Jahre jedoch dauert es noch, bis Papst Johannes XII. ihm wirklich die Krone aufsetzt.

Am 31. Januar 962 zieht Otto als Herr Italiens ohne wesentliche Kämpfe in Rom ein. Er kommt als das, was seitdem alle Konquistadoren zu sein vorgeben, als Befreier.

Er ist es wirklich!

Italien ist todkrank. Die Kirche lebt in Rom *vor* Ottos Einzug in beispielloser Schamlosigkeit und Sünde. Für die damaligen Zustände in der Ewigen Stadt ist in die Geschichtsschreibung ein eigener Fachausdruck eingetragen: Pornokratie.

Papst Johannes ist ein verkommenes Bürschelchen, Enkel der ekelhaften Pornokratin Marozia, Umstürzler und Intrigant von Geblüt. Nach Ottos Abreise aus Rom wächst wieder sein Mut. Die Marozia-Clique fegt wieder waffenklirrend und johlend durch die Straßen und scheucht das verängstigte Volk in die Häuser. Johannes setzt sich mit Berengar in Verbindung, er schickt Boten an die Ungarn und fordert sie auf, in Deutschland einzufallen.

Diesen Brief fängt Otto ab!

Stehenden Fußes macht er kehrt.

Aber ehe er Johannes den Ausgang dieser Meinungsverschiedenheit vor Augen führen kann, stirbt der Papst.

Aufrührer werden gehängt. Berengar ergibt sich und endet als Gefangener. Ein neuer Papst wandert in die Verbannung.

Der Kaiser räumt auf.

Nüchtern.

Sachlich.

Und immer sächsisch redend.

Die Römer schwören: »Niemals mehr einen Papst auf dem Stuhl Petri zu dulden, ohne die Einwilligung und Bestätigung des Herrn Kaisers Otto und seines Sohnes.«

Das Reich ist gegründet.

Ein Wehr, ein Staudamm öffnet sich. Italien, das alte, politisch hoffnungslos kranke, aber reiche Land, und Deutschland, das junge, entbehrungsgewohnte, stau-

nende, vitale Land, gleichen ihre »Wasserspiegel« aus.
Kultur und Zivilisation strömen nach Norden. Der
Wind der weiten Welt weht vom Mittelmeer über die
Alpen.

Als die führenden Menschen in Deutschland das alles
in sich aufnehmen und ihr Sinn sich weitet, geschieht
das schon ohne Gefahr. Das Staatsbewußtsein, das
Volksgefühl sind bereits ins Blut aufgenommen.

Das Werk Ottos ist vollendet.

Was nun folgt, sind Werke der Weisheit des Alters.

Weitgeplante Werke der Ruhe:

Er schickt Missionen nach Ungarn.

Missionen gehen tief nach Rußland hinein.

Seit Bonifatius kannte man nur »Predigtmission«.

Otto verwandelt sie in *Missionspolitik.*

Er erhebt sein liebes Magdeburg zum Erzbistum.

Es ist einer der glänzendsten politischen Schachzüge: Er
unterstellt alle christlichen Polen dem neuen Erzbischof
und bekommt sie damit geistig und seelisch unter deutsche Führung.

Alle Ideen stammen aus seinem Kopf.

Selbst die größten seiner Zeitgenossen sind nichts als
seine Schüler. Besiegt im Gedankenkrieg.

Das Land, dieses vor kurzem noch waldwogende,
amusische, ziellose Land, bekommt ein Gesicht!

Die Romanik entsteht.

Ein Stil wächst heraus. Die bahnbrechenden Bauten in
Quedlinburg und Magdeburg sind Ottos Befehle. Überall findet man Spuren seines direkten Auftrags.

Die ersten Dichter stehen auf.

Sie tun den Stabreim ab und beginnen Verse zu reimen.

Historisches Bewußtsein erwacht. Hundert Federkiele
setzen sich in Bewegung.

In Corvey schreibt Widukind.

In Cremona schreibt Liudprand.

In Magdeburg Adalbert.

In Gandersheim Hroswitha.

In St. Gallen Ekkehard und Notker.

Langobardische Gelehrte kommen schon mit dem Hochzeitszug Adelheids nach Deutschland.

Sie führen ihre Bibliotheken auf Mauleseln über die verschneiten Alpen.

Im Auftrag des Königs.

Der Chronist Brunos in Köln schreibt:

»Der Hof des Königs war ein Sammelpunkt der weisesten Männer aus allen Ländern des Reiches. Hier zeigte sich wie in einem hellen Spiegel alles, was der menschliche Geist bisher auf Erden Großes und Schönes geschaffen hatte. Es war der Vorhof des Wissens.«

Eine Weltenwende.

Deutschland und der romanische Mensch sind erschaffen!

Der Auftrag ist erfüllt.

Am 7. Mai 973 stirbt Otto der Große in Memleben.

Gott selbst scheint die erhabenste Szenerie für den Tod dieses Genies aufbieten zu wollen!

Der Kaiser schlummert vor dem Hochaltar während der feierlichen Messe ein.

Generationen vor Otto dem Großen und Generationen lang nach ihm ist im Leben der Deutschen niemand zu erblicken, der an ihn heranreicht. Kaum ein zweites Genie der Geschichte steht so eindeutig und klar vor uns; bei kaum einem anderen deuten alle Spuren so sicher auf ihn hin. Wie bei jedem »Tatgenie«, das er in höchstem Maße war, ist sein Bild frühzeitig und schneller erkannt und erforscht worden als bei gedanklichen oder musischen Genies.

Seine Wirkung war ungeheuer.

Die nächsten Generationen erlebten bereits die Hochblüte der Romanik. Alles zehrte von seinem Geist.

Vier Generationen lang sah das Volk den Kaiser und König so, wie es Otto gelehrt hatte. Die Gedanken kreisten um Gott und um den Kaiser, wenn sie von der Tagessorge und Arbeit abschweiften. Er war auch, genau wie es Otto stillschweigend für sich in Anspruch genommen hatte, ihr Pontifex maximus, der vom Papst anerkannte höchste kirchliche Machtträger in Deutschland. Er sollte in ihren Augen auch der Schönste, der Klügste, der Gebildetste, der Tapferste sein.

Das *waren* seine Nachfolger alle. Bereits Otto der Zweite galt als überragend gebildet, was zu glauben ist, denn sein Vater hatte ihn in St. Gallen erziehen lassen. Von dessen Sohn wissen wir es ganz sicher. Von allen strahlte persönlicher Glanz aus. Politisch waren die Späteren gegen den Riesenfixstern des Vaters, Großvaters und Großenkels Sterne dritter und vierter Größe. Unter den nachfolgenden fränkischen und staufischen Kaisern strahlte dann ab und zu die Staatskunst noch einmal zu erster Größe auf. Alle aber, ob Ottonen oder Konrade oder Hohenstaufer lebten von dem Vermächtnis Ottos, nicht nur von dem politischen Testament, sondern auch von den Begriffen, die er dem Abendland von Ethik, Moral, Arbeit, Wirtschaft und Familie gegeben hatte.

Die grundsätzliche Geisteshaltung und die seelische Verfassung standen unverändert da, wie die romanischen Dome.

Erst hundert Jahre später erhob sich, anfangs kaum bemerkbar, etwas Neues. Es war noch so undeutlich, daß man kaum sagen konnte, *was* es war. Es schien eine Bestrebung zu sein, die bestimmte kleine Kreise anging. Es hatte auf die Gesamtausrichtung des geistigen Lebens keinen sonderlichen Einfluß. Es lag auf kirchlichem Gebiet und ging von Französisch-Burgund aus, also vom Ausland. Der Herd war das Kloster Cluny. Fast scheint es nicht der Mühe wert, sich damit zu beschäftigen. Selbst als die Cluniazenser Ideen über die Grenzen sprangen, Anhänger fanden und von Rom protegiert wurden, war die Generallinie in Deutschland noch unverändert. Und selbst als man in weiten Kreisen bereits genau wußte, daß die Bewegung eine Reform des Priestertums anstrebte, nämlich eine Umformung des mannhaften »Pater-familias«-Verhältnisses zu Gott in eine Angstfrömmigkeit, lebte alles noch von der Substanz, die Otto I. geschaffen hatte. Als die Canossa-Auseinandersetzung zwischen Heinrich IV. und Papst Gregor vorüber war und in Heinrich V. wieder eine Gestalt alten Schlages kam, richtete man das Denken doppelt stark und ganz eindeutig wieder auf alles das aus, worauf es Otto hingeführt hatte. Das Canossa-Zwischenspiel wurde, wenn auch nicht als kurz oder unbedeutend, dennoch ganz als politische Auseinandersetzung staatlicher und kirchenorganisatorischer Mächte empfunden.

Gerade nach dieser Zeit erweckten Dichter und Sänger Heldenlieder und Sagen wieder. Sie wurden Träger und Vorkämpfer für die »gute, alte Sitte« und Verkünder der »guten, alten Zeit«. Das Nibelungenlied wurde niedergeschrieben, und wer es aufmerksam liest, findet den Geist Ottos darin. Hagen empfand man als die Zentralgestalt, eine Art Gero, einen Hermann Billung, einen Eberhard. Erst die spätere Zeit hat sich wieder in Siegfried, den feinen, den märchenhaften, verliebt.

Um 1200 feierte die ritterliche Dichtkunst ihre Hochblüte. Es begann mit dem Kürenberg, dann kamen Reinmar, der Lehrer Walthers von der Vogelweide, Heinrich von Veldeke, Gottfried von Straßburg mit seinem »Tristan«, Wolfram von Eschenbach mit dem »Parzival«, der großartige Thüringer Heinrich von Morungen und schließlich Walther von der Vogelweide. Er wurde nicht nur einer der größten deutschen Lyriker, sondern zugleich der Prophet der nahen Zeitwende. Er war, wenn man das Wort gebrauchen darf, der erste deutsche Leitartikler. Es gibt Gedichte von ihm, in denen er voller Verzweiflung das Ende der ritterlichen Zeit beklagt, haßerfüllt auf den Reichszerstörer in Rom blickt. Schließlich vergräbt er sich in die Einsamkeit seines Lehens in Würzburg, sitzt stundenlang an den Ufern des Mains, sieht den Vögeln zu und endet mit der Hölderlinschen Elegie: »Ist mir mein Leben geträumet, oder ist es wahr?«

Wir mußten bis Klopstock, Goethe und Hölderlin, das heißt, ein halbes Jahrtausend, warten, ehe Deutschland noch einmal eine solche Blüte erlebte.

Aber wer vermutet, daß nun davon für Generationen eine ungeheure Wirkung ausging, irrt sich. Die Hochblüte bricht ab. Es war kein Beginn, es war, wie es ihr Geist auch tatsächlich ausweist, der Abgesang. Es waren alles letzte Hymnen auf den Geist Ottos des Großen. Der Helden- und Minnegesang verwandelte sich in geradezu rasantem Verfall in die zweifelhafte Kunst der Meistersinger.

Aber noch war es nicht ganz so weit.

Es dauert noch einmal rund fünfzig Jahre, ehe die Schicksalslinie, nun für jeden deutlich erkennbar, zu einem gewaltigen Bogen ansetzt!

In einer großen, jähen Kurve wechselt sie von der ersten »Rubrik«, an deren Kopf man Bezeichnungen wie »Staatsgefühl« oder »Volksbewußtsein« setzen könnte, hinüber in eine andere.

Wir wissen, was diese neue Rubrik enthält: die Gotik!

Was war geschehen?

Etwas außerordentlich Merkwürdiges und Rätselhaftes! Die gotischen Dome standen quasi über Nacht da! Während *einer* Generation wuchsen die ersten Zeugen aus dem Boden, phantastische, nie gesehene, verwirrende Wunderwerke eines ganz fremden Geistes. Und sie standen, ehe etwas anderes nachfolgte und ehe sich ihr Geist auf anderen Gebieten überhaupt erst einmal zu erkennen gab, lange Zeit allein.

Das ist etwas ganz Außerordentliches, was uns ein zweites Mal in der Geschichte nicht mehr begegnet. Aber es müßte uns bei der Suche nach den Spuren der Genies dennoch kalt lassen, wenn dieses Phänomen, diese kolossale Werk-Tat nicht nach einer kurzen Zeit des Verharrens, des »Sich-Setzens« die Menschen umzuformen begonnen hätte. Es zeigte sich sehr bald, daß diesmal die Dinge nicht so lagen wie etwa bei der »Romanik«, wo der Baustil nach langsamer Entwicklung nur der Mitläufer, nur die Manifestation eines viel früheren und stärkeren Geistes gewesen war. Der große Zeiten- und Sinneswender der Romanik war ja *kein* Baumeister, sondern ein Staatsmann gewesen.

Diesmal lag es anders.

Es dauerte nicht lange, da zeigte sich, daß man die Schöpfung der gotischen Kathedralen als ein so gewaltiges optisches Erlebnis, als »Werk«-Erlebnis, empfand, daß das ganze Abendland von dieser neuen, zuvor nicht gekannten Sinnlichkeit nicht mehr loskam. Von da an stellte sich das seelische Erleben immer stärker auf das *Auge*. Das griff rapide auf alle Gebiete über. Die Städte veränderten ihr Gesicht, die Mode verwandelte sich, Farben leuchteten auf, die Fenster wurden bunte Bilder, die Wände, in die bisher nur ein paar strenge, schmucklose Umrisse geritzt worden waren, wurden nun mit Darstellungen bedeckt. Die ersten Maler boten ihre Augenweide an, man richtete das Auge jetzt zur Konzentration bei der Andacht auf Altarbilder, man holte Bilder und Plastiken zum erstenmal in die Privathäuser. Die gotische Kathedrale selbst war ein einziger riesiger Schrein, ein filigranes Sakramentshäuschen, ein geschnitzter Tabernakel, eine Augenweide, ein optisches Medium zu Gott.

Das Auge hatte sich aufgetan! Deutschland begann, durch das Auge zu erleben, auf lange, lange Zeit. So lange, bis 400 Jahre später Johann Sebastian Bach die Sinne erneut wandelte. Die Erschließung des sinnlichen, des Augenerlebnisses, war die Wirkung der ersten gotischen Werke. Die Gotik hat ihren Ursprung sicher nicht in jenem Geist, mit dem sie heute betont als Mystik gesehen wird. Die Menschen oder der Mensch, der sie schuf, muß zwar ein ganz neuartiger Sinnenmensch gewesen sein, war aber keineswegs ein Revolutionär des Glaubens, etwa ein von der Mystik Besessener.

Aus allem geht hervor, daß die ersten, die revolutionierenden gotischen Werke Urleistungen von Baumeistern waren. Vielleicht eines einzigen Mannes, eventuell eines Auftraggebers. Im Gegensatz zur Romanik weist nichts auf eine andere Fährte. Die Urschöpfung des Gotischen lag auf architektonischem Gebiet.

Das ist ungeheuer. Ungeheuer als Leistung, ungeheuer als Wirkung und ungeheuer als Rätsel. Denn — und jetzt tritt der Fall ein, daß ein Wunder keinen Namen hat — die Forschung hat bis heute das Geheimnis der Erbauer der Dome oder des ersten großen Schöpfers der Gotik nicht endgültig entschleiern können.

Den Wegen der Forschung nachzugehen, muß in allen Menschen, die heute noch Sinn für die Größe der Geschichte und die Rätsel vergangener Leben haben, das Gefühl einer Entdeckerfahrt erwecken. In den Staatsbibliotheken die Originale oder Übersetzungen alter Chroniken und Bauhüttenbücher zur Hand zu nehmen, ist wie den Spaten auf dem Trojahügel anzusetzen.

Man stößt sehr bald auf die verwirrende Tatsache, daß die ersten gotischen Kirchenbauten in Frankreich entstanden sind. Es sind zwar nur wenig Daten genau überliefert, aber sie scheinen darauf hinzudeuten, daß in Köln und Straßburg die Bauten noch nicht begonnen hatten, als die gotischen Kirchen von Sens, Noyon und Senlis bereits im Bau waren.

Systematische neuere Forschungen sind aber weiter vor-gestoßen. Man machte sich von dem hypnotischen Blick auf die fertigen Kathedralen frei und ging auf die Suche nach den ersten Ansätzen der typischen gotischen Neuerungen: den ersten Spitzbogen-Konstruktionen, den ersten Deckenwölbungen und Strebepfeilern. In der festen Überzeugung, daß der gotische Stil nicht die spontane Erfindung eines Architekten, die Laune einer einzigen Stunde gewesen sei, suchte man nach den ersten Spuren des Stilwechsels in ganz bescheidenen, alltäg-lichen Bauten und fand sie tatsächlich. Kleine Kloster-kirchen und Kapellen, zeitlich einwandfrei vor der Ent-stehung aller Dome gelegen, zeigten die ersten unge-schickten hohen Deckenwölbungen, durchbrochenen Wände und stützenden Strebepfeiler. Diesen frühen Zustand nun fand man nicht mehr allein an einer Stelle, sondern überall: in Frankreich, in Deutschland, im Englischen, in Sachsen, in Schwaben, im Norden, Süden, Osten, Westen.

Die ersten gotischen Ansätze waren also Bauexperi-mente. Und es wurde überall experimentiert, seit die Kreuzritter aus dem Orient von der fremden byzan-tinischen Baukunst erzählten und sie zu skizzieren ver-suchten. Vielleicht geschah das, da sich am ersten Kreuzzug kein deutsches Heer beteiligte, zuerst in Frankreich. Möglich, aber gänzlich gleichgültig, denn trotz Strebepfeilern und Spitzbögen kann von einer go-tischen Schöpfung noch lange keine Rede sein. Auch die ersten größeren Klosterbauten oder das Kirchen-schiffchen der alten Kapelle von Paris-St. Denis von 1140 sind noch nicht die Geburtsstunde der Gotik. Gotik ist mehr als bauliche Einzelheit, Gotik wäre wieder verschwunden und ohne Wirkung verschollen, wenn nicht glückliche Umstände und faszinierte Bauherren, und zwar anscheinend urplötzlich, den Sprung zu den Kathedralen ermöglicht hätten. Da standen sie als optisch nicht mehr zu ignorierende Werke vor dem Volk, inmitten seiner kleinen giebeligen Städte. Jede von ihnen wurde wie ein »Anschlag der 95 Thesen« erlebt. Bei ihrem Anblick brauchte niemand lesen und schreiben zu können, niemand Philosophie zu verstehen, niemand Latein zu können und niemand etwas von Cluny gehört zu haben: Dies war »Blindenschrift«! Hier stand jeder vor dem leibhaftig Neuen. In diesen filigranen steinernen Spitzenklöppeleien war nichts mehr von dem Gewohnten, der Wehrhaftigkeit, dem zyklopischen Trotz, dem burgenhaften Schutz, und keine Erinnerung an Pechfackeln.

Als diese riesigen Schreine dastanden, war die Gotik geboren, war das Sinneserlebnis da, von dem die Deutschen und das ganze Abendland nie mehr loskamen.

Dies alles besagt nicht mehr und nicht weniger als: die Baumeister konnten zu diesem Zeitpunkt im Prinzip alle schon so bauen! Aber aus ein paar Spitzbögen und Strebepfeilern entsteht noch kein Kölner Dom. Wer hatte die Gesamtvision, wer hatte das Gesicht, wer schob ihnen die große Skizze hin, wer hob die Hand und gab den Auftrag? Wer gab das Zeichen zum Einsetzen des vollen Akkordes? Es gibt ihn, und zwar zeitlich verhältnismäßig gut umgrenzt.

Es könnte ein sehr angesehener, mächtiger, einflußreicher Baumeister selbst gewesen sein. Es könnte. Aber wir kennen keinen, auf den diese Beschreibung paßt.

Wir kennen aus der frühesten Zeit überhaupt keinen Namen. Später tauchen sie auf, aber es bestehen oft große Schwierigkeiten, aus den Bezeichnungen herauszulesen, welche Rolle sie wirklich gespielt haben. Es können Architekten gewesen sein, Kirchenherren, Bauherren, Pfleger, Bauhüttenverwalter, Bauleiter, Poliere. Sie alle können magister operis, magister fabricae, daymmeister, thumbmeister, paumeister, bewmeyster, Kirchmeister, Wercmeister, Gobernator heißen, hinter allem kann sich der Schöpfer des Domes versteckt halten. Die Straßburger Chronik, die den großen Erwin von Steinbach, den Erbauer der Westseite des Münsters, »Werkmeister« nennt, bezeichnet einen anderen, den wir einwandfrei als Architekten kennen, als »Maurer«.

Wir tappen im dunkeln, und es erhebt sich die Frage, ob auch die damalige Zeit den frühen großen Unbekannten, dessen Tat der Durchbruch der Gotik und die Verwandlung einer ursprünglichen Baulaune in ein umwerfendes sinnliches Erlebnis war, nicht gekannt hat. Der Name »Gotik« verrät nichts. Er stammt von dem italienischen Renaissancekünstler Vasari, der ihn zum erstenmal anwandte. Seitdem ist er als Fachausdruck geblieben. Vor Vasari wurde die Gotik der »deutsche Stil« genannt. Vasaris »dei Gotthi« besagt das gleiche. Goethe schrieb 1772 beim Studium des Straßburger Münsters: »Das ist deutsche Baukunst, unsere Baukunst!« Er stand in fieberhafter Erregung und gewaltiger Begeisterung vor dem Wunderwerk, nahm Erwin von Steinbach als seinen Erbauer an und ahnte nicht, daß es noch in seiner Hand gelegen hätte, das Rätsel zu lösen. Damals wäre es wahrscheinlich noch nicht zu spät gewesen. Das war gerade die Zeit, als man sich anschickte, die alten Kellergewölbe endlich einmal sauber zu machen und das ganze vergilbte »Papierzeugs« als

Makulatur fortzuschaffen. Berge davon türmten sich auf den Höfen von Rathäusern, Klöstern und Schlössern.

Einiges blieb verschont. Wahrscheinlich aus Versehen.

So kam es, daß 50 Jahre später ein paar Forscher in den moderduftenden letzten Makulaturhaufen eine höchst seltsame Entdeckung machten. Sie waren damals so überrascht und selig, daß sie mit der Ausdeutung ihrer Entdeckung weit über das Ziel hinausschossen. Sie glaubten nicht mehr und nicht weniger als den »Erfinder« der Gotik gefunden zu haben.

Nun — es war kein »Erfinder«, aber es war der gesuchte X.

36 Jahre hatten diese Männer herumgekramt, bis sie zum erstenmal in einem mittelalterlichen Bauhüttenbuch auf den Ausdruck »Albertische Manier« für den gotischen Baustil stießen. In anderen Dokumentenresten fanden sie dann die Bezeichnung »Albertus-System« und »auf albertische Art und Weise gebaut«. War das schon verwunderlich, so war das Überraschendste ein weiterer Fund: Neben dem Namen Albertus, der wieder als gotische Stilbezeichnung gebraucht wurde, stand der Beiname Argentinus.

Das Wort Argentinus deutete auf Straßburg hin, das als römische Kolonie Argentoratum geheißen hatte. Zur fraglichen Zeit, nämlich um 1200 herum, lebten zwei in Frage kommende Alberts in Straßburg. Der eine war ein Schreiber von Sankt Arbogast, der andere ein Graf Albert von Bollstädt.

Der erste ist uninteressant.

Der zweite ist kein anderer als Albertus Magnus!

Als dieser Name auftauchte, waren Kunsthistoriker wie Baumeister fast aus dem Häuschen. Es hatte eben erst die Auferstehung dieses großen Namens, der 300 Jahre lang verschüttet war, stattgefunden. Dieser Mann war außer den Königen der einzige Mensch der Geschichte, dem die Welt den Beinamen »der Große« gab! Albertus Magnus war ein Begriff als Philosoph, als Lehrer, als Mathematiker, als Naturwissenschaftler, als Theologe, als Bischof. Aber noch nie war er in irgendeinen Zusammenhang mit der Baukunst gebracht worden. Da kamen durch Zufall bei baugeschichtlichen Forschungen in Köln, wo Albertus Magnus die meiste Zeit seines Lebens verbrachte, alte Urkunden zutage, die das fehlende Glied bildeten. Und zwar häuften sich nun die Hinweise.

In der Kölnischen Chronik lautet eine Stelle: »He wart umb synre groisse Kunst wille genoempt der Groisse Albert ... Ind he dede meisterlich buwen.« (»Er wurde um seiner großen Kunst willen Albert der Große genannt ... Und er tat meisterlich bauen.«)

Der Chronist Vincentius Justinianus schreibt in seinem »Leben Alberts des Großen« an einer Stelle wörtlich: »Chorum ecclesiae fratrum praedicatorum Coloniae tamquam optimus Architectus juxta normam et verae geometriae leges, quam hodie cernimus, formam erexit.« Die Übersetzung lautet: »Den Chor der Kölner Predigerkirche ließ er (Albert) als der beste Architekt nach allen Regeln der wahren Meßkunst so, wie wir ihn heute sehen, errichten.«

Dann fand man in Rom, in einer zeitgenössischen Handschrift der Sabina-Bibliothek folgende Eintragung über Albertus Magnus: »Normam aedificandi secundum veram geometriam aedificantibus dedit.«

Die Stelle heißt: »Er (Albert) machte den Bauleuten den Plan zum Bau nach der wahren Meßkunst.«

Und schließlich kamen noch neue Stimmen hinzu. Professor Wallraf übergab in seiner Abhandlung »Der Dom zu Köln« (Ausgewählte Schriften, 1861) der Öffentlichkeit seine Feststellung, daß Albertus Magnus im Auftrage seines väterlichen Freundes Conrad von Hochstaden, Erzbischof von Köln und Herzog von Westfalen, der entscheidende Schöpfer des Planes für den Kölner Dom gewesen sei.

»Vielleicht hat dieser berühmte Mann noch mehr dabei getan, als die seines Namens kaum noch gedenkende Nachwelt sich davon einbildet... Albert war in Köln der Mann, der einst Abt Suger in Paris war. Wenn es die Demut des großen Baumeisters unseres Domes war, daß er der Nachwelt seinen Namen entzog, wem wäre dieses ähnlicher als ihm! Doch dieser Gedanke sollte niemanden abhalten, jeder Spur nachzugehen, worauf vielleicht die Entdeckung jenes ehrenvollen Namens auszumitteln wäre.«

Der Nürnberger Staatsbaumeister und Hochschulprofessor v. Heideloff fand ein Bauhüttenbüchlein der Benediktiner, in dem ausführlicher von der Person jenes Albert gesprochen wird, nach dem der gotische Stil in manchen Werkstätten genannt wurde. In Reimen, mit Initialen und Bildern geschmückt wird dort erzählt, daß es Albert war, der diesen Stil vollendete; er legte ihm das System des »Achtorts« zugrunde, wie er überhaupt viel Geheimnisse der Zahlen und Kabbalistik hineintat. Auf diesen Fund hin erhob sich in einigen Kreisen der Wissenschaft im vorigen nüchternen Jahrhundert wütender Protest gegen die Unterstellung, der große Albertus Magnus habe derart mystischen Unsinn getrieben. Man tat Heideloff in diesem Punkte Unrecht. Die Menschen im dreizehnten Jahrhundert waren stark befangen in der Zahlenmystik. Wir werden sehen, daß sogar ein so nüchterner Geist wie Nikolaus Kopernikus eifrig die Bücher des phantastischen Hermes Trismegistos studiert, der Astronom Titus einen Planeten mit mystischer Zahlenrhythmik berechnet und Albertus einen Homunculus konstruiert.

Die Menschen des 13. Jahrhunderts konnten ihre Seele vom Verstand »loslassen«. Das war eine Gefahr, aber es war auch eine Kraft, von deren Größe wir uns keine Vorstellung machen. Wir, heute, haben diese Fähigkeit verloren.

Völlig ist das Dunkel um das Genie der Gotik bis auf den heutigen Tag nicht geklärt worden.

Aber alle Spuren weisen an diesem Punkt der Geschichte für den deutschen Raum auf den Mann hin, der die Geburtsstunde des Sehens herbeiführte, der den Menschen ein lustvolles neues Paradies zeigte. Es ist Albertus Magnus, Graf von Bollstädt, den die Geschichte nur als Dominikanermönch, als Bischof, als Universitätslehrer, als Naturforscher und Philosoph kannte.

Weit und breit um ihn herum ist nichts zu erblicken. Der große Meister Eckart ist sein Schüler, der berühmte Thomas von Aquino sitzt zu seinen Füßen.

Geschichtlich stimmt alles folgerichtig überein:

Als das zeiten- und sinnewendende neue seelische Erlebnis eintrat, als die Gotik durchbrach, als Albertus Magnus wirkte, traten die Kaiser ab, war der alte, auf den Staat gestellte Geist erschöpft und ging das Reich gerade zugrunde. Konradin wurde in Neapel enthauptet, die kaiserlose Zeit begann. Der Ritter trat ab, der Bürger war da!

Alle Vorbedingungen erfüllten sich. Das Bild fügt sich

widerspruchslos zusammen. Die graphische Linie kann
die alte »Rubrik« verlassen und zu einer neuen hinüberwechseln.

Ein Genie von ungeheurer Größe, heute ungeliebt und
fast unbekannt, steht an ihrem Wege.

ALBERTUS MAGNUS

Graf von Bollstädt, OP, Bischof und päpstlicher
Nuntius, Rektor der Hochschule Köln
Geboren 1193 in Lauingen
Gestorben 5. November 1280 in Köln

Im oberen Donautal liegt Lauingen.
Wen der Weg dorthin führt, der sollte wenigstens einen
Blick auf die »Höhere Knabenschule« werfen. Sie steht
auf dem Fundament des Hauses, in dem Albert von
Bollstädt geboren wurde.
Der Augenblick der Besinnung gilt einem Kind. Es liegt
in einer hölzernen Wiege und gleicht allen Kindern der
Welt. Tausende Kinder sind an diesem Tage des Jahres
1193 geboren. Dieses eine ist auserwählt, der große
Zeitenwender zu werden.
Zunächst spricht alles dagegen.
Der Vater ist hoher Verwalter der staufischen Besitzun-
gen um Lauingen. Kein Schwertadel, kein Geistesadel.
Beamter. In der Familie gab es noch nie einen Mann von
Bedeutung.
Das Kind Albert pilgert zur Schule. In Gundelfingen
ist eine Stadtschule, in Donauwörth ist eine Kloster-
schule, in Augsburg ist eine Domschule.
Keine Begeisterung.
Der Kaplan bemüht sich um Theologie.
Keine Begeisterung.
Albert schweigt sich aus, als wolle er das alte Sprichwort
beweisen, daß die Schwaben erst mit 40 Jahren gescheit
werden.

Später, viel später erst fängt er an, zu berichten, und da sind zwei Geschichten aus der frühesten Kindheit, die nun zeigen, daß er alles, auch das Kleinste, aufgenommen, aber nur nichts von sich gegeben hat.

Die zwei Geschichten:

»Ich habe die Schwäne (Wildgänse?) beobachtet und gesehen, wie ein Schwan mit einem Adler kämpfte. Die beiden Tiere stiegen so hoch, daß wir sie nicht mehr mit den Augen erspähen konnten. Sie kämpften fast zwei Stunden. Danach kehrten die Tiere zur Erde zurück. Der Adler flog über dem Schwan. Er schien ihn besiegt zu haben, stieß ihn zur Erde, indem er immer über ihm schwebte. Unser Knecht lief hin und nahm den Schwan auf, worauf der Adler floh.«

»Immer wenn ich mit unseren Hühnerhunden über die Felder ging, begleiteten mich die Falken in der Luft. Die Hunde jagten die Vögel von der Erde auf, die Falken stießen dann auf sie herab und trieben sie wieder zur Erde herunter. In ihrer Angst ließen sich die Vögel dann mit der Hand greifen. Nach der Jagd gaben wir jedem Falken einen Vogel. Darauf verließen sie uns.«

Zwei wunderbare Beschreibungen. Wunderbare Beobachtung, wunderbare Erlebnisfülle, wunderbare Präzision. Die Bilder genügen, wir brauchen nichts mehr zu wissen.

Die Chroniken schweigen weiter über lange Strecken.

Ab und zu taucht ein einzelnes Datum auf, an das sich wildverzweifelt die ganze Forschung hängt: Der große englische zeitgenössische Mönch Roger Bacon spricht einmal von »Albertus« und sagt, er war ein »puerulus«, als er in den Dominikanerorden eintrat. Ein Bürschchen.

Der Chronist Heinrich von Herford schreibt, Albert war »puer 16 annorum«. Ein Junge von 16 Jahren.

Aber in den Annalen der Dominikaner taucht eine Stelle auf, wo 1223 ein »Albertus Teutonicus, magister in theologia« in Padua in den Orden aufgenommen wird. Dann eine Zeile in einem Brief des zweiten Ordensgenerals:

1223 wurden in Padua 10 Studenten, darunter 2 Grafensöhne aus Deutschland, aufgenommen.

Wie alt ist Albert: 30 Jahre?

Ein 30jähriger ist kein Bürschchen. Ein Magister der Theologie kein Junge.

Wenn Padua stimmt: Wo hat er Theologie studiert?

In Padua? Wurde keine gelehrt.

Die Forscher vergraben sich wieder in den Handschriftensammlungen und finden in Paris, in München und in Soest drei völlig andere, aber übereinstimmende Notizen: »Albertus, ut alii dicunt, Coloniae ingressus est.«

Die Historiker essen ein hartes Brot! Ein Jahr Forschung, Ergebnis: eine Zeile.

Aber langsam kommt Licht in das Dunkel. In Köln also soll er in den Orden eingetreten sein.

Köln wird später seine zweite Heimat.

Damals kann er 16 Jahre alt gewesen sein.

Köln wird ihn nach Italien geschickt haben.

Dann kann er 1223 schon Magister gewesen sein.

Ein unruhiger Wanderer.

Ein Mensch, von dem man später nicht wissen wird, woher er sein Wissen hat.

Ein vorweggenommener Leonardo da Vinci, den es dahin zieht, wo Ärzte heimlich einen Leib sezieren. Der 300 Kilometer wandert, um dabei zu sein, wenn in Marmorbrüchen Versteinerungen und alte Ornamente freigelegt werden. Zu Fuß, immer zu Fuß, in riesigen, bäuerlichen Schnürschuhen. In solchen Latschen wird er auch einmal in Regensburg bei Nacht und Nebel an die Klosterpforte klopfen: der neue Fürstbischof!

Ein Leonardo, der nächtlich bei Kerzenlicht in Holzköhlerhütten Pflanzen untersucht, die er neu entdeckt hat. Der ein paar Wochen später in Padua schweigend zu Füßen der größten Staatsrechtler sitzt und hört. Der Kirchenschiffe, Brunnen und Steinsägen studiert, um sich danach monatelang in die Werke des Aristoteles und Plato zu vergraben.

Es ist die Zeit, in der er unermeßlich in sich aufnimmt. Aber Jahre dauert es noch, ehe alles umgeschmolzen ist und als flüssiges Gedankengold wieder zurückgegeben wird.

Was dieser kleine schmächtige Mensch hier in seinem Schädel umschmilzt, ist das ganze Weltbild und Wissen des Mittelalters. Das *Bild*. Das Auge ist sein Werkzeug. Er *sieht!*

Endlich greift ihn sich der Orden. Jetzt soll mal gearbeitet werden.

Erste Stationen:

Hildesheim, theologisch-philosophischer Dozent der Dominikaner.

Freiburg, Dozent.

Regensburg, Dozent.

Straßburg, Dozent.

Köln, Dozent.

Hier vollzieht sich der Wandel. Die Schleuse öffnet sich, der inzwischen fast Vierzigjährige beginnt zu reden.

Zu seinen Füßen sitzen mittelalterliche Menschen.

Der auf dem Katheder aber ist bereits Humanist, Renaissancemensch, Paracelsus, Leonardo!

Da stürzen denen unten Welten ein!

Ihr geistiges Leben spielt sich in alten Lehren ab.

Albert, klein und unscheinbar, steigt vom Katheder herunter, einen Krebs in der Hand, und tritt unter sie. Er schlitzt das Tier auf, er legt das Rückenmark frei und sagt:

»Ich habe gefunden, daß ein Organ vom Gehirn aus durch den Körper geht, das das Gehirn vertritt. Dieses Mark des Rückens findet sich aber bei manchen Tieren, den Gliederfüßlern, auch als Bauchmark.«

Oder:

»Aristoteles sagt, die Natur mache keine Sprünge. Ich habe nun nach den Zwischengliedern gesucht und sie gefunden.«

Oder:

»Die Robben, die Amphibien sind keine Fische. Ich kann es an der Fortpflanzung und den Geschlechtswerkzeugen beweisen.«

Ungeheure Gedanken! 1240!

Er hält großartige Kollegs über Botanik.

Über das soziale Verhalten von Tierrudeln.

Über Umweltbestimmung aller Lebewesen.

Über Lederverarbeitung und Ledertierzüchtung. (Er zeigt auf seine Galoschen aus Eselsleder, das er bevorzugt.)

Über Geographie und Erdgestalt. (250 Jahre später ruft König Ferdinand von Spanien das Gutachten eines Astronomen-Gremiums an, um zu hören, ob Kolumbus fahren oder nicht fahren soll. Das Gutachten lautet: ja. Weil alle Dominikanergelehrten diese Gelegenheit begeistert beim Schopfe fassen, um die Lehre ihres Albertus Magnus bewiesen zu sehen!)

»Aus der Krümmung der Erdoberfläche ist die Größe der Erde berechenbar. Ich habe sie berechnet.«

(Das Ergebnis war noch im 18. Jahrhundert um keinen

Millimeter genauer berechnet. Kolumbus segelte mit Alberts Angaben los.)

»Ein Grundsatz, der mit der Sinneswahrnehmung eines Experiments nicht übereinstimmt, ist kein Grundsatz. Die Erfahrung muß ihn beweisen. Ich muß den logischen Schluß als Beweis in der Naturwissenschaft ablehnen. Das Experiment allein gibt Gewißheit.«

Instrumente werden gebaut.

Die Mönche sitzen über Tiegel gebeugt und stellen Analysen her.

Dann folgen medizinische Vorlesungen auf biologischer und Konstitutionsgrundlage.

Alles, was er lehrt, hat sein Auge selbst gesehen. Immer ruft er das Auge an.

Zu seinen Füßen sitzt ein junger Mönch, ebenso verschlossen und völlig stumm, wie er es selbst einst war. Die Kommilitonen nennen ihn den »schweigenden Ochsen«. Es ist der Sohn des italienischen Grafen von Aquino, Großneffe Barbarossas.

Es ist: Thomas von Aquin, der große Kirchenlehrer und Heilige. (Auch der größte und tiefste deutsche Mystiker, Meister Eckart, wird noch zu Alberts Füßen sitzen.)

Für ihn ist Albertus Magnus ein Gotteswunder.

Jetzt steigt Alberts Ruhm kometengleich auf.

Der Generalkonvent will ihn beim Tode Jordans von Sachsen zum Ordensmeister wählen. Aber die klugen Mönche sehen davon ab, ahnend, daß hier ein Prometheus angekettet würde.

Sie schicken ihn nach Paris.

Die Sorbonne ist die zweitälteste Universität des Abendlandes. Um diese Zeit die glanzvollste, die ruhmvollste, die stolzeste.

Albert der Deutsche zieht in die geheiligten Hörsäle ein,

sein Ruhm ist ihm vorausgeeilt. Hinter ihm her folgt, mit ihm an die Seine übersiedelnd, ein Schwarm von Studenten und Gelehrten.

Die Hörsäle reichen nicht aus. Albert unterrichtet von nun an auf dem Hof, wo sich Kopf an Kopf drängt. In der Mitte der Menge steht auf einem Podest der schmächtige Mann. Jetzt ist er 50 Jahre alt.

Es ist die Zeit, in der die Entscheidungen in den Bischofsstuben und an den Architektentischen über die ersten großen Kathedralbauten gefällt werden. Zu dieser Zeit beherrscht Albert bereits das ganze geistige und künstlerische Leben. 1267 bis 1271 ist er noch einmal in Straßburg, wo später die Bauhüttennotizen auftauchen.

Herzöge und Erzbischöfe sind seine Freunde, der Papst sein Bewunderer. Rom läßt ihn zu einem Richterspruch kommen. Köln, damals Deutschlands größte Stadt, setzt ihn zum Schiedsrichter über sich und seinen Erzbischof, als zwischen beiden offener Krieg ausbricht, und gehorcht seiner Entscheidung. Die Herzöge von Flandern, von Sachsen, von Bayern, von Lothringen rufen ihn an. Und die Krönung: Der neue deutsche König nach dem Zusammenbruch des Reichs, Rudolf von Habsburg, reist 1274 nach Köln und bittet den 81jährigen Greis, zum Konzil nach Lyon zu kommen und beim Papst seine Anerkennung als König durchzusetzen. Um des Friedens seines Volkes willen. Albert Magnus tut es.

Aber davor liegt noch viel.

Kurze Zeit ist Albert Ordensprior für ganz Deutschland. Das ist wieder eine Wanderzeit. Auf seinen eselsledernen Sohlen reist er zu Fuß von Hamburg bis Genf, von Flandern bis Riga, von einem Dominikanerkloster zum anderen, visitierend wie Karl der Große 400 Jahre vor ihm und in der Art des großen Schulmannes Georg

Kerschensteiner 650 Jahre nach ihm, die Taschen voller Brotreste, seltener Pflanzen, Steine und Notizen.

Genau so, nicht um ein Haar anders, sieht der Mann aus, der drei Jahre später in Regensburg an die Klosterpforte klopft und sich als neuer Bischof und Fürst vorstellt.

Ein Amt, das er ungern übernimmt, denn sein Gelübde verbietet es ihm.

Aber der Papst befiehlt.

Er macht ihn danach zum Nuntius. (Albert pilgert wieder!)

Er hebt für den einzigartigen Mann Ordensregeln und Gelübde auf. Letzten Endes ist das alles für Albert eine Last.

Endlich läßt man ihn in Ruhe nach Köln ziehen.

Dort erwacht er zu neuem Leben.

Er vollendet seine Philosophie der Verschmelzung der aristotelischen Lehre mit dem Christentum. Seine größte philosophische (und politische!) Tat. Von seinem Gesamtwerk sind bis heute 50 Folianten erarbeitet. Der Rest wartet immer noch.

Der Erzbischof, sein Freund, plant den Kölner Dom mit ihm.

Albert selbst beginnt, seine eigene gotische Dominikanerkirche zu bauen.

Er ist jetzt hoch in den Achtzigern.

Längst der Albertus Magnus.

Man hört zu dieser Zeit schon oft in den Straßen den Namen »Albertiner«. Für jedermann, der seines Geistes ist.

Erinnern wir uns, wie die Bauhüttenbücher der Benediktiner über die Gotik schrieben:

»Albertische Art«.

»Albertus System«.

Am 5. November 1280 schließt Albertus Magnus die Augen für immer. Die Augen, diese wunderbaren ersten Augen des Abendlandes, die sehend waren! Die Glocken von Köln läuten und tragen die Nachricht ins Land. Immer mehr Glocken fallen in ihr Rufen ein: Albertus Magnus ist tot.

All seine Habe vermacht er dem Orden.

Alles Geld aber —

— er ist reich, der Papst wünschte, daß für ihn das Gelübde nicht gelte —

alles Geld aber: der Baukunst.

Der Text des Testamentes ist gefunden.

Nach dem Tode Albert des Großen führte sein Schüler Meister Eckart die Mystik zur Blüte, jene Mystik, die spätere Zeiten mit der Gotik zu identifizieren sich angewöhnten. Die hohen, nischenreichen, schnitzwerküberladenen, farbenglühenden und geheimnisvollen gotischen Kirchenschiffe gelten seitdem als Ausdruck und Schöpfung der christlichen Mystik.

Wer so im Kölner Dom steht, begeht einen Vorstellungsfehler.

Für die Romanik war der Baustein unförmige, klobige, tote Masse, die man letzten Endes immer wuchtig »aufeinandersetzen« mußte. Die Konstrukteure der Gotik und ganz besonders der Mann, der das Wesen der Gotik als das große Seh-Erlebnis erfaßte und es auf die ganze Breite des Lebens übertrug, dieser Mann verfiel ihr nicht aus mystischen Gründen. Er war von der Leidenschaft des Sehens ergriffen, die ein Feind der Mystik ist, er war von der Leidenschaft zur »geheimen« Konstruktion, wie der Kulturhistoriker Max Dvorak es genannt hat, vom virtuosen Spiel des Mathematikers gepackt. Hier kam das Blut des Naturforschers, des Mathematikers mit dem Blut des Aristoteles-Begreifers zusammen. Von mystischreligiösen Anlässen ist keine Spur zu entdecken.

Die Mystik jener Zeit war ein Restaurationsversuch im Bezirk der Kirche, der auch mit der Vollendung der großen gotischen Dome zusammenfiel. Meister Eckart, zweifellos ein großer Mann, hat starken Einfluß auf die deutsche Sprache und auf die Ideen Luthers gehabt. Aber Mystik hat es zu allen Zeiten und in allen Kulturen und Religionen gegeben, sie ist immer eine Begleiterscheinung bei großen Umbrüchen gewesen, nie der Umbruch selbst.

Der Umbruch kam vom Auge her, von der Entdeckung des Sehens. Alle Lehren Alberts des Großen entstammen seinen Seh-Erlebnissen und Seh-Erfahrungen.

Seine Tat, die Wissenschaften von dem Zwang der Übereinstimmung mit dem Glauben befreit und die Erfahrung des Experiments zum Glaubenssatz erhoben zu haben, bedeutete die Erhebung der Wissenschaften zur Weltmacht.

Er hat noch einen anderen Bereich zur Weltmacht erhoben: die Kunst. Auch hier wurde etwas befreit. Sein Schüler Thomas von Aquin (der »schweigende Ochse«), neben Augustinus der geheiligtste katholische Kirchenlehrer, trennte in seiner Lehre bereits offiziell das »Werk« in »Kunstwerk« und »gute Tat«. Unter guter Tat verstand er die religiöse, verdienstvolle Tat. Es war die recta ratio agibilium: die Tat, die die rechte *Richtung* hatte und in einem Kunstwerk stecken konnte. Das Kunstwerk selbst dagegen existierte davon getrennt als Tat im Sinne einer rechten *Form*.

Diese Trennung hatte es bis dahin nicht gegeben. Wer im Geiste des Glaubens gemeißelt hatte, hatte auf *jeden* Fall künstlerisch gemeißelt. Seit Albert ist hier etwas Aristotelisches eingezogen: das Ästhetisch-Sinnliche der Antike, wie Dilthey es nannte.

Die Eigenständigkeit der Kunst gegenüber der Religion war verkündet. Wie in den Naturwissenschaften durfte das Auge jetzt sehen und schwelgen; ohne die Gouvernante: das Dogma der Kirche.

Albert war kaum tot, da setzte die Hochblüte der Bildhauer und Schnitzer ein, die später in den großen Deutschen Riemenschneider, Pacher, Veit Stoß und Bernt Notke die für uns sichtbare Spitze erreichte. Die nicht weniger großen ersten Namen sind im Dunkel.

Dann kamen die Maler.

In Italien begannen sie früher. Giotto lebte von 1266 bis 1337, also hundert Jahre vor den ersten großen Nordischen, vor Jan und Hubert van Eyck. Als die beiden Eycks malten, war im Süden bereits die Generation der Fra Angelico und Filippo Lippi da. Sie hatten hundert Jahre Vorsprung.

Aber wenn man überblickt, was in Deutschland geschah und was gleichzeitig in Italien an Werken entstand, stößt man auf eine merkwürdige Entdeckung. Man stellt fest, daß sich die Wege getrennt hatten. Im Süden malte Fra Angelico in seltsamer Strenge der Formen, unverkennbar unter dem Diktat gehorsamer Gläubigkeit und mit spartanischer Idee. Im Norden malte Jan van Eyck in weichen Linien, unverkennbar in dem Bewußtsein geistiger Freiheit und mit menschlicher Gelassenheit.

Es sind, man sieht es plötzlich mit Staunen, nicht zwei Stile, es sind ganz einfach zwei Welten!

Das Wort stimmt.

Die Wege hatten sich getrennt. In dem Augenblick, als in Deutschland das Reich zusammengebrochen war und die Deutschen sich mit der ihnen eigentümlichen Wollust nun gänzlich von alten heroischen Ideen abwandten, stand in Italien Petrarca auf und verkündete die nahe Wiedergeburt der römischen Größe und den nahen Anbruch eines goldenen Zeitalters. Zur gleichen Zeit bestieg der erste moderne Volksführer, Rienzi, die Tribünen, rief zur Einigkeit, Härte, Strenge und Reinheit in dem verlotterten, zerrissenen Italien auf und machte sich zum Machthaber Roms. Er regierte es glänzend. Es war nicht wiederzuerkennen.

In Deutschland kehrte sich nach dem Zusammenbruch schroff alles um.

In Italien malte Fra Angelico wie ein Soldat.

In Deutschland malte Jan van Eyck wie ein Privatmann.

In Italien wurde — man möchte beinahe sagen: im sofortigen Anschluß an die Romanik und mit Überspringung der Gotik — die Renaissance geboren.

In Deutschland — ja, was?

Wir werden es sogleich sehen. Jedenfalls keine Renaissance. Das muß man sich einprägen.

Die italienische Renaissance war eine in höchstem Maße religiöse und politische Bewegung. Sie hat sehr konkrete Ziele gehabt, ohne sie zu erreichen, nämlich die rinascita, die Wiedergeburt im Sinne geradezu einer Wiederholung des klassischen Roms. Die politischen Versuche lassen sich nachweisen. Sie machten überhaupt das gesamte staatliche Leben Ober- und Mittelitaliens um 1350 aus. Petrarcas Werke sind ein einziger flammender Aufruf, ein politisches Programm, das sogar so erstaunliche Elemente wie romanisches Rassenbewußtsein enthält und in seiner Grundhaltung gegen »das Abendland«, verkörpert durch Deutschland, Frankreich und England, gerichtet ist. Mit dem ekstatischen Mönch Arnold von Brescia hatte parallel dazu die Begeisterung für eine religiöse Wiedergeburt begonnen. Sie reichte bis Savonarola. Die religiöse Hoffnung war die erste, die zuschanden wurde, dann folgte die politische. Als die Päpste, glühend herbeigesehnt, endlich aus ihrem Exil in Avignon nach Rom heimkehrten, brach kein Gottesreich an. Die Kurie war zu verkommen. Alexander Borgia bestieg den Stuhl Petri. Politisch endete der Aufschwung der Seelen ebenso im Fiasko. Die rinascita hat glänzende Politiker und unerhörte, zur Macht begabte Menschen hervorgebracht, aber das Fazit war furchtbar. Sie zerfleischten sich gegenseitig.

Von einer Renaissance in Deutschland zu dieser Zeit zu sprechen, ist in höchstem Maße unsinnig. Genau das Gegenteil einer politischen Renaissance war es, was sich bei uns abspielte.

Es wird nun auch klar, wie groß der Unterschied zwischen einem im Jahre 1425 malenden Jan van Eyck und einem im gleichen Jahre malenden Masaccio sein mußte. Der eine befand sich in der rinascita, in der »Renaissance«, der andere war in der Gotik geblieben. Als Lochner noch seine »Maria im Rosenhag« malte, schuf Mantegna schon seine Mussoliniköpfe. Als Schongauer noch mit seinen Gesellen auf der Leiter stand und seine »Maria mit dem Kinde« über dem Hochaltar montierte, stand Botticelli bereits im Saal des Handelsgerichts in Florenz und sah an der Seite des Herzogs zu, wie seine »Allegorie der Stärke« von Dienern an die Wand gehängt wurde.

In Deutschland lebte zu dieser Zeit alles noch vom Geiste der Gotik, vom Geiste Alberts des Großen. Die Entdeckung der irdischen Welt, die Entdeckung der Antike in Aristoteles, die Möglichkeit der Eroberung der Kräfte in der Natur durch Beobachtung und Experimente, die Freude an der Schönheit der Erde, die Entdeckung der Würde des Wissens, die Freude am exakten Denken, das alles war derjenige Teil des Albertinischen Erbes, der in Deutschland am stärksten zu wirken begann.

Mit Renaissance, mit phönixhaftem Wiederauferstehen, hatte das nichts gemein.

Deutschland blieb »Hieronymus im Gehäuse«. Es wurde sogar immer »privater«.

So fühlten die Gelehrten, so malten van Eyck, Lochner, Schongauer, so schrieben, in ihre Studierstuben zurückgezogen, die Schriftsteller.

Von ihnen unbeachtet, vollzog sich also inzwischen in Italien der Versuch der echten rinascita, der politischen und religiösen Renaissance. Erst als die »Renaissance« praktisch gescheitert und ihr äußerliches Bild schon beinahe zur Karikatur lärmender Lebensprotze geworden war, drangen die beiden »Restbestände« der Renaissance, der formale Kunststil und der formale Lebenshaltungsstil, über die Grenzen. Nicht nur nach Deutschland allein natürlich.

Jene Zeit des Niedergangs, als von dem gesamten geistigen und seelischen Aufschwung zu einer rinascita nichts mehr als Zerrbilder von Kraftmeiern, verwegenen Despoten und dröhnenden, heidnisch sich gebärdenden Helden übriggeblieben waren, jene Epoche ging auch bedauerlicherweise als »die Renaissance« in das Bewußtsein und in die Vorstellung späterer Zeiten ein. Man faßte nachträglich sogar das Wort Renaissance fälschlich als rein künstlerische Wiedergeburt der Antike auf. Noch Goethe tat das. Es ist jedoch einwandfrei falsch. Die Forschungen seit Konrad Burdach haben alle Wurzeln und Wesenszüge, alle wahren Beweggründe und handfesten Ziele der Renaissance freigelegt.

Als diese beiden Restbestände der rinascita, die Kunstform und die Lebensform, über die deutsche Grenze kamen, geschah etwas völlig Unerwartetes!

Zu erwarten war gewesen, daß sich ein gewisser äußerlicher, stilistischer, formaler Einfluß bemerkbar machen würde. Daß in den Großstädten Häuserfronten mit

Renaissancefenstern auftauchen würden, aus denen jedoch keine Cesare Borgias, sondern albertinisch-humanistische Menschen schauen würden.

Statt dessen riß bereits die erste Berührung, der erste Anstoß, der also von außen kam, in einem jähen Ruck die Linie unseres geistigen und seelischen Lebens herum zu etwas Neuem, etwas so revolutionär Neuem, daß bald halb Deutschland in Flammen stand. Die italienische Renaissance in ihren Resten wurde gepackt, verheizt und ward nie mehr gesehen.

Es unterscheiden sich deutlich *mehrere* Spuren.

Das scheint überraschend. Wir werden sehen, daß es das nicht so sehr ist. Wir stoßen hier zum erstenmal auf Isotopen.

In mehreren rasch hintereinanderfolgenden Rucks, durch mehrere, aus verschiedenen Richtungen kommende Stöße vollzieht sich die Wandlung.

Mit Sicherheit zweimal, vielleicht sogar dreimal, verändert sich die Linie unseres seelischen und geistigen Lebens rasch hintereinander, klar und sichtbar.

Was ist es, was für uns heute klar und sichtbar ist? Nichts, was mit einem neuen *Sinnen*-Erlebnis zu tun hätte; die Deutschen leben noch bis Johann Sebastian Bach allein durch das Auge, das ihnen Albertus Magnus aufgetan hatte. Nein, das Neue, das die Menschen in Deutschland kurz nach 1500 erfaßt, liegt auf anderem Gebiet: Es ist das Erwachen des Ichs, das jetzt riesengroß geschriebene Ich, das Begreifen der Einmaligkeit des Ichs, das Ahnen der Menschenwürde. Das ist so eklatant spürbar, als hätte die Luft gewechselt.

Was hat das ausgelöst? Wer? Und wie?

Die Stöße wurden durch die Renaissance-Berührung hervorgerufen. Das ist sicher. Aber die Suche nach den

Trägern der Bewegung ist unter den Prominenten des Humanismus vergebens. Der große Stubengelehrte, den drei Jahrhunderte als Repräsentanten, als Botschafter des Humanismus bezeichnet haben: Erasmus von Rotterdam, wurde genau so überrascht wie die anderen zeitgenössischen Großen, wie der Philosoph und Schulreformer Philipp Melanchthon, wie die damals berühmten Humanisten Conrad Celtis, Sebastian Franck und der hochkultivierte Kaiser Maximilian, der bedeutende Dichter Johann von Saaz, der glänzende Astronom und Mathematiker Johann Müller-Regiomontanus oder der erste der wahrhaft großen Mediziner, Paracelsus.

Sie alle waren ahnungslos. Wo also sind die großen Beweger zu suchen?

Es ist eine Isotopen-Gruppe, kein Zweifel. Ich sehe drei. Jedoch zum erstenmal muß ich gestehen, daß ich mich vielleicht irre und dem dritten diese Stellung nicht zukommt. Es ist an diesem Punkt der Geschichte schwer zu erkennen. Wir werden sehen.

Gewiß jedoch sind zwei: Dürer und Luther.

Der dritte wäre Kopernikus.

Sie lebten fast gleichzeitig.

Sie wußten zunächst nichts voneinander. Aber bald kreuzten sich die Gedanken, und die Leben spielten ineinander.

Ohne zu ahnen, wohin das führen würde, was sie taten und erdachten, verkündeten sie alle drei das gleiche Neue: die Ahnung der Existenz einer Freiheit.

Die Entdeckung der Persönlichkeit.

Der Formale, der es vom Sinnlichen her erfaßte und dem Volk zeigte, war der erste.

Albrecht Dürer.

Alle Kulturgeschichtler sind sich darüber einig.

ALBRECHT DÜRER

Maler und Graphiker
Geboren am 21. Mai 1471 in Nürnberg
Gestorben am 6. April 1528 in Nürnberg

Nürnberg im Jahre 1471.
In seinen Mauern sitzen die steinreichen Fuggerrivalen,
die Tucher, die Imhoff, die Scheurl, die Pirckheimer.
Freie Reichsstadt. Selbst die uneinnehmbare Burg gehört,
seit der Hohenzoller Graf nach Brandenburg berufen
wurde, dem Rat der Stadt.
In den Straßen sieht man so viel pelzverbrämte Mäntel,
so viel Brüsseler Spitzen wie sonst nirgends mehr.
Die Planwagen, die durch die zyklopischen Tore herein-
fahren, kommen von weit her. Sie schwanken unter
ihrer Last. Und schwankend fahren sie wieder hinaus.
Mit berühmten Nürnberger Waren, mit Stoffen, mit
Büchern, mit Stichen, mit Gold- und Silberwaren und
mit feinen Instrumenten.
In Nürnberg wird die Taschenuhr erfunden.
Astronomen werden durch die wunderbarsten Instru-
mente angelockt.
Beheim baut in diesen Mauern den ersten Globus.
Kaiserliche Herolde und Kuriere kommen und gehen.
Fürsten kommen und gehen.
Dann glänzt das Rathaus bis zum Giebel hinauf von
Hunderten von Kerzen.
Scheurl steht, die Bürgermeisterkette auf der Brust, ge-
lassen und ruhig wie aus Erz da und empfängt Kardi-
näle, Herzöge und Kaiser.

Auf der Straße drängt sich das Nürnberger Volk und gafft.

In einem Hause, das dem Patrizier Johann Pirckheimer gehört, gebiert um diese Stunde eine Handwerksmeistersfrau das dritte ihrer achtzehn Kinder.

Es ist Albrecht Dürer.

Die Stadt nimmt keine Notiz davon, daß eine abgehärmte, blasse Frau hier einem Genie das Leben gibt.

Die Stadt wird nie allzuviel Notiz von ihm nehmen! Ein Maler! Ein angesehener, zugegeben. Aber ein Handwerker. Ein Pinselquäler.

Sogar dem gütigen, verständnisvollen, hochkultivierten Philipp Melanchthon entschlüpft später einmal in einem Brief an seinen Nürnberger Freund Willibald Pirckheimer die verwunderte Frage, wie es neulich kommen konnte, daß »ein bloßer Maler« dem gelehrten Freunde im Wortgefecht so heiß zusetzen konnte.

Dürer ist es, der diese Vorstellung mit seinem Leben und Beispiel in Deutschland für alle späteren Zeiten ändert. (Carl Hofer, dem Maler der heutigen Zeit, fiel es schon wieder auf, daß es eine *zuwenig* beachtete Tatsache ist, daß im Gegensatz zu Literaten und Musikern die bildenden Künstler zu einem wesentlichen Teil aus den untersten Schichten des Volkes stammen.)

Als Melanchthon dies Wort schreibt, ist Dürer schon ein bekannter Mann.

Er hat zuerst bei seinem Vater als Goldschmied und Graveur gelernt.

Danach hat ihn Vater Dürer auf sein Drängen hin Maler werden lassen.

Wohlgemuth ist sein erster Lehrmeister. Der Name strahlt Bravheit und Harmlosigkeit aus. So malt Wohlgemuth auch.

Dürer nicht.

Dann wird das Bündel geschnürt.

Wanderschaft.

Der Mann, der 1494 zurückkehrt, hat nicht mehr das weiche Gesicht, das er zuvor so oft vorm Spiegel mit Silberstift abgezeichnet hat. Die Gesellen haben ihn schikaniert und gequält. Der Pöbel ist roh.

Aus der Fremde bringt er auch ein Selbstbildnis mit, das heute im Louvre hängt. Wem er's zeigt, der staunt. Der Maler hat sich selbst gemalt! Allein auf einem Bild! Wie Christus oder ein Fürst! Was geht denn in diesem jungen Menschen vor?

Es ist das erste große, demonstrative, bekennerische Solo-Selbstbildnis des ganzen abendländischen Nordens!

Der Vater hat inzwischen vorgesorgt und ihm eine Braut besorgt. Aus seinem Stande. Bett und 200 Gulden sowie ein langbezopftes Mädchen stehen bereit. Man erwartet denselben Albrecht zurück, der fortgegangen ist.

Aber Dürer hat sich verändert.

Er heiratet gehorsam. Brot schmeckt süß. Aber bald merkt er, daß er allein geblieben ist. Auf einem späteren Bild seiner Frau erscheinen zwar von seiner Hand die Worte »Mein Agnes«, die hübsch klingen, aber was besagt es! Der Patrizier Willibald Pirckheimer, mit dem er eng befreundet wird und der gewiß nicht besondere Sentimentalität aus seinem Kreise gewohnt ist, hat die Agnes hundertmal eine verständnislose, zänkische, engstirnige Frau genannt.

Dürer trinkt auch gern. Zunehmend mit zunehmenden Ehejahren.

Es wird heute viel geforscht, und es wurde damals viel getuschelt.

Wissen tun es beide Zeiten nicht.

Warum soll er nicht unglücklich gewesen sein?

Nichts wäre falscher, als in ihm einen gemächlich hinter Butzenscheiben vor sich hinzeichnenden Mann zu sehen. Dürer ist ein Kämpfer. Himmelhoch jauchzend und zu Tode betrübt, wie es Goethe verlangt.

Vom ersten Tage an, seit er wieder in Nürnberg ist, arbeitet er wie ein Besessener. Er empfindet eine ungeheure Schaffenslust: Er ist frei! Endlich frei. Er hat ein Heim, er ist zu Hause, er ist verheiratet, er hat etwas Geld. Die Wanderjahre sind ekelhaft gewesen. Dieses Schikanieren, dieser Dreck, dieses Fluchen, Kotzen, Rotzen, Saufen der Rüpel. Mit geschlossenen Augen ist er durch diese Jahre gegangen.

Das ist vorbei. Endlich.

Kurz nach der Heirat wird er Meister und Bürger.

Ein großer Tag bei Dürers. Alle sind sehr stolz.

Dann macht sich Albrecht selbständig.

Agnes hat 200 Gulden.

Das ist in ihren Augen ein Vermögen.

Mit 50 Gulden kann ein Mensch zu dieser Zeit in Nürnberg ein Jahr lang bescheiden leben. Das heißt, 50 Gulden sind nach heutiger Kaufkraft mindestens 2500 Mark. Mit zehntausend Mark also fängt Dürer an. (Zehntausend kostet ein Stadthaus.) Gesellen und Lehrlinge werden angenommen, Kupfertafeln, Stichel, Pressen, Walzen, Farben, Leinwand, Pinsel gekauft.

Die alte Dürerin und die junge Frau Dürer sitzen in einer Bude auf dem Markt und verkaufen Albrechts Kupferstiche, die von der Presse semmelwarm auf den Marktplatz kommen. Zu großen Marktfesten fährt Frau Agnes, neben sich in der schweren Kiste die Erzeugnisse ihres Mannes, bis nach Augsburg und Frankfurt.

Dieser Dürer! Wie er Geld verdient!

1494/95 macht er seine erste Reise nach Italien. Keine Rundreise. Nur nach Venedig. Venedig ist neben Florenz und Rom die Hochburg der Renaissancekunst.

Staunend geht er umher. Fränkisch eisern wie ein Panzer überrollt er alle Gefahren. Er sieht nur Formen, Linien, Formen, Linien. Er ist seltsam angerührt. Hier stecken Möglichkeiten, die man sich merken muß.

Er kehrt zurück und schneidet sein erstes großes Werk in Holz: die Offenbarung Johannis.

Da ist nicht ein Tüpfelchen von Venedig drin. Aber es ist dennoch das Produkt einer Verwandlung.

Eine Fortsetzungsgeschichte! Wie seltsam.

Die Leute, die vor Agnes' Bude stehenbleiben, machen sich natürlich keine Gedanken. Sie spüren nur: diese Bilder, zum erstenmal so gezeichnet, haben in ihnen geschlummert. Just diese!

Was für »diese«? Nun, eben diese. Man kann es nicht sagen.

O doch, man könnte es schon sagen. Aber es wird noch deutlicher, warten wir's ab.

Seine Druckerei arbeitet von morgens bis abends. Mit den Fuhrwerken der Fabrikanten gehen ständig auch Stapel von Dürerschen Stichen und Holzschnitten hinaus. Raubritter Kunz erwischte auch einmal einen Wagen mit einer Dürerschen Kiste. Er fluchte nicht schlecht!

Um diese Zeit geht Albrecht Dürer, der »bekannte Maler«, schon sehr betont elegant durch die Straßen. Er hat schon immer etwas Nobles im Wesen gehabt. Sein Antlitz ist fast hochmütig. Seine Hände sind die eines Edelmannes. Seine Kleidung mit einem Hang zum Zierlichen. Die Haare liegen wie gemeißelt an seinem Kopf. In der Bartpflege ist er beinahe ein Kindskopf. Wissen Sie, daß Dürer schielt?

Ja, er schielt. Nicht viel, nur das linke Auge macht sich immer ein bißchen selbständig. Die Kunsthistoriker werden es später viel vornehmer den »Dürerblick« nennen. Er ist eine noble Erscheinung, wenn er so zu den Tuchers geht. Die Tuchers wollen sich von ihm porträtieren lassen.

Das ganze Patriziat folgt, denn diese Bildnisse sind meisterhaft. Auch in ihnen spüren die Betrachter, daß er etwas zur Leinwand gebracht hat, was darauf gewartet hatte.

Kurz nach der Jahrhundertwende reist er abermals nach Italien.

Zur Deckung der Reisekosten nimmt er fünf Bilder mit. Er ist gespannt, ob er sie losbekommt.

Ja, er verkauft sie leicht. Vor ihnen stehen die Italiener genau so seltsam berührt, wie er vor ihren Bildern. Hier impfen sich zwei anscheinend gegenseitig. Auf der einen Seite ein einzelner Mann, auf der anderen Seite eine ganze Künstlergeneration.

Auf dieser Reise wird es Dürer selbst zum erstenmal klar, was angesichts der Renaissance in ihm vorgeht: er entdeckt die Würde des Individuums, die Existenz der Freiheit.

Die Worte sprechen sich heute leicht aus. Damals war es die Entdeckung einer neuen Welt.

Wir verstehen es heute kaum.

Es ist auch nicht notwendig. Es genügt, daß es festgestellt werden kann.

Ja, das ist es, was die Menschen, was die Nürnberger vor seinen Stichen und Bildern spüren, ohne es ausdrücken zu können.

»Ecce homo« rufen seine Porträts von Felicitas Tucher, Oswolt Krel, Willibald Pirckheimer und dem Unbekannten, in dem einige Matthias Grünewald vermuten.

»Ecce homo«, sehet, welch ein Mensch, hat bisher niemand zu sagen gewagt außer zu dem Antlitz des Erlösers. Dieser Dürer jedoch wagt, wie Grünewalds Jünger auf dem Kreuzigungsbild, mit dem Finger und mit ehrfürchtiger Gebärde auf die Menschen zu weisen und zu sagen: Da ist das ganze Universum, in diesem Gesicht alle Leiden und Freuden, in diesen Augen alle Hoheit, alle Niedrigkeit, in diesem Mund alle Energie und Kraft oder alle Weichheit und Schönheit der Erde. Ein Mensch nur, irgendein Mensch, sagt ihr? Seht ihr denn nicht: der ganze Roman der Menschheit!

Es entstehen wunderbare Porträts. Er schneidet und zeichnet alle berühmten Zeitgenossen. Ihre Bilder gehen in die Welt. Die Bürger, selbst die einfacheren, kaufen sie, denn es ist eine neue Seite in ihnen angeschlagen. In den Köpfen, deren Namen sie kennen, aber deren Züge ihnen früher unwesentlich gewesen wären, sehen sie plötzlich mit einem noch unklaren Gefühl der Ich-Bezogenheit interessante Persönlichkeiten.

Dürers Marktstand in Ingolstadt, der nun von Gesellen betreut wird, ist der erste »Illustrierten«-Vertrieb. Nur darf man das Wort angesichts der heute oft so widerlichen Illustrierten nicht mißverstehen. —

Dürer malt das »Rosenkranzfest«.

Ein großes Ölbild. In der Mitte Maria mit dem Kinde. Rechts kniet Kaiser Maximilian, links kniet der Papst. Beide werden gekrönt, der eine von Jesus, der andere von der Jungfrau.

Ihre Gesichter sind unpersönlich.

Zwei Ämter werden gekrönt.

Aber um sie herum wimmelt es von Personen mit lauter

großartigen Gesichtern. Um sie herum ist die halbe Menschheit versammelt, lauter Charaktere, die einzeln gewürdigt, einzeln geachtet, einzeln erlöst werden wollen und ahnen, daß sie einzeln und persönlich mit ihrem Gott sprechen müssen.

Das alles steht für die Zeitgenossen klar und deutlich drin!

Sie wissen nur nicht, wie sie es auffassen sollen und was das bedeutet. Bis zu Luthers 95 Thesen ist es noch zehn Jahre hin. Ganz rechts im Hintergrund steht neben seinem neu erworbenen vornehmen Freund Pirckheimer der Maler selbst. Er blickt seitlich verstohlen zu den Betrachtern des Bildes hin. Es ist, als wolle er beobachten, wie sie es aufnehmen.

110 Gulden, 5500 Mark, erhält Dürer dafür.

Zwei solche Bilder, und er kauft sich das schöne Haus am Gärtnertor. Das heutige »Dürerhaus«.

Er löst auch die Hypotheken für das väterliche Haus »Unter der Vesten« ab.

Der alte Vater hat es nicht mehr erlebt.

Nur die Mutter lebt noch.

Sie verbringt ihre letzten Jahre im Glanz ihres Sohnes, des einzigen, der es zu was gebracht hat. Sie begreift den Glanz natürlich nicht mehr ganz, denn sie sieht ihn nur vom Fenster ihres Kämmerchens aus, das sie nie mehr verläßt. Sie traut der Welt nicht. Sie hat sich fürchten gelernt.

»Sie hat viele schwere Krankheiten gehabt, hat große Armut erlitten, Verspottung, Verachtung, höhnische Worte, Schrecken und große Widerwärtigkeit, doch hat sie es niemals jemand vergolten«, schreibt Dürer bei ihrem Tode.

Nun ist er also mit Agnes allein.

Sie sitzt natürlich nicht mehr auf den Märkten. Man sieht sie wenig. Auf seine niederländische lange Reise begleitet sie Albrecht.

Dürer zeichnet sie, fein aufgeputzt, auf dem Rheinschiff. Eine rundliche, amusische, aber sicher redliche Frau ist aus dem Mädchen mit den Zöpfen geworden.

Eine schöne, repräsentative Ehegemahlin hat Dürer, der aristokratische, pelzgekleidete Herr, leider nicht.

Wenn Albrecht auf der Reise von Fürsten und Stadträten zu Festessen ihm zu Ehren geladen ist, zieht es »sein Agnes« vor, mit der Magd, die sie mitgenommen hat, allein in der Herberge zu essen.

Auf dieser Reise, 1520/21, erfährt Dürer, wie groß schon sein Ruhm ist.

Zunächst stellt er fest, daß er bereits fleißig bestohlen wird. Fremde Maler kopieren seine Bilder und zeichnen sie mit seinem Namen. Fremde Drucker drucken seine Holzschnitte und Radierungen nach. »Ich werde«, denkt er, »mir meine Werke vom Kaiser selbst schützen lassen.« Dieses Ich-Bewußtsein ist die Geburtsstunde des »Copyrights«.

Maximilian und Karl V. schützen später tatsächlich seine Werke gegen die inzwischen zur Horde angewachsenen Nachahmer durch ein »Privilegium«.

In Köln pilgert er zum Altarbild »Maria im Rosenhag« des nun schon fast hundert Jahre toten Stephan Lochner. Dürer steht andächtig davor. Aber er hat nie deutlicher gefühlt, daß er eine neue Welt heraufführen hilft.

Hilft. Denn seit zwei Jahren mißt er sich selbst keine große Bedeutung mehr bei. Seit zwei Jahren sieht er in Doktor Martin Luther den großen Zeiten- und Sinneswender. Er bewundert ihn glühend. Was bedeutet da ein Maler!

Er irrt sich. Er *ist* ein Luther. Wenn es heute so aussieht, als würden wir diesen Zeitenumbruch in seine Werke hineingeheimnissen, so täuscht das. Die Zeitgenossen *sahen* es.

Antwerpen gibt ihm ein Staatsbankett.

Der Rat holt ihn ein. Die Bürger stehen Spalier. Die Menschenmenge verneigt sich, sobald er naht.

Beten sie ihn an vom Hörensagen?

O nein. Wir ahnen heute nicht mehr, was Dürer ihnen gab.

Die Venezianer boten ihm 200 Gulden jährlich festes Gehalt, wenn er zu ihnen kommen würde. Die Antwerpener bieten ihm jetzt 300 Gulden.

Dürer lehnt gerührt ab.

Der dänische König, der in Brüssel weilt, hört von Dürers Anwesenheit.

Herolde holen ihn ab und entführen ihn den Antwerpenern.

In Brüssel sitzt er beim Bankett des Königs neben dem Kaiser Karl, der Königin von Spanien und Kaiser Maximilians Tochter.

Der Kaiser schenkt ihm ein jährliches Gehalt.

Die Reise trägt seinen Ruhm über ganz Europa.

Schweigend verhält sich die Kirche.

Mit untrüglichem Instinkt sieht sie in seinen Werken »95 Thesen«. Aber da seine Bilder nicht laut werden, schweigt auch sie.

Dürer befindet sich auf der Rückreise in Antwerpen, als die Nachricht — wie ein Lauffeuer durch Deutschland gerast — eintrifft, daß man Luther auf dem Heimweg von Worms verräterisch verhaftet hat.

Die Nachricht stimmt nicht, aber Dürer und alle Freunde glauben sie.

Er ist entsetzt.

In dieser Stunde bricht aus ihm der Revolutionär hervor, der rasende Roland, ein Vulkan.

Seite um Seite seines kleinen Notizbuches füllt er mit Anklagen.

Wütend, todtraurig, gehetzt verläßt er die Niederlande.

Gut, daß er abreist.

Hinter ihm entzünden die Inquisitoren bereits die ersten Scheiterhaufen. Die alte Zeit erhebt noch einmal ihr Haupt?

O nein, nur eine fremde Macht. Eine Macht aus der Fremde, die vor kurzem noch von »ihrer« rinascita träumte.

Dürer tritt in seinen letzten Lebensabschnitt ein.

Er hat den Menschen ihre Würde, ihr Gefühl für innere Freiheit, ihr Gesicht gegeben.

Jetzt gibt er ihnen das endgültige Gesicht Christi.

Ja, nichts Geringeres schafft er: Er gibt einen Holzschnitt heraus, »das Tuch der Veronika«, und dieses Antlitz Christi wird mit einem Schlage das Bild Jesu in der Vorstellung aller Menschen und bleibt es bis auf den heutigen Tag.

Warum? Es ist uns wieder unverständlich. Wir können nur feststellen: es ist das gleiche Gefühl für die Wende. Dies Antlitz ist weder entrückt-heilig, noch zerquält, noch anklagend. Es ist nichts als vollendete menschliche Würde.

So, scheint Dürer zu sagen, sieht jeder Christus aus. Unter uns Menschen.

Und dieser Gedanke ist die neue Zeit.

Raffael übernimmt 1517 in seine »Kreuztragung« diesen Christus Albrecht Dürers.

Dem Martin Luther, dem Dürer leider nie begegnet, obwohl er es sehnlichst wünscht, schickt er als Geschenk Holzschnitte und Stiche. Darunter, wie wir vermuten, seinen »Ritter, Tod und Teufel«.

Das Ende der gotischen Nach-Herrschaft ist besiegelt. Dürer wird von seiner Zeit nicht nur in dem, was wir bewundern, geliebt. Seine Zeit hat einen Empfänger für Wellen, für die wir heute abgestumpft sind.

Gleichzeitig mit Martin Luther beginnt Dürer »deutsch« zu schreiben.

Ja, er sitzt in seiner Stube und hat den Stichel mit der Feder vertauscht. Er schreibt ein Lehrbuch. Eine Kunstabhandlung.

Titel: »Die Speise der Malerknaben.«

Vergessen ist, was er darin sagt.

Unvergessen ist, daß er mit traumwandlerischer Sicherheit zur gleichen Sprache kommt, zu der, 500 Kilometer weit fort, auf der Wartburg, Luther gelangt.

Ehe beide zur Feder greifen, gibt es keine moderne deutsche Sprache.

Die Weltsprache ist Latein.

Dann gibt es noch Reime.

Dann gibt es noch die ungehobelte Alltagssprache, schon eine Tagereise weiter kaum noch verständlich.

Dürer kann lateinisch, keine Bange!

Aber wie es Luther überfällt, so treibt es ihn — dieses »es«, das ihn zu allem ausersehen hat —, ein neues Deutsch zu schreiben.

Das Buch ist der Schlußpunkt. Er dürfte fehlen, aber es ist gut, daß er da ist.

Seine Mission ist erfüllt.

Seine Gedanken, seine Gesichte, seine Gefühle ziehen mit den Bildern kreuz und quer durch das Abendland.

Sie bereiten alles vor.

1528, sechs Wochen vor seinem 57. Geburtstag, stirbt Albrecht Dürer.

Das Genie ist tot.

Deutschland trauert.

Wie lange?

1650 läßt die Kirchenverwaltung das Grab, in dem seine Gebeine ruhen, »ausräumen«.

Es wird Platz geschaffen für andere gute Christen.

Das alte Idyll, das die Augen um sich herum bisher in die Welt hineinsahen, war zu Ende. Lauter Köpfe, lauter Individualitäten, lauter Kämpfer, lauter Einzelne hatte Dürer zum erstenmal gesehen. Jetzt sahen es alle.

Seit Dürer gibt es den Roman des menschlichen Antlitzes. Zum erstenmal war der Mensch, der mit Gott und der Welt rang, nicht ein Namenloser, ein Nichts, sondern ein Ich, ein Unverwechselbarer, ein Individuum, ein Ritter zwischen Tod und Teufel. Zum erstenmal war der Mensch, wenn er der Welt unterlag, nicht, wie im ganzen Mittelalter, einer, von dem man sich abzuwenden hatte, sondern er behielt die unveräußerliche Würde des Menschen.

Seit Albrecht Dürer gibt es Charaktere. Vorher hatte es personifizierte Tugenden und Untugenden gegeben, Hochmütige und Bescheidene, Treue und Falsche, Emsige und Faule, Laue und Gewalttätige, Rohe und Feinfühlige, Kluge und Dumme. Die einen waren lobenswert, die anderen tadelnswert gewesen. Dürer schuf im Bild zum erstenmal den Charakter. Er mochte gut oder nicht gut sein, Dürer zeigte, daß dies das Schicksal der Menschheit sei, und daß ein Felsblock jenseits von Gut und Böse steht. Ohne philosophische Thesen nahmen die Menschen dies damals durch die Augen vor Dürers Bildern auf.

Mit der rinascita Italiens, dem Schwarm vom Auferstehen in altrömischer Macht und Herrlichkeit, hat das nichts mehr zu tun. Eine deutsche rinascita der Men-

schenwürde trotz, ja sogar *gerade* in der politischen
Ohnmacht und Niederlage, war durch Dürers optische
Predigten und Flugblätter entstanden. Er schrieb übrigens tatsächlich Flugblätter.

Dürer war zugleich derjenige, dessen Ruhm und Verehrung den gesamten Stand der Künstler in eine neue
gesellschaftliche Schicht hob. Seit Dürer wird das Wort
von der »Kunst und Wissenschaft« in Deutschland in
einem Atem gesagt. Sein Werk von der Proportionslehre erschien 1528 deutsch, 1532 lateinisch, 1557 französisch, 1591 italienisch, 1599 portugiesisch, 1622 holländisch und 1660 englisch.

Wieviel Glanz färbte da auf alle ab! Die Malerei wurde
für 150 Jahre die erste der Künste.

Und niemals mehr, seit Dürer der erste gewesen war,
hat man aufgehört, von der Kunst fortan zu verlangen,
daß sie nicht hinter Glauben, Dogmen und verehrten
Formen hergehe als Diener, sondern der Zeit vorausweise. Das hatte es zuvor nicht gegeben.

Die Gefühlswerte kamen damals, wie man sich also vorstellen muß, vollständig durcheinander. Im Laufe der
Jahre und des Wirkens Dürers klärten sich die Gefühle
in der neuen Richtung.

Auch Luther kannte frühzeitig das Wirken Dürers. Er
hat anfangs, vor 1517, nie darüber gesprochen. Wie alle
Genies war er vollauf mit sich selbst beschäftigt. Aber
es ist nur natürlich, daß auch er davon nicht unberührt
blieb.

1518, als er auf dem Wege nach Augsburg durch Nürnberg kam und Dürer nicht traf, ließ er ihn grüßen.

Als sich hier die Wege der beiden Kometen schnitten,
übergab unsichtbar der eine dem anderen die Staffette,
das ewige Feuer der Menschheit.

Dürer hatte noch zehn Jahre vor sich, aber sein Auftrag war hier schon erfüllt.

Nun kam der andere, der die Freiheit des Glaubens, die Würde des auf den Knien Liegenden entdeckte und verkündete: Luther.

MARTIN LUTHER

Aug. er., Dr. theol., Universitätsprofessor, Pfarrer
Geboren am 10. November 1483 in Eisleben
Gestorben am 18. Februar 1546 in Eisleben

Ein Brief des Gesandten Dantiskus trägt das Datum
vom 8. August 1523. Zu diesem Zeitpunkt ist Luther
40 Jahre alt. Die Gefahren liegen hinter ihm, er steht
auf der Höhe seines Ruhmes.
Dantiskus, hochgebildet, Humanist, aber der Reformation fernstehend, hat soeben Luther in Wittenberg besucht.
Empfänger des Briefes: der polnische Kanzler.
Text lateinisch. Der Brief lautet:
»Nicht ohne Gefahr wegen der vielen Räuber, welche
allerorten ihr Wesen trieben, gelangte ich von Köln nach
Leipzig. Als ich nun hier vernahm, der Durchlauchtigste
Herzog Georg von Sachsen sei nach Nürnberg gereist,
wollte ich doch — vielleicht aus übergroßer Neugier —
an Luther, da er eben zu Wittenberg in der Nähe weilte,
nicht vorübergehen. Indes, nicht ohne Schwierigkeiten
konnte ich dorthin gelangen. Die Flüsse, in Sonderheit
die Elbe, die bei Wittenberg vorüberfließt, waren nämlich so angeschwollen, daß in den Niederungen alle Saa-
ten überschwemmt waren. Ich hörte deshalb auf dem
Wege von den Landleuten viele Schmähworte und Ver-
wünschungen gegen Luther und seine Mitschuldigen.
Denn man glaubte allgemein, weil die meisten die ganze
Fastenzeit hindurch Fleisch gegessen, darum suche jetzt
Gott die ganze Provinz dafür heim. —

Ich ließ also meine Pferde an dem andern Ufer zurück und setzte in einem Kahne nach Wittenberg über. Und nun wollte ich, daß ich Zeit und Muße in Fülle hätte; denn sonst kann ich unmöglich alles schreiben, was dort zugeht. Ich fand daselbst einige junge Männer, außerordentlich gelehrt im Hebräischen, Griechischen und Lateinischen, vornehmlich den Philipp Melanchthon, der in bezug auf gründliche Wissenschaft und Gelehrsamkeit als der erste von allen gilt: ein junger Mann von etwa 26 Jahren und voll der größten Humanität und Herzlichkeit gegen mich während der drei Tage, die ich dort zubrachte. Durch ihn ließ ich Luther den Zweck meiner Reise folgendermaßen auseinandersetzen: Wer nicht in Rom den Papst und in Wittenberg Luther gesehen, von dem glaube man gemeinhin, daß er nichts gesehen, und darum wünsche auch ich meinerseits ihn zu sehen und zu sprechen, und damit ferner diese Zusammenkunft ohne jeglichen Argwohn stattfinde, so erkläre ich, daß ich kein anderes Geschäft bei ihm habe, als ihm einen Gruß und ein Lebewohl zu sagen. Er nimmt nämlich nicht leicht von jedermann Besuche an, mich ließ er indes ohne weiteres vor, und so kam ich denn in Melanchthons Gesellschaft zu ihm gegen Ende des Abendessens, zu dem er einige Brüder seines Ordens geladen hatte. Diese waren, da sie regelrecht gefertigte Ordensgewande, wenn auch von weißer Farbe, trugen, als Brüder zwar kenntlich, unterschieden sich aber in ihrer Haartracht in nichts von den Bauern. —

Luther stand auf, und etwas betroffen reichte er mir die Hand und hieß mich Platz nehmen. Wir setzten uns, und es wurden nun ungefähr vier Stunden lang bis in die Nacht hinein über verschiedene Dinge verschiedene Reden geführt. Ich fand den Mann witzig, gelehrt, beredt, zugleich aber auch, daß er außer Schimpfreden, Anmaßungen und Bissigkeiten gegen Papst, Kaiser und einige andere Fürsten weiter nichts vorbringe. Wenn ich das alles aufschreiben sollte, würde der Tag darüber zu Ende gehen; nun aber ist der Bote, der diese Zeilen überbringt, schon reisefertig, und ich fasse daher vieles in Kürze zusammen. Luthers Gesicht ist wie seine Bücher; die Augen scharf und etwas unheimlich funkelnd, wie man es bisweilen bei Besessenen sieht. Der König von Dänemark (Christian II.) hat ganz ähnliche, und ich kann daher nicht anders glauben, als daß beide unter einer Konstellation geboren sind. Die Rede ist heftig, voll von Spott und Stichelreden; er trägt ein Gewand, daß man ihn von einem Hofmann nicht unterscheiden könnte. Sobald er indes das Haus, in dem er wohnt — das frühere Kloster — verläßt, soll er, wie man sagt, seinen Ordenshabit anlegen. —

Wie wir nun mit ihm zusammensaßen, blieb es nicht beim Sprechen: Wir tranken auch in heiterer Laune Wein und Bier miteinander, wie es dort Sitte ist, und scheint er in allem, wie man zu deutsch sagt, ›Ein gutt Geselle‹ zu sein. In bezug auf Heiligkeit des Lebens, die ihm bei uns von vielen nachgerühmt wurde, unterscheidet er sich in nichts von uns anderen: Hochmut gibt sich bei ihm sofort offen zu erkennen und große Ruhmsucht; im Schimpfen, Nachreden und Spotten erscheint er geradezu ausgelassen. Wer er im übrigen sei, zeugen seine Bücher ganz klar.«

Der Schreiber ist Gesandter am Hofe seiner katholischen Majestät, Wallfahrer zum Heiligen Grabe; bald darauf Bischof von Ermland. Der Mann, dem er die Hand schüttelt, ist vom Papst gebannt, vom Kaiser geächtet, seine Lehre verflucht.

Kein Zweifel, die Neuzeit hat begonnen.

Das Werk Luthers ist hier bereits getan. Er fühlt sich zwar selbst am Ausgangspunkt, große Dinge zu tun, und gibt sich so, aber in Wahrheit zehrt er von nun an von dem bereits Getanen. Die Wellen, von denen er sich, teils mit asketischer Demut, teils mit polterndem Behagen, getragen fühlt, sind schon zurückkehrende Wellen. Sie sind schon einmal um den Erdball gelaufen.

So sieht also das Bild Luthers aus:

Ein großer, starker Mann.

Massig gewordenes Gesicht. Oft etwas verdeckte Augen. Dann wieder stechend. Mund breit und bäuerlich.

Betonte Burschikosität von sich aus. Mit Selbstverständlichkeit akzeptierte Höflichkeit der anderen.

Seit den politischen Auswirkungen: Versuch, die ihm gänzlich ungemäße Rolle als gemäß zu empfinden.

Entdeckung der Freude an Autorität.

Endgültige Kompensierung des väterlichen Bildes, von dem fast 40 Jahre seines Lebens drohend ausgefüllt sind.

An einem 10. November wird Martin Luther in Eisleben geboren.

Die Frage nach dem Jahr taucht erst lange Zeit danach einmal auf, als ein Dokument ausgestellt werden soll. Da geschieht das Unerwartete, daß die Mutter unsicher wird und sich nicht genau entsinnen kann.

1483 oder 1484, grübelt sie. Wann war es?

Sie entschließt sich für 1483.

Später wird sich daran eine in der Geschichte einmalige Begebenheit knüpfen: Als Luther bereits alt ist und alle Einzelheiten seines bisherigen Lebens bekannt sind, machen sich seine Freunde daran, durch ein Horoskop an Hand seines Lebens umgekehrt sein Geburtsdatum festzustellen. Ergebnis: 1483 paßt überhaupt nicht. Dagegen stimmt die Konstellation vom 10. November 1484 in allem mit den Lebensfakten und der Charakteristik überein.

»Ich glaube auch, 1484 war das Jahr«, schreibt Melanchthon und denkt dabei heimlich an eine alte Prophezeiung, daß in diesem Jahr ein gewaltiger, schrecklicher Prophet geboren werde.

Aber die Mutter weiß es nicht mehr genau.

Das ist nichts so Ungewöhnliches in den ärmsten Schichten des Volkes. Und die Luthers sind arm, sehr arm.

Der Vater ist Bergmann. Lukas Cranach hat sein Bild gezeichnet: ein mittelalterlicher Charakterkopf.

Der Gott des alten Vaters ist ein strenger Gott, der Gott der Gotik, der hart straft, der am Jüngsten Tag nur einen bestimmten Typus Christ ins Himmelreich aufnehmen wird, der in dem Glauben selbst kein Verdienst, sondern nur eine Voraussetzung sieht.

Martins Jugend ist hart, denn der Vater ist von ehrlicher Sorge getrieben, Gottes Forderungen auch für den Sohn zu erfüllen.

Bis in die Klosterzeit hinein steht drohend der Gedanke an den Vater vor jedem Wort und jeder Tat.

Der Bergmann Luther ist von dem glühenden Ehrgeiz beseelt, aus Martin einen Mann von Rang und Bildung zu machen.

Mit Schiefertafel und Griffel wandert das viereinhalbjährige Kind in die Mansfelder Schule, dann mit Bücherbündel und Heft nach Magdeburg und Eisenach. 13 Jahre lang.

1501 bezieht er die Universität Erfurt.

Er absolviert die Pflichtfächer.

1505 wird er Magister.

Streng, ohne Lob, ohne Dank nimmt der Vater die Meldung entgegen. Sein nächster Befehl: Jurastudium.

Der Sohn gehorcht ohne Widerrede, aber mit Widerwillen.

Seine Gedanken, als Folge der strengen Erziehung und quälenden Gewissenserforschung, sind nicht beim Jus.

Die Seelennot steigert sich in diesem Jahr so, daß er sich entschließt, den Vater um die Erlaubnis zu bitten, das Jurastudium aufgeben zu dürfen.

Nur die Tatsache, daß es keine weltlichen Gründe sind, ermöglicht es überhaupt, daß der Vater sich das ruhig anhört.

Martin bittet, Mönch werden zu dürfen.

Der Vater willigt ein.

Am 17. Juli 1505 klopft Magister Martin Luther an die Pforte der Erfurter Augustiner-Eremiten.

Damit scheint er für die Welt verschwunden.

1507 wird er zum Priester geweiht.

In der Klosterzelle hofft er, sich zur Klarheit und Ruhe durchzuringen. Er kasteit sich, er demütigt sich, er eifert.

Die scharfen Augen seiner Oberen sehen, daß es vergeblich ist.

Mit der Klugheit der Kenner menschlicher Herzen beschließen sie, den jungen gelehrten Mönch aus der Zelle zu holen und wieder mit der Welt in Berührung zu bringen. Er soll an den Universitäten Wittenberg und Erfurt Philosophie und Theologie lesen. Vielleicht bringt die Pflicht, Klarheit zu lehren, ihm selbst Klarheit.

Was bewegt diesen jungen Menschen? Was quält ihn so?

Er glaubt, genau wie seine Ordensvorgesetzten, daß es das Ringen »um die Gnade Gottes« sei. Was könnte es anderes geben. Andere Zweifel dürfen es für alle, die im

Schoß der Kirche leben, ja nicht sein. Sind gar nicht denkbar.

1510/11 willigt man in eine Pilgerfahrt nach Rom ein. Ein hartnäckiger Mönch, dieser Bruder Martinus. Zieh in Frieden, pax tibicum, gute Reise.

Bruder Martinus fährt nach Rom; ein junger Mönch, ein armer Sohn des Volkes; stiernackig und dumpf sitzt er auf dem Planwagen, schweigsam und in Gedanken versunken. Niemand weiß, was sich hinter dieser Stirn abspielt.

Die landläufige heutige Auffassung mißt der Romreise keine entscheidende Bedeutung bei. Nein? Nun, wir wollen sehen!

Die Stadt des Heiligen Vaters Julius, zweiter Nachfolger des schrecklichen Borgia-Papstes, lebt in ungeheurem Glanz. Auf dem Petersplatz ist Bramante gerade dabei, das Fundament zu der riesigen Peterskirche zu errichten. In den Stanzen des Vatikans malt der elegante Raffael seine mit Säcken von Gold aufgewogenen Bilder. In der Sixtinischen Kapelle steht auf dem hohen Gerüst der junge Michelangelo und malt seine weltberühmten Decken-Fresken. Das ganze Rom ist ein babylonisches Gewirr von Menschen voll Begierde, Ruhmsucht, Intrigen, Hoffart, Angst.

Ein für den deutschen Bergmannssohn gänzlich unerreichbarer Gott-Stellvertreter sitzt mittendrin.

Das Mönchlein rutscht auf den Knien die Wallfahrtsstufen hinauf. Rom ahnt nicht, daß die Gestalt dort auf der Treppe einmal einer der größten Weltbeweger werden wird.

Die Oberen sind gespannt, wie Luther zurückkehren wird.

Er wird doch keine Anfechtungen gehabt, keine falschen

Schlüsse gezogen haben? Jedermann weiß doch, daß Rom der Nachsicht bedarf!

Nun, er kommt still zurück.

Sie schicken ihn wieder auf das Katheder der Universität Wittenberg, auf den Lehrstuhl für Theologie und Bibelerklärung.

Es ist das Jahr 1512, als er mit seinen weltberühmten Vorlesungen über die Paulusbriefe beginnt.

Er hat in alten Folianten, wie Faust, nach der Zauberformel gesucht, er hat die Mystiker entdeckt, die anonyme, aufwühlende Schrift »theologia deutsch« und die mittelalterlichen Prophezeiungen. So, wie die Geschichtsforschung heute festgestellt hat, daß das Verhalten Christi mit bewegt war aus der festen Überzeugung des unmittelbar bevorstehenden Weltuntergangs, so beginnt in Luther die aus der Bibel gezogene »Weissagung der 6000 Jahre« zur Gewißheit zu werden und ihn zur Tat zu drängen. Es ist die alte Elianische Rechnung, nach der das Jüngste Gericht nicht mehr ferne sein kann.

Das alles wühlt in ihm.

Dazu kommt die Erinnerung an Rom.

Von dort ist nichts zu erhoffen.

So beginnt er also, genau so wie die »theologia deutsch« beginnt: Sanctus Paulus spricht...

Er rettet sich zu dem klarsten, dem energischsten, dem kämpferischsten, dem härtesten Zeugen Christi.

Seine Kollegs erregen Aufsehen in Wittenberger Kreisen.

Dieser Dr. Martin Luther liest einen neuen Gott aus Paulus' Worten.

Die Studenten sitzen stumm lauschend zu Füßen des wütenden, zischenden, donnernden Mönches, dessen

Augen fanatisch leuchten. Kein Wort über Rom. Es gilt, nicht zurückzublicken.

Den Schülern zu seinen Füßen beginnt sich das Bild Gottes wie unter einer Geisterhand umzuzeichnen. Seine strengen Züge lösen sich auf, er scheint zu lächeln, er wartet nicht mehr am Kreuz in unendlicher Ferne starr und unbeweglich auf den verlorenen Haufen sich kasteiender Menschen, die ja eigentlich schon heucheln, wenn sie auch nur versuchen, befehlsgemäß Gottes Liebe zu »erwecken«. Nein, der Gott dieses jungen Mönches ist es selbst, der herumirrt und jeden einzelnen sucht und in seinem Suchen und Rufen unendlich beschämend für die Menschen und unendlich liebenswert ist.

Der Gott des Mönches dort auf dem Katheder ist ein Gott mit Charakter, unter dessen Würde es ist, sich kriecherische, zitternde Kreaturen zu schaffen. Der weiß, daß die Menschenkinder sündig sind. Der über ihren Wahn, ihn durch musterhafte Vollkommenheit *zwingen* zu können, nur lächelt.

Kein Wort über die Kirche.

Alles bezieht sich nur auf das Verhältnis des einzelnen zu Gott.

Kein Wort von reformatio.

1517.

So steht es, als Tetzel durch die Lande zieht.

Der Dr. Martin Luther ist sehr ärgerlich.

Er predigt eben noch die persönliche Auseinandersetzung mit Gott, und nun verkaufen sie Ablaßzettel!

Er steht am Fenster und späht durch die Scheiben auf den Kirchplatz.

Da rennt das Volk zum Opferkasten dieses Esels von Dominikaner! Diese schamlosen Händler schreien »Sobald das Geld im Kasten klingt, die Seele in den

Himmel springt« und wissen genau, daß es so nicht gedacht war. Es war ein Ablaß *äußerlicher* Buße, sonst nichts.

Luther beobachtet das Treiben im ganzen Land.

Er beschließt, einen Aufruf an die Wittenberger zu erlassen.

Mit schweren Schritten steuert er über den Platz auf das Portal der Schloßkirche zu. In der Hand trägt er einen großen, beschriebenen Konzeptbogen, Nägel und einen Hammer.

An der Tür, dort, wo es alle Kirchgänger sehen, schlägt er seine 95 Thesen an.

So! Diesem Tetzel oder Dietzel oder wie er heißt, wird er das Handwerk legen.

Es ist der 31. Oktober 1517.

Die Geburtsstunde der Reformation!

Die Geburtsstunde der Reformation?

Keine Spur.

Luther denkt noch mit keinem Gedanken daran. Er gesteht später einmal: »Da ich die Sache wider den Ablaß anfing, war ich noch so voll und trunken, ja so ersoffen in des Papstes Lehre, daß ich vor großem Eifer wäre bereit gewesen, daß ermordet worden wären alle die, so dem Papste nicht hätten wollen gehorsam sein.«

Aber das Volk?

Spürt das deutsche Volk nicht sofort, welch ein Augenblick das ist? Fridericus Myconius, ein zeitgenössischer Geschichtsschreiber, berichtet: »Die Nachricht eilte sogleich durch Deutschland, als wären Engel selber Botenläufer und trügen es vor aller Menschen Augen.«

Eine nachträgliche fromme Lüge.

Die Wirkung des Thesenanschlags war gleich Null!

Natürlich. Luther hat nichts anderes erwartet. Nur in

Wittenberg redet man darüber, und einige seiner Augustiner-Brüder kommen ängstlich angelaufen und machen ihm Vorhaltungen.

Alle sind noch ahnungslos.

Es vergehen Tage und Wochen.

In Wittenberg spricht man schon nicht mehr davon.

Aber die Broschüren- und Traktatdrucker haben sich der Sache bemächtigt. Seit 70 Jahren gibt es die Buchdruckerkunst! Der Mainzer Patrizier und Kammerherr Johannes Gensfleisch-Gutenberg, dessen Leben leider im Dunkel der Geschichte versunken ist, hat vielleicht gewußt, daß er einer der größten Erfinder der Welt war, aber er hat ganz sicher nicht geahnt, wie rasend schnell die neue Weltmacht ihren Siegeszug antrat.

In diesem Augenblick sind bereits zehntausend Bücher da!

Die Druckerpressen beginnen zu arbeiten, und plötzlich bekommt die Nachricht aus Wittenberg tatsächlich Flügel! Sie eilt von Mund zu Mund weiter, sie reißt in ganz Deutschland die verborgenen Zweifel auf und läßt die Flammen hochschlagen.

Man heftet die Thesen an Kirchen- und Klostertüren.

»Hoho!« ruft der gelehrte Dr. Fleck und schreibt an den Kollegen nach Wittenberg ein begeisterten Brief.

Von allen Seiten dringt das Echo zu Luther, der von dieser Wirkung sehr überrascht ist.

Ist das die Volksbewegung?

Nein. Humanisten, Theologen, Künstler sind es, die sich des Themas bemächtigen und zu diskutieren beginnen.

Briefe gehen hin und her.

Erasmus von Rotterdam und andere prominente Männer greifen in die Debatte ein.

Frühjahr 1518 ist ein regelrechter Professorenstreit daraus geworden.

Die Ablaß-Lizenzträger, um deren Geld es geht, wenden sich an den Papst.

Aus Rom kommt der Kardinallegat Cajetan.

Aus Wittenberg reist Luther herbei.

Von Spannung ist noch nicht viel zu merken.

Die beiden, der hohe Würdenträger und der Augustinermönch, treten sich gegenüber und beginnen ein theologisches Streitgespräch.

Luther versteift sich.

Cajetan ist wütend.

Beide reisen ab.

Die Kurie setzt sich mit dem Kaiser in Verbindung.

Maximilian winkt lächelnd ab. Pfaffengezänk.

Der Papst bittet, den Mönch Luther gelegentlich des Reichstags nach Augsburg zu laden.

Dann vergeht wieder eine geraume Zeit.

Für Luther ist die Ablaßfrage das Lieblingsthema geworden. Kein Wunder.

Die Kirche schickt den Kammerherrn von Miltitz. Sie scheint sich ihrer klugen diplomatischen Taktik des Totschweigens zu erinnern.

Miltitz hat den Auftrag, Luther zum Stillhalten zu bewegen.

Die beiden treffen sich in Altenburg. Miltitz ist ein vornehmer sächsischer Adliger. Er nimmt Luther geschickt. Die Kirche sieht den Mißgriff ein, sagt er auf eigene Faust.

Man sollte nun die Sache ruhen lassen.

Luther nickt.

Er ist versöhnt.

So trennen sich die beiden.

In diesem Augenblick ist das Werk Luthers, von dem er selbst immer noch nichts ahnt, nahe daran, überhaupt nicht geboren zu werden.

Da machen die Gegner den entscheidenden Fehler.

Der Theologieprofessor Dr. Eck aus Ingolstadt fängt wieder an, in der alten Geschichte herumzubohren.

Er fordert den Gelehrten Professor Karlstadt, einen Verfechter der Lutherschen Thesen, zu einem der damals beliebten Streitgespräche auf.

Karlstadt, immer in dem Wahn, es ginge um die Ablaßsache, sagt zu.

Er erzählt es Luther.

Luther ist mißmutig. Er wundert sich, daß Rom das zuläßt.

Man sollte es ruhen lassen.

Das Gespräch steigt am 27. Juni 1519 in Leipzig und bringt eine unerwartete Wendung!

Es ist heute noch unerklärlich, was Dr. Eck und Rom damals dazu trieb, ganz überraschend zu einem gefährlichen Schlag auszuholen. Sollte er Luther vernichten? Luther *war* zu diesem Zeitpunkt bereits ausgeschaltet. Vielleicht muß man den Grund ganz woanders suchen, in einem sehr menschlichen und sehr profanen Motiv: in der Redseligkeit der damaligen Theologen.

Dr. Eck kommt mit pfiffigem Gesicht nach Leipzig.

Karlstadt ist ahnungslos, was ihn erwartet.

Aber er wird es sogleich erfahren: Eck holt einen Satz, den Luther in Augsburg so nebenbei einmal gemurmelt hat, heraus und nagelt Karlstadt darauf fest. Dieser Satz nun handelt nicht mehr von so harmlosen Dingen wie Ablaß, sondern behauptet nicht mehr und nicht weniger als: die Kirche ist eine weltliche Einrichtung, die sich zu Unrecht ein göttliches Recht beimißt.

Karlstadt ist zu Tode erschrocken.

Er überlegt fieberhaft, was das bedeuten soll.

Eck wartet.

Alle, die die Disputation miterleben, sind zutiefst erschrocken. Dieser Luthersche Satz rüttelt an dem Fundament Roms. Er bestreitet die Autorität, er bezweifelt die Unfehlbarkeit, er verneint das Dogma. Die letzte, in greifbarer Nähe stehende Konsequenz: Es ist denkbar, daß ein von der Kirche exkommunizierter und gebannter Christ rechtgläubig sein und die Kirche sich auf einem Irrwege befinden kann.

Eck wartet.

Karlstadt fühlt sich dieser Situation nicht gewachsen. Er ist ratlos. Er ruft Luther.

Nun kommt der verhaßte Mönch, dessen Freund Eck einmal war, selbst!

Er ist in die Kutte gekleidet. Seine Augen leuchten erregt, der ganze Mann bebt vor Wut und Zorn.

So tritt er Eck entgegen.

Satz um Satz von dem Dominikaner getrieben, schleudert er ihm die Anklagen gegen die Kirche entgegen. Die Disputation dauert bis zum 16. Juli. Eck holt alles aus ihm heraus, was er nur fassen kann. Luthers Gedanken müssen fieberhaft arbeiten. Ein ganzes Ideengebäude entsteht, längst weitab vom ursprünglichen Thema, längst hochpolitisch und hochreformatorisch. Hier wird Luther dazu getrieben, das ganze Gebäude der alten Kirche einzureißen und den Menschen eine neue Gemeinschaft, ein neues Verhältnis zu Gott zu improvisieren. Er malt ihnen ein großes Gemälde.

Dies ist die Geburtsstunde der Reformation.

Eck ist erschüttert. Für ihn ist es die Geburtsstunde eines neuen Hus.

»Hus hat in vielem recht gehabt«, schreit Luther. Eck wendet sich ab. Es genügt. Er verläßt Leipzig und begibt sich zur Berichterstattung nach Rom.

Erschöpft kehrt auch Luther nach Wittenberg zurück.

Er sieht ganz klar: Es hat sich etwas Furchtbares ereignet.

Wohin treibt er?

Es ist kein Zweifel: In seinen Gedanken hat er in den Stunden der größten Verzweiflung den Scheiterhaufen gesehen. Indessen läuft die Kunde von dem Leipziger Gespräch durch alle Lande. Das ist eine Sprache, die nun alle verstehen. Die Städter horchen auf, die Adligen, die Landesherren diskutieren es heimlich. Aus Zürich meldet sich mit gleichen Ideen ein gewisser Huldreich Zwingli und fordert Luther offen zur Reformation der römischen Kirche auf. In Westdeutschland bildet sich ein Kreis von einflußreichen Grafen und Baronen, die Luther ermutigen. Der mächtige, reiche Franz von Sickingen wendet sich als Freund an ihn. Silvester von Schauenburg schreibt ihm, daß er und hundert Ritter zu seinem Schutz bereit seien. Ulrich von Hutten läßt Melanchthon die Nachricht zukommen, daß er sich auf dem Wege zu des Kaisers Bruder befinde, um ihn für Luther zu gewinnen.

Von dieser Welle getragen, faßt Luther Mut.

Es muß etwas geschehen.

»Die Buchdruckerkunst«, sagt er bei Tisch zu Melanchthon, »ist die letzte und größte Wohltat Gottes, durch welche die Ausbreitung des Evangeliums fortgeführt werden kann; die letzte Flamme vor dem Erlöschen der Welt!«

Er schickt seinen Aufruf »An den christlichen Adel deutscher Nation« hinaus.

Es ist erschütternd und rührend zugleich, zu sehen, wie er sich an die klammert, die ihm Schutz gewähren könnten.

Aus der Adresse sieht man, von wem er die Durchführung seiner Ideen erwartet.

Er wird bitter enttäuscht werden.

Aber das liegt noch in der Ferne, und es werden andere dafür einspringen: die Städter.

Er gebiert große, kühne Gedanken in diesem Jahr. Sie reißen ihn fort von einer genialen Formulierung zur anderen.

Er läßt eine neue Schrift folgen: »Von der Freiheit eines Christenmenschen.«

Dies ist sein tiefstes Glaubensbekenntnis.

Diese Schrift wirkt wie Dynamit!

Freiheit! Freiheit! Das Zauberwort ist erschienen.

Luther lebt zu dieser Zeit in einem Bekennerrausch.

Er fühlt sich unverwundbar, unantastbar, getragen von einem unbeschreiblichen Gefühl!

Am 10. Dezember 1520 verbrennt er öffentlich eine Bulle, die der Papst an ihn gerichtet hat.

Eine Menschenmenge steht am Elstertor und jubelt, wie sie die Flammen aufzüngeln sieht.

Brennt wie ein Scheiterhaufen, zuckt es einen Augenblick Luther durch den Kopf. Er wischt die Gedanken weg. Um ihn herum sind lauter glühende Freunde.

Am 3. Januar spricht der Heilige Vater den Bannfluch über ihn aus!

Das ist sehr ernst.

Am 17./18. April wird er vor den Reichstag nach Worms, vor Kaiser Karl den Fünften, geladen.

Der spanische Karl ist der Herr des Abendlandes. Er ist schlechthin allmächtig. Er haßt den Wittenberger

Mönch. Luther wagt nicht, nach Worms zu gehen, ehe er vom Kaiser die Zusicherung des freien Geleits erhalten hat.

Sein Beschützer, Kurfürst Friedrich von Sachsen, den die Nachwelt aus einem unerfindlichen Grunde, vielleicht aus Dankbarkeit, den »Weisen« nennt, besorgt sie ihm.

Er macht sich auf den Weg.

Die Wittenberger geben ihm ein Stück das Geleit.

Dann kommen ihm die Hallenser entgegen.

Dann empfängt ihn die nächste Stadt.

Und so fort. Er wird weitergereicht von einer schützenden Mauer zur anderen.

Seine Fahrt durch Deutschland wird zu einem Triumphzug!

Er ist erschüttert. Das hat er nicht geahnt.

Keine Macht der Erde kann ihn jetzt noch von seinem Weg abbringen.

Vor dem Antlitz des Kaisers spricht er in Worms, seine Tat besiegelnd, die abschließenden Worte: »Hier stehe ich, ich kann nicht anders, Gott helfe mir!«

Durch die Gasse der zurückweichenden Fürsten, Bischöfe und Würdenträger verläßt er den Reichstag.

Wie er durch das Menschenspalier auf der Straße schreitet, hört er den Schrei aus der Menge: »Selig der Leib, der dich getragen hat!«

Wie im Traum geht Luther weiter. Das sind die Worte, mit denen man einst Christus angesprochen hat!

Luther befindet sich auf der Rückreise.

Er ist in höchster Gefahr. Der Kaiser hat sein Wort, sein Kaiserwort, aufgehoben.

Er hat den Mönch in die Reichsacht getan.

Luther ist nun vogelfrei.

Da greift, ehe es andere tun können, Kurfürst Friedrich der Weise ein. Er läßt ihn von getreuen Rittern ergreifen und heimlich, unter dem Pseudonym »Junker Jörg«, auf seine Wartburg bringen.

Nun ist er für lange Zeit für die Welt verschwunden.

Die Aufregung ist gewaltig.

In den Niederlanden und im Rheinland flammen Scheiterhaufen auf Befehl des Kaisers und des Papstes auf.

Indessen sitzt Luther in seiner Studierstube hoch über dem Thüringer Wald. In der ihm aufgezwungenen Weltabgeschiedenheit vollbringt er sein zweites großes Werk: Er übersetzt das Neue Testament ins Deutsche.

Zum erstenmal hält das Volk das Wort Gottes in der eigenen Sprache in der Hand und darf es selbst lesen.

Mit dieser Tat vollendet Luther, was Dürer und andere schon versuchten: Er schafft die deutsche Sprache, die wir heute, nach einem halben Jahrtausend, noch sprechen.

Draußen in der Welt ist inzwischen der Aufruhr ausgebrochen. Die Bauern, verführt von falschverstandener »Freiheit«, träumend von alten Prophezeiungen, hoffend auf die geweissagte Wiederkehr des alten Kaisers, haben sich gegen die Regierungen erhoben.

Schwärmer stürmen randalierend und brennend durch das Land.

Alle berufen sich auf Luther.

Der Bürgerkrieg ist da.

Luther wird von der Wartburg geholt.

Er kommt in Wittenberg an und steht verwirrt mitten im Trubel. Er kennt sich nicht aus, er ist politisch gänzlich ungeschult, unerfahren, ein Kind.

Aber er muß sich entscheiden.

Da schlägt er sich auf die Seite der Disziplin und Ordnung. Es ist anders nicht möglich: Ein Fürst ist es, der die Hand über ihn hält.

Die Bauern fühlen sich verraten.

Zu Unrecht. Sie waren in Wahrheit nie Luthers Geistes. Die Unruhen gehen blutig zu Ende.

Langsam tritt wieder Ruhe ein.

Dies ist die Situation, und so steht Luther da, als ihn jener Dantiskus besucht und den Brief an den polnischen Kanzler schreibt.

Aber er ist nicht mehr der alte.

Er hat sich in den Trotz und in das Herrische eines heimlich Trauernden gerettet.

Es hat sich vieles verändert. Die Hochintelligenz in Deutschland hat sich nach den letzten Ereignissen von der Person Luthers distanziert. Erasmus von Rotterdam hat ihm die Freundschaft aufgekündigt; seine Gelehrtheit ist ebenso unbestritten wie seine persönliche Feigheit. Alle Ästheten folgen ihm.

Erasmus' Brief ist höflich und verbindlich, aber so eiskalt, daß es einen friert.

Luther schlägt mit Keulen zurück.

Er faucht und schlägt, wie Dantiskus sehr richtig beobachtet, jetzt überhaupt gegen alle um sich.

Ein Jahr später ist das Duell entschieden: Luther hat gesiegt. Der Humanismus ist erschlagen.

Aber der Sieger ist allein.

Seine Lehre hat sich selbständig gemacht. Alles liegt nun beim Volk und bei den Fürsten.

1525 tut Luther noch den letzten provozierenden Schritt: er heiratet.

Katharina von Bora, eine entsprungene Nonne, schenkt ihm sechs Kinder. Das Urbild aller künftigen Pastorenfamilien. Nur pflegt der erste Teil dieses Märtyrerlebens heute strengstens vermieden zu werden.

In dem klaren Bewußtsein, die Zeiten und Sinne gewendet zu haben, aber ahnungslos über das, was in den nächsten Jahrhunderten daraus entstehen würde, nach der Übersetzung des Alten Testamentes, der Schöpfung des evangelischen Glaubensbekenntnisses und vieler anderer Schriften und Lieder von großartiger Kraft stirbt Dr. Martin Luther, der gewesene Mönch der Augustiner-Eremiten, der große deutsche Genius, am 18. Februar 1546 in Eisleben. Dort, wo ihn seine gute, einfältige Mutter geboren hatte.

In der Schloßkirche in Wittenberg, der Stätte seines Wirkens, bettete man ihn zur ewigen Ruhe.

Die Freiheit, die Luther entdeckte, ist das Gewissen. Die Freiheit, die er meinte, ist das positive Wort für eine negative Notwendigkeit: für den Zwang der eigenen, männlich mutigen Verantwortung.

Es ist für uns heute selbstverständlich, daß sich das auf den Glauben bezieht. Davon ging es damals aus, und dahin wurde es im Laufe der Zeit auch wieder eingedämmt.

Luther selbst hat aber schon im Laufe der ersten zwei Drittel seines Lebens die größten Wandlungen in seiner Anschauung von diesem neuentdeckten Begriff und Gefühl durchgemacht. Es ist kein Zweifel, daß es Perioden gegeben hat, in denen er sich nicht mehr zurechtgefunden hat.

Viele Gedankengänge hat er sich erst im Laufe der Ereignisse erarbeitet. So zum Beispiel seine Stellung zu den Bauernaufständen, seine Stellung zu den Wiedertäufern, seine Stellung zu den Fürsten, seine Stellung zu den Humanisten. Oft war er entflammt von der Möglichkeit, seine reformatorischen Ideen auf alle Gebiete des Lebens ausdehnen zu können, ehe er dann vor den Konsequenzen zurückzuckte. So hat er die Erhebung des damals schrecklich gedrückten Landvolkes ursprünglich verstanden. Das schien ihm durchaus *seine* Freiheit zu sein. In dieser Periode sah er zweifellos das Faszinierende, das in einer Übertragung seiner rein demokratischen Kirchenorganisation auf den Staat liegt. Er nannte den Kaiser einen Tyrannen und wandte sich an alle Fürsten und Regierenden mit den Worten: »Liebe Fürsten und Herren, da wisset Euch nach zu richten, Gott will's nicht länger haben!« »Gott will ein Ende mit ihnen machen, *gleichwie* mit den geistlichen Junkern.« So sah er es anfangs.

Ich sagte, er war politisch ein Kindskopf. Er hatte keinen Begriff, welche Strömungen es schon seit hundert Jahren gab.

Als die ersten Aufstände des Landvolkes in Zwickau geschahen, wußte er nicht, was Staatsmänner und Fürsten ganz genau wußten: daß hier unter der Lutherschen Fahne alte, rein kommunistische Gruppen endlich öffentlich aufstehen zu können glaubten. Die gab es seit langem! Ja, es kam sogar zu einem regelrechten Regierungsexperiment: in Münster. Es ist ganz sicher, daß die späteren Jahrhunderte das Wiedertäuferexperiment in Münster in der Darstellung leider verfälscht haben. Johann Mathys, Johann von Leyden, Knipperdollinck und Tilbeck waren weder Bestien noch Verrückte. Sie lebten lediglich 250 Jahre zu früh. Die Französische Revolution hätte Gott danken können, wenn sie diese Männer gehabt hätte.

Nicht Luther, sondern die *Ereignisse* haben wie Laboratoriumsexperimente die Grenzen der Lutherschen Ideen abgesteckt. Immer erst angesichts der Resultate ist Luther klargeworden, was möglich war und was nicht. Es mag sein, daß sein Charakterbild darunter leidet, aber es wird einem andererseits klar, wie ungeheuer groß seine Möglichkeiten waren und wie gewaltig seine Wirkung auf die nächsten Jahrhunderte.

Hinter die folgenden zwanzig Zeilen — was gleich-

bedeutend ist mit dem ganzen Kopernikus-Kapitel —
setze ich ein unsichtbares Fragezeichen. Zweifel über die
Gültigkeit dieser Kopernikus-Feststellung sind mir so,
wie sie kamen, auch immer wieder gegangen. Gegangen,
aber nicht nach neuen, besseren Erkenntnissen. Deshalb
muß ich fürchten, daß ich, wie Schliemann in Troja, an
dieser Stelle zu tief gegraben habe. Ich weiß es nicht.
Auf jeden Fall darf es mich nicht abhalten, diese Stelle
der Grabung aufzudecken.

Während Dürer die Würde der Persönlichkeit entdeckte
und lehrte und Luther die Freiheit der Verantwortung
fand und verkündete — beides die Ent-Fesselung des
Menschengeschöpfes —, vollzog auf dem dritten Gebiet,
auf dem sich seit Albertus Magnus das seelische und
geistige Leben abspielte, in den Wissenschaften, in aller
Stille und lautlos Nikolaus Kopernikus die Revolution.

Er verkündete die Souveränität des Denkens.

Er war der am weitesten Vorgreifende.

Er entthronte alle Erfahrung. Und den Glauben.

Natürlich ging das Sehglück seit Albert den Menschen
nie mehr verloren, aber Kopernikus entthronte den
Glauben an das Sehen. Von da ab blieb nur noch der
ästhetische Genuß übrig. Bis auf den heutigen Tag.

Das reine Denken, das mathematische Abstraktionsvermögen bestieg den Thron. So abseits wie Kopernikus
räumlich lebte — weit im östlichen Ordensland —, so
abseits stand er den Kämpfen, die Dürer wie Luther in
der Seele der Deutschen entfesselten.

Ihm war Luthers Gott vollständig gleichgültig.

Er war schon viel weiter als Luther.

Er war so weit, daß es für ihn schon wieder gleichgültig
war, ob er evangelisch wurde oder katholisch blieb.

Wenn bereits Luthers Gott nicht mehr im Tabernakel

greifbar war, so war Kopernikus' Gott noch viel weiter fort. Wenn Luther dem Glauben schon alles Paradiesisch-Kindliche und Paradiesisch-Kindische genommen hat, so war das, was Kopernikus in die Wege leitete, für alle nachfolgenden Generationen von Wissenschaftlern und Gebildeten die endgültige Vertreibung aus dem Paradies des heiteren fragenlosen Glaubens.

Der Gott der Wissenschaft, den Kopernikus schweigend mit vorstellte, ist ein unendlich ferner Gott, unpersönlich und deshalb vielleicht gnadenlos. Er ist das Gesetz schlechthin. Dieser Gott kam wortlos mit Kopernikus' Entdeckung mit. Verkündet hat er ihn nicht; gespürt ganz gewiß.

Wie es in seinem Herzen aussah, ahnen wir nur.

Äußerlich blieb er Katholik.

Er widmete sein Werk sogar dem Papst.

Er wollte es retten.

NIKOLAUS KOPERNIKUS

Dr. jur., Dr. med., Arzt, Domherr,
Generaladministrator
Geboren am 19. Februar 1473 in Thorn
Gestorben am 24. Mai 1543 in Frauenburg (Ostpr.)

Die Koppernigks stammen aus Schlesien, aus der Lausitz und Breslau.

Sie sitzen auch in Thorn.

Deutsche Patrizier.

Der alte Niklas Koppernigk in Thorn ist Großkaufmann und Gerichtsherr der Hansestadt.

Weichselaufwärts bis Krakau und weichselabwärts bis Danzig reicht sein Einfluß.

Sein Schwiegervater ist Vorsitzender des Schöffengerichts.

Sein Schwager ist Bischof und Landesherr von Ermland.

Sein Schwager Tillmann Regierender Bürgermeister.

Seine Schwägerin Äbtissin.

Sein Sohn Nikolaus wird seinen Weg machen.

Gegenwärtig, Herbst 1491, ist er in Krakau. Er hat sich soeben an der Universität immatrikulieren lassen.

In der Matrikel steht hinter seinem Namen der Vermerk »totum«. »Das Ganze.« Selbstverständlich, er kann die volle Studiengebühr bezahlen.

Krakaus Universität ist zu dieser Zeit eine Perle unter den Hochschulen. Die Blüte des deutschen und polnischen Adels und des Patriziats sitzt zu Füßen weltberühmter Lehrer.

4000 Studenten schwirren durch den riesigen Bau und spazieren debattierend in den Pausen in den romantischen, rosenduftenden und clivialeuchtenden Höfen. Nikolaus Kopernikus bereitet sich auf das studium universale vor.

17 Professoren halten in diesem Semester allein Vorlesungen über Virgil, Horaz, Ovid, Boethius, Cicero, Donatus und Valerius Maximus. Es lehren Konrad Celtis, Valentin Eck, Johannes von Glogau, Aesticampianus und der berühmte Mathematiker und Astronom Adalbert Blar Brudzewski.

Wunderbare Jahre.

Die Sommer sind herrlich; die Winter, die langen, diesigen, schneereichen Winter sind zauberhaft; die Herbststürme, die die Mädchen durch die Straßen wehen, daß ihnen die Haare fliegen, sind schön; die Nächte im Observatorium unter dem Sternenhimmel zwischen Meßgeräten und Instrumenten sind wunderbar.

Nikolaus macht Gedichte.

Er lernt leicht. Spielerisch beschäftigt er sich mit allem, was ihm über den Weg läuft.

Es sind die schönsten Jahre seines Lebens.

1495 macht er das Abschlußexamen und kehrt heim.

Onkel Lukas zieht ihn erst einmal an seinen bischöflichen Hof. Der gute Onkel Lukas, der schon bei des Vaters Tod eingesprungen war und dafür gesorgt hatte, daß dieses einschneidende Ereignis, das so viele junge Leute sozial aus der Bahn wirft, den äußeren Lebensweg von Nikolaus nicht berührte.

Dann, als im Domkapitel zu Frauenburg durch Todesfall die Stelle eines Domherrn frei wird, schiebt er den Neffen auf diesen Posten.

Nikolaus packt seine Sachen und fährt nach Frauenburg.

Frauenburg ist eine kleine Stadt, westlich der bischöflichen Residenz Heilsberg, am Frischen Haff.

Hier residiert das Domkapitel, die »Regierung« des Ermlandes, dessen Fürst zugleich als Bischof Onkel Lukas ist. Ein Domherr ist eine Art »Senator«, ein nur halb-geistlicher Herr. Es ist ein schöner Posten.

Die Statuten sehen vor, daß der Domherr entweder Theologe oder promovierter Mediziner oder promovierter Jurist sein muß. Nikolaus ist nichts von alledem. Er ist lediglich 23 Jahre alt.

Das Domkapitel, mit herzlicher Nachsicht auf den jungen Herrn blickend, beschließt, ihn für drei Jahre zum juristisch-diplomatischen Studium auf die berühmteste Universität der Welt zu schicken.

Das ist Bologna.

So finden wir ihn also wieder einmal lustwandeln; in den Kreuzgängen und rosenduftenden Höfen der uralten italienischen Universität.

Aber so schön die Zeit ist, sie kann die Erinnerung an Krakau nicht verwischen. Er ist älter geworden, er ist nicht mehr so sorglos und unbefangen. Natürlich: er ist Domherr!

Er studiert sehr eifrig. Jura.

Auch ein bißchen Philosophie. Das glaubt er sich gestatten zu dürfen.

Auch etwas Mathematik.

Ferner ein wenig Astronomie.

Schließlich sollte man sich auch für Medizin interessieren.

Unruhig und sehnsüchtig nach vollkommenem Wissen geistert er in den Kollegs herum. Je mehr er lernt, desto klarer und zugleich quälender spürt er, wie vage und lückenhaft alles Wissen ist.

So bekommt er zum Beispiel nicht aus dem Kopf, was neulich Professor Dominikus Maria von Novara über die Erdpole berichtete, die sich, wie er festgestellt hatte, seit Ptolemäus geneigt hatten. Dennoch müßten die Messungen am Himmel gleichgeblieben sein, denn die Erde steht doch still!

Der ebenso gescheite wie herzensgute Professor spricht einmal sogar den jungen Domherrn an und erklärt ihm, daß er mit dem Ptolemäischen System einfach nicht mehr auskomme. Kopernikus nickt. Jawohl, ja.

Damit ist der Fall erledigt.

Das Schicksal klopfte an, ging aber noch einmal vorüber.

1500 ist er mit dem Studium zu Ende.

Frauenburg bewilligt ihm noch ein Jahr Romaufenthalt. Was er da sollte, ist etwas unklar. Daß sich der Vatikan dort befand, scheint ihm gänzlich entgangen zu sein.

Seltsamerweise bringt er das Jahr in Rom damit hin, gastweise an der Hochschule Vorlesungen über höhere Mathematik zu halten.

Anfang 1501 ist er wieder in Frauenburg.

Onkel Lukas und das ganze Kapitel begrüßen ihn herzlich. Leider hat er vergessen, den Dr. jur. zu machen. Die Konfratres sind doch etwas erstaunt, als er sie bittet, ihn noch einmal 2 Jahre nach Italien zu schicken. Jedoch er will nichts Unbilliges. Er ist in Wahrheit voll ehrlicher Bestürzung über seine Unbescheidenheit.

Das macht ihn liebenswert. Und als er erklärt, er werde in Padua zusätzlich Medizin studieren, promovieren und als ausgebildeter Arzt heimkehren und sich der Diözese zur Verfügung stellen, sind alle hellbegeistert. Ärzte sind im Osten sehr selten. Das ganze Ermland hat überhaupt keinen.

Domherr Nikolaus bricht also erneut nach Italien auf.

Das vorschriftsmäßige Medizinstudium beträgt in Padua, der Hochburg der Ärzte, drei Jahre. Es läßt sich nicht leugnen, daß diese Zahl in einem verheißungsvollen Widerspruch zu der bewilligten Zeit steht.

Tatsächlich, es ist kein Grund zur Besorgnis: Nikolaus bleibt vier Jahre unten.

Was er dort in Kreisen von Philosophen, Mathematikern und Astronomen treibt, geht niemand etwas an. 1503 macht er den Doctor jur., 1505 den Doctor med. 1506 kehrt er heim.

Er ist nunmehr 33 Jahre alt.

Das Domkapitel begrüßt ihn freudig. Manche können sich an sein Gesicht kaum noch erinnern. Sie betrachten ihn prüfend, in dessen Hand sie nun ihre Gesundheit und die des hochverehrten Bischofs legen sollen.

Sie können unbesorgt sein.

Er wird ein glänzender Arzt werden.

Onkel Lukas kränkelt. Er ist ein alter Mann.

Nikolaus hält sich daher viel in Heilsberg auf. Er begleitet von nun an den Onkel auch auf allen Reisen im Land und bei allen Besprechungen und Regierungsgeschäften.

Ein Gemälde an der astronomischen Uhr in Straßburg hat uns als einziges authentisches Bild das Antlitz und die Erscheinung des etwa 40jährigen Kopernikus überliefert:

Ein Nobelmann, ein Gelehrter. Zurückhaltend, aber erlesen gekleidet. Der Rock ist am Hals mit Hermelin besetzt, die Aufschläge sind purpurn. Das Gesicht zeigt, offenbar für die Mitmenschen bestimmt, Gelassenheit, Ruhe und Souveränität. Aber man ahnt, daß diese merkwürdig jung wirkenden Züge in Bewegung und

Erregung gänzlich anders aussehen. Dies Gesicht hier ist »Schule«.

Besonders liebenswert wird Nikolaus dem Bischof durch seine beispielhafte Bescheidenheit. So glänzend sein Auftreten in diplomatischen Missionen ist, und so brillant er in Unterhaltungen wirkt, so abwehrend ist er gegen jede persönliche Ehrung.

Glücken schwierige Missionen, so legt er großen Wert darauf, nur die Gedankengänge des Landesherrn vorgetragen zu haben. Mißglücken sie, so hat er nur im eigenen Namen sondiert.

Bei ernsteren Erkrankungen prominenter Personen scheut er keine Mühe, noch andere Ärzte von weit her hinzuzubitten. Er stellt ihnen seine Diagnose zur Verfügung, so daß sie sich daran orientieren können. Wenn sie seine Maßnahmen bestätigen, was ohne eine einzige Ausnahme geschieht, so klingt sein Krankenbericht, als habe *er* sich *ihrer* untrüglichen Diagnose angeschlossen.

Bombastus Theophrastus Paracelsus von Hohenheim, der große geistvolle Revolutionär der Medizin, ist noch nicht auf dem Plan erschienen. Er ist zu diesem Zeitpunkt erst achtzehn, neunzehn Jahre alt und studiert in Ferrara.

Nikolaus Kopernikus heilt also noch nach den alten Methoden.

Er liebt einfache, natürliche Mittel. In Padua schon wurde die verschwommene Mystik der mittelalterlichen Ärzte durch die Berührung mit Leonardo da Vinci, Benedetti und de la Torre abgestreift.

In allen seinen Krankenberichten kommen nur Mittel vor, die wir heute auch noch verwenden würden — wenn wir keine anderen hätten.

Aber höflich respektiert er die Geheimniskrämerei der

alten grauköpfigen Kollegen. Wenn sie ihm, wie es Hausfrauen mit ihren Backrezepten tun, eine ganz besondere Spezialität ihrer Kunst mit Gönnermiene anvertrauen, so notiert er es gewissenhaft.

Wir besitzen, als einziges Rezept von seiner Hand geschrieben, eine solche Notiz, despektierlicherweise auf den Deckel eines Buches gekritzelt.

Sie ist schwer zu entziffern, aber hochinteressant:

Recipe.

Boli ar. unc. II. (Armenische Thonerde)

Cinamoi unc. $^1/_2$ (Zimmet)

Zeduarii drachm. II. (Zitwersamen)

tormetill. radic. an. drachm. II. (Blutwurzel)

sandolorum rubr. an. drachm. II. (Roter Sandel)

Rasure eborum an. drachm. I. (Geraspeltes Elfenbein)

Croci (?) an. drachm. I. (Safran)

Spodii an. scrupl. II. (Weißgebranntes Elfenbein)

arthuse. acetose an. scrupl. II. (Wahrsch. Sauerampfer)

Corticis citri an. drachm. I. (Zitronenschale)

Margarita Christi an. drachm. I. (Von Kopernikus selbst durchgestrichen)

Magontarum an. drachm. I. (?)

Smaragdi an. scrupl. I. (Smaragd)

Jacincti rubri an. scrupl. I. (Roter Hyacinth)

Zaphir an. scrupl. I. (Saphir)

Os de corde cervi drachm. I. (Scheidewandknorpel v. Hirschherz)

Cornu unicor. an. scrupl. I. (Nar-Wal-Stoßzahn)

Corall. rubr. an. scrupl. I. (Rote Korallen)

Auri
Argenti } tribulati an. scrupl. I. (Gold- u. Silberstaub)

Suar.℔ 5. ml. qi. sr. puluis (Gebrauchsanweisung)

(Ein bedeutender Pharmakologe, dem ich das Rezept

vorlegte, tat sich an manchen Stellen etwas schwer, weil in das Rezept mystische Vorstellungen mit hereinspielen, kam aber zu der einwandfreien Feststellung, daß die fragliche Krankheit akuter Magen- und Darmkatarrh gewesen ist.)

Im Jahre 1512 stirbt Bischof Lukas, sein Oheim.

Der alte, kranke Fabian Tetinger von Lohsainen wird sein Nachfolger.

Nikolaus wird ab und zu nach Heilsberg gerufen, operiert den Bischof auch einmal, zieht sich aber zum erstenmal in jene Abgeschiedenheit zurück, die eigentlich dem Domherrn ansteht.

Zu der Kurie gehört ein alter, prachtvoll gebauter Turm. Man blickt von seiner Plattform weit über das Meer und landeinwärts auf die gotischen Giebel der Kathedrale. Dorthin verlegt Kopernikus seinen Wohnsitz.

Dort lebt er während der nächsten zehn Jahre. Zwei Diener und drei Pferde schreibt das Kapitelstatut für den residierenden Domherrn vor. Außer ihnen sieht er mitunter wochen- und monatelang kein Lebewesen.

In diesen Jahren beginnt er mit seinen astronomischen Studien.

Bologna, der alte Professor Dominikus Maria mit seinen Polmessungen, Ptolemäus, Pythagoras — das alles steht wieder vor ihm auf. Alte Gedanken, die ihm keine Ruhe lassen.

Er wälzt die Schriften des großen Nikolaus von Kues, des gewaltigen Mannes, der zugleich Bischof, Kardinal und Pantheist war, der die Infinitesimalrechnung fand und die Drehung der Erde berechnete.

Auf den Eichentischen der Studierstube türmen sich die ledergebundenen dicken Bücher. Darunter ist auch die Disputation »An terra moulatur an quiescat«. »Ob sich die Erde bewegt oder ob sie ruht.« Von dem großen Astronomen des vorangegangenen Jahrhunderts, Regiomontanus, der in dem Alter, in dem Kopernikus jetzt steht, schon lange tot war. Wieviel Gedanken liegen in diesen alten Büchern, wieviel ungeheure Ideenkraft! Kopernikus hat das Gefühl, zu beten, wenn er über diese gewaltigen Dinge des Himmels und der Erde liest.

Sein Gottesdienst ist, in den Sternenhimmel zu schauen. Es ist das Jahr, in dem Luther in Wittenberg die 95 Thesen anschlägt. Kopernikus ist längst darüber hinaus. Er ist schon viel, viel weiter.

Nur kennt noch niemand seine Gedanken. Erst auf dem Sterbebett wird er wagen zu schreiben: Gott ist das Gesetz, die Weisheit der Welt, naturae sagacitas.

Wie? Ist es nicht einfacher Forscherdrang, der ihn treibt? Wer weiß es? Es steht verborgen zwischen den Zeilen seiner Manuskripte, die er bis in die Nacht hinein schreibt.

Sie liegen im Turm vergraben.

Es hat Zeit. In Ferrara hat Celio Calgagnini eine Schrift (»Warum der Himmel steht, die Erde sich aber bewegt«) veröffentlicht. Soll er.

Der Gedanke ist 2000 Jahre alt. Es kommt auf anderes an. Wenn Kopernikus über seine Papiere gebeugt sitzt, bestürmen ihn schreckliche Gedanken. Ihm scheint es oft, als erblickten seine Augen Gott in Fesseln. Gesetze ohne Wandel und ohne Gnade, von Gott losgelassen, regieren die Welt.

Er nennt ihn in Gedanken oft opifex machinae mundi, den Werkmeister, den Erreger der Weltmaschinerie. Bald fließen diese Worte auch in sein Manuskript ein. Die Gesetze will er finden. Sie *müssen* für den irdischen Verstand erfaßbar sein!

Jahr für Jahr grübelt er so und rechnet.

Die Abendglocken der Frauenburger Kathedrale klingen herüber. Der Domherr Kopernikus faltet über den Büchern die Hände. Vater unser, der Du bist im Himmel, geheiliget werde Dein Name ...

Wer Du auch seist. Amen.

Im Januar 1523 stirbt Bischof Fabian.

Ehe der neue Herr sein Amt antritt, vergeht fast ein Jahr. In der Zwischenzeit muß ein Generaladministrator gewählt werden, der die Regentschaft führt.

Die Wahl fällt auf Nikolaus Kopernikus!

Er steigt von seinem Turm herab und beginnt zu »regieren«. Ein seltsamer Geist!

In wenigen Monaten werden die Liegenschaften des Kapitels neu geordnet, eine preußische Finanzreform wird ausgearbeitet, eine schleichende Geldentwertung wird durch ein »Brotgesetz des Dr. Nikolaus Koppernik« gestoppt, der Geldwert wird an den Brotpreis, der Brotpreis an die Getreideproduktion, die Nahrung der Armen, gebunden. Ämter werden umbesetzt, Bauern werden umgesiedelt, Land wird verteilt, das ganze Allensteiner Gebiet neu erschlossen.

Im Oktober zieht der neue Bischof in Heilsberg ein.

Kopernikus nimmt seinen Hut und kehrt in seinen Turm am Meer zurück.

14 Jahre lang ist er nun wieder weiter nichts als Privatgelehrter und Arzt.

In allen Viten und Chroniken von Preußen und Ermland taucht der Name des verehrten Arztes Dr. Koppernik auf.

Herzog Albrecht ruft den »wirdiglichen und achtparn hern Nikolao Koppernick« nach Königsberg, damit er

»dem hern doctor seyne von gote gegebene geschicklich-
keit an Ihme zcu erweisen eyne zceytlanck alldo ver-
harrt«.

Unermüdlich ist der Arzt unterwegs.

Längst ist er nicht mehr der junge Herr.

Sein Haar ist weiß. Aber ihm ist »kein Arbeit, mued und
surge vordrislich«.

63 Jahre ist er alt, als noch einmal die Frage der Wahl
eines neuen Bischofs auftaucht.

Kopernikus steht nun selbst schon an zweiter Stelle der
Anwärter auf den Fürstenstuhl.

Vor ihm rangiert sein bester und ältester Freund Johannes Dantiskus, jener Dantiskus, der den interessanten
Brief über Luther schrieb.

Er wird Kopernikus' letzter Herr.

Ab 1541 widmet sich Nikolaus nun fast nur noch seinem
astronomischen Werk. In Königsberg haben sich zwei
jüdische Ärzte niedergelassen, die gut sein sollen und ihn
sehr entlasten. Das Reisen ist beschwerlich, die Winter
in Preußen sind streng, und die Last der Jahre drückt.

Er ist nun schon fast siebzig.

Einen wundervollen Frühling und Sommer erlebt er, als
ein junger Mann von weit, weit her ihn aufsucht und ihn
bittet, eine Zeitlang an seiner Seite leben und lernen zu
dürfen.

Es ist der damals 26jährige Joachim Rhetikus.

Er kommt aus Wittenberg. Er ist ein junger Professor,
Freund Luthers und Melanchthons.

Er sei Protestant, sagt er lächelnd.

Auch Kopernikus lächelt nur.

Es folgen die schönsten Monate seines Alters.

Sein großes Werk »De revolutionibus orbium coelestium«
geht der Vollendung entgegen.

Hier stürzt er die alte Vorstellung von der Erde als Mittelpunkt des Universums und erhebt die Sonne an ihren Platz. Er beweist, daß die 2000 Jahre alte Ahnung richtig war, er findet das Generalgesetz! Darin steckt ein Titanensturz!

Rhetikus, der den alten Herrn vergöttert und ahnt, welch ein Zeiten- und Sinneswender hier in der Einsamkeit des Ermlandes am Werke ist, trägt den Ruhm des Astronomen zum erstenmal mit einer eigenen kleinen Schrift in die Welt.

Er drängt auch, daß Kopernikus noch rasch ein trigonometrisches Buch, das er fertig hat, herausgibt. Der große Mann macht ihm die Freude. Bischof Dantiskus steuert als Einleitung ein ehrendes Gedicht bei.

Natürlich weiß alle Welt in seiner Umgebung schon von seiner umwälzenden astronomischen Arbeit. Wenigstens so ungefähr.

»Kennt man in Wittenberg meine Gedanken?« fragt Kopernikus.

»Ja«, nickt Rhetikus zögernd.

»Aha«, lächelt der alte Herr, und um dem jungen Freund Mut zu machen, erzählt er ihm, daß sie in Elbing eine Spottkomödie auf ihn zu Fastnacht aufgeführt und in Bayern eine verhöhnende Münze geprägt haben.

Das macht doch nichts.

Rhetikus berichtet nun:

Luther kennt die neuen Ideen sehr wohl. Er hat neulich bei Tisch gesagt, »ich denke da an einen neuen Astrologum, der beweisen will, daß die Erde bewegt würde und umginge, nicht der Himmel oder das Firmament, Sonne und Mond; gleich als wenn einer auf einem Wagen oder in einem Schiff sitzt und bewegt wird, meynete, er säße still und ruhete, das Erdreich aber und die Bäume gingen und bewegten sich. Aber es gehet eben heutzutage so: Wer als klug gelten will, der muß was Eigenartiges machen. Und dieser Narr will eben die ganze Kunst Astronomia umkehren.«

Und Melanchthon?

Rhetikus zuckt die Achseln.

Auch.

Nun gut. Kopernikus nimmt die Feder zur Hand und schreibt über sein Werk die Widmung an den Papst.

»Deine Heiligkeit wird erwarten, von mir zu hören, wie es mir in den Sinn gekommen ist zu wagen, gegen die angenommene Meinung der Mathematiker, ja beinahe gegen den allgemeinen Menschenverstand, mir eine Bewegung der Erde vorzustellen. Deshalb will ich Deiner Heiligkeit nicht verhehlen, daß mich zum Nachdenken über eine andere Art, die Bewegungen der Weltkörper zu berechnen, nichts anderes bewogen hat —«

Er macht eine Pause.

Der schwerste Satz kommt. Er muß sein Lebenswerk retten.

»— als weil ich sah, daß die Mathematiker selbst bei ihren Untersuchungen hierüber mit sich nicht einig sind.«

Joachim Rhetikus hat ihn wieder verlassen.

Es ist nun ganz einsam um ihn.

Kurz vor Weihnachten 1542 erleidet Kopernikus einen Schlaganfall und wird rechtsseitig gelähmt.

Im Frühjahr stellen sich starke Nervenschmerzen ein.

Dantiskus und alle Freunde schleppen an Ärzten heran, was nur in der Nähe ist.

Aber die Uhr ist abgelaufen.

Der Auftrag ist erfüllt.

Am 24. Mai 1543 trifft das erste gedruckte Exemplar seines großen Werkes ein.

Man legt es ihm in die Hände.
Er begreift noch. Er nickt und flüstert ein paar Worte.
Das ist das letzte Lebenszeichen.
Kurz danach ist es zu Ende.
Kopernikus ist tot.

Vom rein wissenschaftlichen Standpunkt aus gesehen hat es damals Leistungen gegeben, die der von Kopernikus ebenbürtig waren. Das Hauptstück, der Kern seiner Arbeit »De revolutionibus« war gedanklich nicht neu. Es lag in der Luft, und der Italiener Calcagnini ist ihm ja mit einer trockenen Darstellung tatsächlich zuvorgekommen. Die Griechen Kleinasiens kannten die Hypothese bereits, und in Babylon war sie ebenfalls nicht unbekannt.

Die Vorstellungen von seiner wissenschaftlichen Ausbeute sind meist zu hoch gespannt. Die Gesetze haben dem Himmel erst die großen Nachfolger Johannes Kepler und Isaac Newton gegeben.

Was Kopernikus über seine wissenschaftliche Leistung hinaus so groß machte und seine ungeheure Wirkung verursachte, was man als wirkliche Befreiung empfand, das war die Haltung, der Geist, mit dem er am Ende seines Lebens aus seiner Gedankenarbeit herausging, und der in den Zeilen seines Werkes steht. Nicht daß er, wie sein Professor in Italien, »rechnerisch nicht mehr auskam mit dem Ptolemäischen Himmel«, sondern er kam innerlich, als Mensch, als denkender Geist, nicht mehr aus mit den Sphärenscheiben drehenden Göttern des Ptolemäus und dem von logischem Flickwerk lebenden mittelalterlichen Christengott. Ich glaube, er war sich bewußt, daß er mit der Verkündung universaler Gesetze den Menschen befreite und Gott fesselte.

Er »befreite« uns allerdings, wie Gott in der Bibel Adam und Eva aus dem Paradies »befreite«. An dieser Befreiung durch Kopernikus tragen wir heute noch zentnerschwer, und wer weiß, wo es endet. Damals, nach Dürer und Luther, durchtränkte dieses neue Gefühl innerhalb einer Generation alle geistigen Schichten. Eine Fülle von großen Nachfolgern tauchte auf. Das ganze nördliche Abendland fiel durch Mittler und Übersetzer den drei Großen, Dürer, Luther und Kopernikus, anheim. Es bedeutete damals noch Mut und Todesverachtung — ein Zeichen, daß unsere Vermutung, in welcher Richtung die Befreiung durch Kopernikus hauptsächlich lag, richtig ist. Noch Galilei drohte der Scheiterhaufen, und er rettete sich nur durch Widerruf.

Von Kopernikus führt eine gerade Linie zu zwei späteren deutschen Genies. Jedoch dazwischen schieben sich noch andere Ereignisse; als erstes eine entscheidende Wende um 1700 herum: die große Verwandlung vom Seh- zum Hör-Erlebnis.

Aber ehe Johann Sebastian Bach auftrat, erschien noch ein anderer Meteor am Himmel, ein Mann, der noch vom Sehen herkam und Anlauf nahm, den Deutschen auf der Linie Dürer-Luther ein neues seelisches Reich aufzuschließen. Ich meine Rembrandt.

Sein Schicksal ist, von der Geniefrage her gesehen, einmalig in der deutschen Geschichte.

Rembrandt, der Sohn des Müllers Harmensz van Rijn, wurde 1606 in Leiden, in der Provinz Holland der habsburgischen Niederlande geboren. Er absolvierte eine Lateinschule und kam dann auf Wunsch der ehrgeizigen Eltern auf die damals berühmte protestantische Universität Leiden. Aber in dem jungen Studenten entwickelte sich eine so unbezwingliche Leidenschaft zur Malerei, daß der Vater ihn schließlich von der Hochschule wieder herunternahm und zu zwei Malern in die Lehre gab. Wir kennen ihre Namen: Swanenburgh und Lastman, ihre Werke sind nicht erschütternd.

Aber die beiden mußten genügen. Die Lehre war damit zu Ende. Mit 19 Jahren wagte der junge, wilde, struppige Mann, der verkrachte Student, mit einer Palette, Leinwand und ein paar Pinseln unter dem Arm den Sprung ins Leben.

Kein leichtes Leben in dem kleinen Leiden. In ganz Holland saßen die Maler aufeinander wie heute die Ärzte. Die Stuben waren alle voll von Bildern.

Rembrandt warf sich auf Porträts. »Photographen« hat die Welt zu jeder Zeit ernährt.

Er war ein guter »Photograph«. Hunderte und Tausende von Menschenantlitzen sind im Laufe seines Lebens an ihm und seiner Staffelei vorübergezogen. An diesen Anfang Rembrandts muß man sich später erinnern, um sein Verhältnis zum menschlichen Antlitz zu verstehen.

Damals in Leiden rannte er tagaus, tagein durch die Stadt, um Aufträge einzuholen. Er war ungeheuer fleißig. Alle echten Künstler arbeiten im Schweiße. Rembrandt verachtete das Air des »Genialischen« als Narkotikum. Er fühlte sich ganz und gar nicht genialisch. Wir besitzen amtliche Schriftstücke von ihm aus dieser und aus späterer Zeit, wo er sich als »Kaufmann« bezeichnet. 1631 übersiedelte Rembrandt nach Amsterdam. Es war sein großer Traum, der sich hier erfüllte. Sein erster Traum.

Abermals drei Jahre später hatte er die Stadt, diese mitleidlose, rücksichtslose, Angst einjagende Stadt erobert. Er schien sich auf dem Wege zu befinden, auf dem ihm mit dem Vorsprung einer Generation der wie ein Fürst geehrte Rubens in Brüssel vorausging.

Er malte in dieser Zeit alle 14 Tage ein Porträt, zeichnete und radierte mindestens zehn oder zwanzig Blätter, unterrichtete eine ganze Schar von Lehrlingen, empfing bei einem Glase Wein die Kunden, die nun bis in die höchsten Kreise reichten, und fand noch Zeit, sich abends in Geselligkeiten zu stürzen und zu lieben.

Er heiratete Saskia. Ihre vornehme Familie öffnete ihm neue Häuser. Er wollte wie Rubens leben. Amsterdam bot damals alles. Rembrandt war freigiebig, fast verschwenderisch.

Die Holländer waren steinreich geworden. Die Amsterdamer Handelsflotte war eine der größten der Welt; der niederländisch-indischen Handelsgesellschaft gehörten Dutzende der reichsten Pazifikinseln — der Handelsgesellschaft, nicht dem Deutschen Reich. Sie arbeitete zeitweilig mit 4500 % Gewinn. Die Holländer sorgten dafür, daß sich ihre Provinz wirtschaftlich immer mehr von der gesamten Umwelt abschloß und daß das Geld im Lande blieb. An die Seite des alten Stadtpatriziats trat die große Schar der Neureichen, die im Zeitraffertempo wenigstens die äußeren Zeichen von Kultur nachholen wollten: Bücher, Bilder, Diener, Paläste. Das Bewußtsein, als Bürger sowohl wie als Christ, als Persönlichkeit »frei« zu sein, berauschte damals alle.

Rembrandt lebte zu dieser Zeit aus dem vollen und schuf auch aus dem vollen. Er schien, wie später Lovis Corinth, ein prustender, vor Lebenslust berstender Tritone zu sein. Sein Ruhm war endgültig begründet.

Und was wußte man in Nürnberg, in Hamburg, in Magdeburg, in Augsburg von ihm?

Rembrandt van Rijn? Berühmter, sehr teurer Maler.

Voll merkwürdiger Dämonie in seinen »helldunklen« Bildern.

Ja, er war voll merkwürdiger Dämonie. Nach der langen Epoche glanzvoller, goldglitzernder Bilder kündigte sich etwas Neues, etwas Seltsames an.

Rembrandt strich durch die Straßen, er begegnete einem im Judenviertel, und im Bettlerviertel war er wie zu Hause. Diese Menschen schienen ihn jetzt magisch anzuziehen.

Ah, ein sozialer Maler?

Nicht die Spur. Er, der selbst aus kleinsten Verhältnissen gekommen war, verachtete Jammernde.

1641/42 malte er die berühmte »Nachtwache«. Ein Wendepunkt. Die »Nachtwache« stellt den Auszug der Schützengilde dar, einer Schar von Amsterdamer Bürgern, eitel, angesehen, reich. Es war ein Auftragsbild; es hätte ein Gemälde werden müssen, aus dem eine Fülle von Dürerschen Persönlichkeiten heraussprang, von kühnen Charakteren, von Männern, die mit dem Leben glänzend fertig geworden waren, mindestens doch wohl ebenso wie dieser Maler Rembrandt.

Dieser Maler Rembrandt jedoch hatte die Herren so gemalt, daß man ihre Züge kaum noch erkennen konnte. Sie waren überaus gleichgültig geworden. Was er dargestellt hatte, war eine fast gespenstische nächtliche Szene. Mit ihrem Hin und Her, ihrer undurchsichtigen, ihrer scheinbaren Zwecklosigkeit schien sie wie ein Bild der verfahrenen menschlichen Geschäftigkeit. Die ganze Szene war etwas unheimlich.

Das Bild erregte, obwohl es wunderbar gemalt war, sofort Ärgernis. Es wurde nach außen hin der Wendepunkt für Rembrandt. Innerlich lag der Wendepunkt schon lange zurück.

In diesem Jahre starb auch Saskia, und von nun ab änderte sich alles. Die Barriere der Konvention zerbrach endgültig. Die Familie Saskias tat ihr übriges. Pochend auf einen strengen Ehevertrag, schnitt sie Rembrandt, der ihr immer unsympathisch gewesen war, eiskalt Saskias Geld und Saskias Verbindungen ab.

Die Verhältnisse wären zu retten gewesen, aber nicht von Rembrandt. In sich versponnen, den Zusammenbruch ahnend, schloß er die Türen zu, zog sich seinen verklecksten Kittel an und malte von nun an in allen seinen Bildern das einzige, was ihm rettend und erschütternd und allein menschlich erhaben schien: die Leid-Erfahrung und den Leid-Stolz.

Das also war es gewesen, was ihn lange schon beschäftigt hatte und was er in den Gesichtern der alten, gequälten Gettojuden und der zerlumpten Bettler gesucht hatte.

Jetzt kamen die Bilder heraus: Arme, Verachtete, Kranke, in ärmlicher Kleidung, aber mit den Köpfen von Königen. Sie blickten auf die Amsterdamer aus den Bildern heraus mit einem Ausdruck unendlicher Distanz, unnachahmlicher Gelassenheit und unergründlichen Besserwissens um das Leben.

Er malte den Stolz, den königlichen Trotz des Leides in den wunderbarsten Farben in der grandiosesten Handschrift, deren seine immer größer werdende Meisterschaft fähig war, in der glühendsten Pracht seines Halbdunkels, in zeitloser Schönheit: Es sollte wie eine Menschenfalle wirken. Vielleicht, daß die Augen der Menschen dieses Neue, diese ungeheure seelische Kraft *doch* entdeckten?

Mit jedem Jahrzehnt kam er in größere finanzielle Schwierigkeiten. Die Bilder gerieten »außer Mode«. Die Amsterdamer sahen noch nicht, was er malte, sie sahen nur Armenköpfe.

Unbedachte Schritte brachten Rembrandt in Konflikt mit den Nachlaßgerichten, seine späte Liebe zu Hendrikje, dem guten Engel seines Hauses, in Konflikt mit der Kirche.

Den Amsterdamern schien sein Sturz aus der Höhe furchtbar. Ihm selbst schien er nicht furchtbar. Es schien ihm, er sei in einen Urzustand der einfachen Liebe zum Leben zurückgekehrt; etwas, was die Menschheit noch einmal verstehen lernen werde. Nie zuvor hatten seine Augen so gütig geblickt. Seine Züge waren, ohne daß er aus seiner Lage das geringste Hehl machte, stolz.

1669 starb er, arm, gebrechlich, verlassen. Sein Sohn Titus war tot, Saskia war gestorben, und auch Hendrikje war von ihrer kirchlichen Verdammnis schon erlöst und lag auf dem Schindanger.

Sein Selbstbildnis von 1668 zeigt Rembrandt bitter lachend.

Er starb in dem Bewußtsein, der Unterlegene gewesen zu sein, etwas Unverständliches gelehrt und das Duell mit der Umwelt verloren zu haben.

Hatte er es?

Es schien so. Vor allem mußte es uns Deutschen so scheinen. Das hatte seinen Grund: 20 Jahre vor seinem Tode, in dem Augenblick, als die Frage seiner Wirksamkeit akut war, wurde das Band zwischen ihm und Deutschland zerschnitten!

Schon die Jahre seines Aufstiegs fielen in eine Zeit, in der Nord- und Süddeutschland den Dreißigjährigen Krieg über sich ergehen lassen mußten, wo die Städte in Schutt und Asche sanken und die ganze Bevölkerung um das nackte Leben bangte. Die im abgelegensten Zipfel des Reiches liegenden Niederlande waren davon verschont geblieben. Ihre Abkapselung, auch die geistige, wurde

dadurch noch gefördert. Als dann endlich der Dreißigjährige Krieg zu Ende ging, wurde Rembrandt von uns
abgeschnitten. Das Friedensdiktat von Münster und Os-
nabrück trennte die Niederlande vom Reich und machte
sie zu einem selbständigen Staat. Der Abstoßungsvor-
gang vollzog sich unter dem Druck des Auslandes blitz-
schnell.

Nachdem die Schleusen geschlossen waren, veränderten
sich die Wasserspiegel in ihrem Stand rasch. Die Nieder-
lande steuerten ungehindert, ohne Korrektiv und ohne
Ausgleich des Kräftespiels, nun geradeswegs auf die
Kaufmannsrepublik zu, während sich jenseits der ge-
schlossenen Schleusen in der gänzlichen Verarmung und
Verwirrung eine Unsumme kleiner absolutistischer
Staatszellen bildete.

So wurde Rembrandt ein fremdes Genie.

Daß er für die Niederländer einer ihrer Großen und zugleich ihr erster eigener Verwandler wurde, ist wohl
sicher, auch wenn wir es hier nicht besonders belegen
wollen.

Er hat ihnen das gebracht, was Shakespeare den Briten
und was Beethoven den Deutschen zu bringen berufen
war. Lassen wir die genaue Definition noch ruhen.

Noch am Ende des 19. Jahrhunderts, als wir längst Beethoven besaßen, gab es ein ganz auffallendes Beispiel
dafür, daß wir zu diesem Zeitpunkt Rembrandt klarer
als Beethoven erkannten: Damals brachte Langbehn ein
Buch »Rembrandt als Erzieher« heraus.

Langbehn, der so oft zitierte »Rembrandt-Deutsche«,
hielt den Deutschen Rembrandt als ihr verlorenes Genie
vor Augen. Er gebrauchte natürlich nicht diesen Ausdruck, aber er meinte das gleiche. Dabei identifizierte er
Rembrandt und die Niederlande so weitgehend, daß er

das eine Wort oft für das andere setzte. Er klagte, daß uns jene bestimmte seelische Bereicherung, die er den Holländern gebracht habe, entgangen sei (das stimmte seit Beethoven *nicht* mehr), und daß uns nicht die rembrandtische, sondern eine andere Wende damals erfaßt habe. (Das ist richtig.) »Wie in der geologischen, so ist auch in der geistigen Welt das Quellenfinden ein Geheimnis, aber keine Unmöglichkeit; dort in den Niederlanden fließt ein Born, aus dem man neues Leben schöpfen kann. Mit Rembrandt-Augen in die Welt zu blicken, wird niemand gereuen«, schrieb er.

Das Rembrandtische, an dem Deutschland auch ohne Rembrandt nicht vorübergehen konnte, ruhte für uns noch lange, wurde aber eines Tages doch erlebt. Der Mann, der es uns mitbrachte, ließ allerdings noch 150 Jahre auf sich warten und kam folgerichtig dann auch nicht mehr vom Optischen her.

Denn inzwischen hatte sich in Deutschland die seelische Wandlung zum Hör-Erlebnis vollzogen.

Der Kunsthistoriker Wilhelm Waetzold hat einmal gesagt: »Im Laufe der Geschichte wechseln sich die Künste in der Aufgabe ab, Exponenten des Gesamtempfindens der Nation zu sein. Die Mission, die im 15. und 16. Jahrhundert Dürer und Holbein zugefallen war, erfüllten im 17. und 18. Jahrhundert Schütz, Händel und Bach. Dann übernahm es die Dichtung, für ein Volk zu sprechen.«

Diese summarische Erkenntnis, schon vor vielen Jahrzehnten ausgesprochen, ist richtig.

So offen liegt der Vorgang zutage.

Schwieriger dagegen sind die Urgründe dafür freizulegen, daß nicht die *glänzendste* Erscheinung jener Zeit, sondern die *unscheinbarste*, nicht die *verständlichste*,

sondern die fast *unverstandene* der große Sinneswender
wurde: nicht Händel, sondern Bach.

Bei Rembrandts Tod war die Situation folgende:

Sein Werk war ziemlich spurlos an den Menschen in
Deutschland vorübergegangen. Es stand seit Jahren ja
nun auch schon außerhalb der Reichsgrenzen. Der Dreißigjährige Krieg hinterließ das Reich in Ruinen. Die
Landkarte von Deutschland glich einem Flickenteppich,
denn man hatte einen Frieden diktiert, in dem allen
reichsständischen Fürsten und Grafen Souveränität gegeben und ihre Ländchen zu selbständigen Staaten innerhalb des Reiches erhoben worden waren.

In diesen Kleinstaaten scharten sich die verarmten, ver-
ängstigten Menschen eng um den Fürsten, den einzigen,
der für sie noch Inbegriff der Beständigkeit und Zuverlässigkeit war und die einzige Macht nach außen hin zu
sein schien.

Die Rückwirkung dieser Haltung war ein beständig
wachsender Absolutismus der Landesherren. Der Despo-
tismus erzeugte eine Kälte der Atmosphäre, die besonders den Protestanten in Nord- und Mitteldeutschland
ihre an sich schon nüchterne Luthersche Konfession noch
stummer, noch gehorsamer, noch strenger, noch trockener
erscheinen ließ. Nach dem Paradiesverlust durch Luther
und dem Verbot der Rückkehr sehnte man sich danach,
es möge einen Weg zur Mystik, zur Inbrunst zurück geben, der »geheim« bleiben könnte wie die Sprache der
Musik, den man nicht zu bekennen brauchte, der keine
Confessio wäre. Auch drängte es die Menschen, das *gemeinsam* zu tun.

So ging die Vorbereitung des Umschwungs vor sich.

Die ersten Ansätze gehen bis auf Luther, den Schöpfer
des volkstümlichen Kirchenliedes, zurück. Schon er hatte

solche Gefühle in die Bahnen der Musik gelenkt. (Tatsächlich gibt es fortgesetzt Anzeichen, daß die Großen sich gegenseitig die Voraussetzungen zuspielen und geistig und seelisch zuweilen untereinander verschwägert sind wie die Fürstenhäuser.)

Wem Luther »zuspielte«, ist deutlich erkennbar: Der Mann, der die große Wende brachte, konnte kein verspäteter Meistersinger, kein Opernkomponist, kein Musiker für die exklusiven, rein ästhetischen Erlebnisse in Schlössern und Herrenhäusern sein, sondern nur ein Evangelist. Nur über den einen Weg konnte er es schaffen: daß in seinen Tönen die Menschen stumm beten könnten.

Wir dürfen nicht vergessen: Im 17. Jahrhundert beginnt der Pietismus! Durch die protestantischen Länder ging eine Strömung tiefer Sehnsucht nach stiller, privater, stummer, echter Frömmigkeit.

In diese Situation stießen Händel und Bach. Der eine, Händel, steigerte ins unerhört Prunkvolle und Schöne nur das, was man von Musik als *erholsamen Genuß* bisher schon begriffen hatte. Denn gepfiffen, gesungen, gespielt, Melodien geträllert, Reime vertont hatte man schon vorher. Händel »gefiel«, er gefiel schnell und ohne Schwierigkeiten, denn er verlangte und bot nicht mehr als das, was seelisch bereits da war. Musik war »schön«. Immer schon. So wie der romanische Dom auch schon »schön« gewesen war, ehe die Gotik das tiefere Seh-Erlebnis gebracht hatte. Das ästhetische Empfinden ist eben letztlich doch sehr wenig. Erst was die metaphysische Seite berührt, was uns in ein neues Gefühl zum Unerklärlichen bringt, uns eine *neue* Zwiesprache mit »Gott« ermöglicht und uns unseren Standort ganz neu erscheinen läßt, scheint für die Menschen ein echtes verwandelndes Erlebnis zu sein. Und das brachte Bach. Er schloß eine neue Verbindung zum Metaphysischen auf: das Hören, die Töne. Er befreite die Musik aus ihrer »Hilfsarbeiter«-Stellung, aus ihrer zweitrangigen Verwendung als Diener des Auges, des Gedankens, des Spiels, der Handlung, der Unterstützung anderer Sinne. Er entkleidete sie auch aller Hilfsmittel, er machte sie »absolut«.

Nun kann man natürlich die Frage noch weiterführen, obwohl im Bereich der Musik Antworten sehr schwer zu formulieren sind:

Was empfanden die Menschen bei Bach? Wie im Falle Dürer liegt ja für uns heute das Erst-Erlebnis unwiederbringlich hinter uns, wir können es nicht mehr in gleicher Weise nachempfinden, wir müssen es, ebenfalls wie bei Dürer, zu *wissen* versuchen.

Bei Dürer steht es sichtbar in seinen Bildern.

Bei Bach ist es irrational. Deshalb war man auch solange und sooft im Zweifel über seine damalige Bedeutung.

Natürlich kann man sie, wie wir es getan haben, erschließen und an äußeren Tatsachen und Entwicklungen indirekt beweisen, aber bestehen bleibt hier im Gegensatz zu früheren gleichen Situationen der Wunsch, die längst vergangenen, irrationalen Massenvorgänge in der menschlichen Seele aufdecken zu können.

Tatsächlich hat vor einigen Jahren in Schweden Aleks Pontvik Untersuchungen durch Psychoanalytiker, Ärzte, Musiktheoretiker und Theologen anstellen lassen, die dem geheimnisvollen Vorgang näherkommen.

Wir sollten sie uns ansehen, die Mühe ist gering!

Die Versuche kann man, sehr verallgemeinernd und ohne den wissenschaftlichen Ballast, etwa so beschreiben:

So, wie es zum Beispiel erwiesen ist, daß nicht nur ein

organischer Fehler, sondern auch ein seelisches Erlebnis den Herztod herbeiführen kann, so gilt es heute auch als sicher, daß rein biologische Beeinflussungen durch Musik im günstigen Sinne möglich sind. Man erinnerte sich der für uns Zivilisationsmenschen fast schon unverständlich gewordenen ungeheuren Wirkung der Tamtamtrommeln auf afrikanische Neger; auch die nicht abzuleugnende Wirkung von kultivierter Musik auf die heutigen Menschen, ja noch gröbere Beispiele, wie die Jazz-Ekstatiker, hielt man sich vor Augen. Es war zunächst notwendig, bei den Experimenten alle falschen Nebeneinflüsse, wie Gedankenverbindungen, Erlebniserinnerungen oder den Nimbus des Komponisten, auszuschalten.

Jahrelange Versuche an Gemütskranken bestätigten, was uns hier an dieser Stelle interessiert: Der Bachschen Musik kam in ihrer Wirkung fast eine Ausnahmestellung zu! Schon die ersten Experimente, vorgenommen an musikalisch gänzlich ungebildeten Kranken und mit mechanisch wiedergegebener Musik (um optische Ablenkung zu verhindern), zeigten Wirkungen, die man mit den überlieferten psychotherapeutischen Erklärungen einfach nicht mehr abtun konnte:

Eine »Wunschlosigkeit«, ein langanhaltendes Gefühl der Überwindung aller irdischen Dissonanzen, ja, eine plötzliche befreiende Erinnerung an die Macht religiösen Erlebnisses.

Daß Bachs Kontrapunktik an mystische Übungen grenzt, hat man schon lange geahnt, und mir scheint es sicher. Daß, wie Paul Hindemith, Pontvik und der Psychoanalytiker Jung vermuten, Zahlen- und Intervallharmonien des gesamten Universums hineinspielen und wirken, ist eine Überlegung, die uns heute noch seltsam anmutet, deren Tragweite wir aber vielleicht noch einmal erfahren werden. Aber dies alles nur als zusätzliche Bestätigung. Wenn wir jetzt unsere Gedanken zurückschalten auf die Frage nach dem Hör-Erlebnis als *seelische* Wendung jener Zeit, so wird wenigstens ungefähr klar, daß Bach ein Hör-Erlebnis gewesen sein muß, das nichts mit der Tatsache zu tun hatte, daß es schon vor ihm und neben ihm Musik gegeben hat.

Der große seelische Verwandler war er allein.

JOHANN SEBASTIAN BACH

Königl. und Kurfürstl. Hofkomponist,
Hofkapellmeister, Chordirektor und Kantor
Geboren am 21. März 1685 in Eisenach
Gestorben am 28. Juli 1750 in Leipzig

Am 21. März 1685 wird Johann Sebastian Bach als
achtes Kind des Stadtmusikus Ambrosius Bach und seiner Ehefrau Elisabeth Lämmerhirt in Eisenach geboren.
Auf dem Familientag dieses Jahres wird sein Geburtstag
ausgiebig mit Kanons, »Schnaderhüpferln« und Tabak-
rauchen gefeiert.
An solchen Tagen sind über dreißig Bachs zur Stelle.
Fast alle sind, seit Bäckermeister Veit Bach vor 100 Jahren mit dem Musizieren anfing, Organisten, Pfeifer,
Violinisten, Trommler, Trompeter oder Sänger geworden.
Es dröhnt ununterbrochen. Immer singt irgend jemand
aus voller Kehle oder haut auf den Tasten herum.
Mitunter singen alle gleichzeitig eigene Kompositionen.
Und alle Bachs sehen einander ähnlich. Kein Mensch fin-
det sich heraus.
Sie haben nichts von dem Gezierten und Gespreizten
jener Zeit, und die gepuderten Perücken passen gar nicht
zu ihnen.
Sie ähneln viel eher dem Mann, der einmal eine Zeitlang
hier über der Stadt auf der Wartburg gelebt hat.
In der Geborgenheit dieses Verwandtenrudels wächst
der kleine Johann Sebastian auf.
Hätte er nicht um 14 Jahre ältere Brüder und so viele
Verwandte — wenn sie auch alle arm sind —, so würde

frühzeitig eine Katastrophe eintreten: Mit 9 Jahren verliert er die Mutter, mit 10 Jahren den Vater.

Die ältesten Brüder, sämtlich schon im Beruf, kommen von allen Seiten herbeigereist.

In dem verwaisten Hause steht der kleine Junge wie ein Stückchen Nachlaß und wartet, wem er zusammen mit einem Schrank oder einer Truhe zugeschlagen werden wird.

Christoph nimmt ihn mit.

Christoph ist bereits ein Herr. Er ist 24 Jahre alt und schon Organist in Ohrdruf.

Das kleine Städtchen liegt, wie Eisenach, am Thüringer Wald, 40 Kilometer südlich.

Der Bruder ist sehr nett zu ihm. Der Kleine sieht zu ihm auf wie zu einer Mischung von Bruder, Onkel, Pastor, Musiklehrer und Fürsorgedirektor.

In der Mischung fehlt leider die Mutter.

Johann Sebastian wird daher in diesen Jahren der Entwicklung zu einem Typ von Knaben, wie man ihm in der Kadettenanstalt um Friedrich Schiller wiederbegegnet: streng, ernst, gehorsam, unkindlich und nachts bei Kerzenlicht im Karzer heimlich »Die Räuber« schreibend.

Ach, der kleine Johann Sebastian, der auch nachts mit der Kerze herumschleicht, will ja etwas viel Harmloseres: Er möchte so gern die Notensammlung haben, die ihm der Bruder partout verweigert. Sie ist in einem Schränkchen hinter einem Gitter eingeschlossen, und der Junge versucht, sie heimlich zwischen den Stäben herauszuziehen.

Sie ist seine ganze Sehnsucht. Es sind Abschriften von Kompositionen berühmter Meister.

Eines Nachts hat er sie herausgeangelt.

Bis hierhin ist die Geschichte rührend. Sie läßt sich auf Tausende von Kindern anwenden.

Das Entscheidende ist erst: Sechs Monate lang schreibt der Junge auf dem Fensterbrett bei Mondlicht sämtliche Partituren ab!

Herr Christoph sieht den Fingerzeig nicht.

Was soll er auch sehen! Alle Bachs sind »musikalisch«. Deshalb braucht man nicht mit 14 Jahren Noten zu angeln und sich die Augen zu verderben.

Johann Sebastian macht ihm Sorge. Man sollte ihn in ein Internat geben.

Dem Bruder gelingt es, ihn als »Mettenschüler« in Lüneburg unterzubringen.

Das ist ein begehrter Platz. Die Schüler des »Mettenchors« am Gymnasium sind vom Schulgeld befreit, erhalten freie Kost und Station und ein Chorgeld, das für viele den Grundstock für spätere Zeiten bildet.

Johann Sebastian hat einen wunderschönen Sopran. Alles freut sich. Leider ist die Freude kurz, denn ausgerechnet jetzt kommt er in den Stimmbruch und beginnt eines Tages, in Oktaven zweistimmig zu singen.

Es klingt bewundernswert, ist aber leider nicht zu verwenden.

Die Lage ist für ihn kritisch; da entdeckt man, daß er ein vorzüglicher Violinist ist. Wirklich erstaunlich!

Das hat ihm der Bruder beigebracht. Johann Sebastian findet es nicht sonderlich erstaunlich. Eigentlich findet er es im Gegenteil entmutigend schlecht.

Das Gymnasium besitzt eine große Notensammlung, die er benutzt. Wenn er unter hundert Blättern zwei findet, die ihm Schwierigkeiten auf der Geige oder auf dem Klavier machen, so ist das eine Gelegenheit, in den düstersten Tönen von seiner Unfähigkeit zu sprechen.

Die Lehrer werden aus dem Jungen, der sonst gut lernt, nicht ganz klug. Wenn er nicht lernt, spielt er Violine, wenn er nicht Violine spielt, sitzt er am Klavier, wenn er nicht am Klavier sitzt, spielt er Orgel, wenn er nicht Orgel spielt, grübelt er über Musik nach.

Natürlich: Ohne Fleiß kein Preis, steht in dem Wandbehang über der Waschschüssel eingestickt, aber worüber grübelt er eigentlich? Was gibt es in der Musik zu grübeln?

Über Sonntag und zu den Feiertagen wandert er zu Fuß die 40 Kilometer nach Hamburg. Dort sitzt er in der Katharinenkirche auf der Empore hinter einem Pfeiler und wartet auf den achtzigjährigen Reinken, den berühmten Organisten. Irgendwann wird er ihn wohl üben hören. Vielleicht kommt er um 11 oder um 3 oder um 6 Uhr?

Der junge Mann, der so geduldig wartet, um dann den Rückweg über 40 Kilometer mit einem Stück trockenen Brotes anzutreten, wird 18 Jahre später wieder hier sein. *Er* wird an der Orgel sitzen, und der fast hundertjährige Reinken wird hinter dem Pfeiler stehen. Er wird nichts von dem Gefühl spüren, das er jetzt bei dem berühmten Reinken vermutet. Er wird nur das Gefühl haben, das Kopernikus hatte, als es ihm zum erstenmal gelang, Gott mit Formeln und Zahlen zu erreichen. —

1703 macht Johann Sebastian sein Abitur. Das Gymnasium entläßt ihn mit allen guten Wünschen, die Pforten schließen sich hinter ihm. Der Ruf als Lüneburger Mettenschüler verschafft ihm gleich eine Stellung. Sie ist nur winzig, aber er ist froh. Er wird Geiger in der Hofkapelle in Weimar.

Der erste Schritt ins Leben.

Geiger!

Ach, ein Geiger ist damals fast nichts. Er rangiert hinter den Windhunden und Orchideen des Herzogs.

Mittags steckt man den Bach in Uniform, und er muß Heiduckendienste machen.

So also sieht das Leben aus.

Johann Sebastian setzt das Rudel Bach in Bewegung.

Einen Monat später bereits meldet sich aus Arnstadt der Organist Christoph Herthum, der eine Bachin zur Frau hat: An der Arnstädter Neuen Kirche ist eine Stelle frei. Er fährt hin, spielt vor, ist engagiert.

Am 1. Juli 1703 tritt er sein Amt als Organist und Kantor an.

Arnstadt ist ein kleines thüringisches Städtchen. Es wird der Schauplatz seltsamer Begebenheiten werden.

Die Arnstädter sollen die ersten sein, die Bachs Musik erleben.

Zunächst fängt es ganz harmlos an.

Der junge Kantor spielt zur Andacht die Orgel wie andere vor ihm. Nur wenn er übt, klingt es schon anders.

Sie hören ihn morgens, mittags, abends spielen.

In der Nacht scheint er nicht zu schlafen.

Man sieht ihn um 10 Uhr, um 12 Uhr, um 2 Uhr bei Kerzenlicht über Noten gebeugt.

Das geht monate-, jahrelang so.

Morgens sieht man ihn, mit Stößen von frisch beschriebenen Notenblättern unter dem Arm, hinüber zur Kirche gehen.

Eines Sonntags wirft er zum erstenmal beinahe die Andacht um. Nach einem Choralvorspiel hört die Gemeinde statt des Liturgiebeginns ihn weiterspielen.

Er spielt und spielt, über die anfängliche Unruhe hinweg und ungeachtet des trippelnden Pastors in der Sakristei. Die Gemeinde sitzt stumm und trotzig da.

Keine bekannte Melodie.

Überhaupt keine Melodie.

Klingt wie die Bergpredigt.

Wie soll das wie eine Bergpredigt klingen?

Die Bergpredigt sind doch Worte.

Ja, wie Worte. Wie Wechselrede.

Als das Orgelspiel endlich abbricht und der Pastor erscheint, haben viele das Gefühl, sie hätten bereits gebetet und könnten gehen.

Am Sonntag darauf wiederholt sich die gleiche Szene vor dem ersten Lied.

Es ist jetzt sehr deutlich: Die Gemeinde vergißt zum erstenmal, den Gesang anzustimmen.

Der Geistliche wartet nun jeden Sonntag aufs neue unruhig darauf, wo Bach einsetzen wird. Wenn er Glück hat, erst nach der Predigt.

Das Presbyterium nimmt das zu den Akten.

Die Kirchenbehörde greift ein.

Johann Sebastian erhält eines Morgens ein amtliches Schreiben, in dem ihm klargemacht wird, daß er die Orgel in einfacher Weise zu bedienen habe, wie es bisher üblich gewesen sei.

Er sei zu nichts anderem da, als den Gesang zu begleiten.

Und was sei überhaupt mit dem Schülerchor?

Vielleicht kümmere er sich endlich einmal um ihn?

Die Schüler meutern.

Sie sind 17 und 18 Jahre alt. Bach ist 20.

20 Jahre!

Er sieht es nicht ein. Spielt er denn aus Eitelkeit? Er spielt doch aus Andacht.

Er antwortet auf das Schreiben gar nicht.

Und dem Chor hält er eine Rede, in der er ihm sagt, daß sie unfähig seien zu singen.

Ob sie wüßten, was Musik sei?

Die Schüler lachen.

Bach schreit. Man hört es bis auf den Kirchplatz.

Dann öffnet sich die Tür, die Arnstädter sehen, wie ihr Organist wütend herauskommt, hinter ihm her, hochrot im Gesicht, der Schüler Geyersbach.

Er schwingt einen Stock und dringt auf den Kantor ein.

Bach zieht den Degen.

Die Bürger weichen erschrocken zurück.

Frauen schreien auf.

Einige Schüler springen dazwischen und reißen Geyersbach mit sich fort.

Im Pastorenhaus bewegen sich heftig die Gardinen hinter den Fenstern.

Hochwürden stürmt zum Schreibsekretär und jagt einen Brief an das Konsistorium.

Johann Sebastian legt das Schreiben der Hohen Behörde zu den übrigen.

Die Sache schläft ein.

Im Herbst 1705 nimmt sich Bach einen vierwöchigen Urlaub.

Er hängt sich den Rucksack um und wandert zu Fuß nach Lübeck.

Zur Adventszeit will er dort sein.

Er möchte die »Geistlichen Abendmusiken« des berühmten Buxtehude hören.

Er hört sie.

Er spielt auch selbst, und Buxtehude hört *ihn*.

Der alte Mann und der junge Kantor freunden sich an.

Sie sitzen den ganzen Tag an der Orgel. Abends kramt der Alte seltene Partituren heraus und schleppt seine eigenen Kompositionen herbei.

Das Töchterchen, Mademoiselle Buxtehude, schon nicht

mehr ganz jung, kocht Tee und backt Weihnachts-plätzchen.

Manchmal wandert der Blick des Alten von seiner Tochter zu dem jungen Mann, hin und her, und er wünscht, Bach würde hier bleiben für immer.

Es wird Weihnachten.

Vor den Butzenscheiben fallen Schneeflocken, die Landschaft wird weiß, die Wege sind tief verschneit.

In der alten winkligen Kantorswohnung duftet es weihnachtlich nach Pfeffernüssen, Bratäpfeln und jüngferlichem Lavendel.

Es ist schön in Lübeck.

Zu Neujahr spielt Johann Sebastian Bach.

Die Lübecker tragen ihm die Nachfolge ihres alten Meisters an.

Da erwacht der Junge endlich. Ihm fällt Arnstadt ein, und bei dem Gedanken gerät er ins Schwitzen.

Er packt sein Bündel. Mademoiselle weint. Dem alten Buxtehude zerrinnt der letzte Traum. Johann Sebastian stiefelt in die weiße Landschaft hinaus.

Mitte Februar trifft er in Arnstadt ein. Es sieht düster aus, man wartet bereits fingertrommelnd auf ihn.

Der Magistrat tritt zusammen und zitiert den Organisten vor sich.

Die Akten sind uns erhalten.

Alles, was Rang und Amt in Arnstadt hat, ist anwesend.

Erste Frage: Wo er gewesen?

Kurze Antwort: Lübeck.

Zweite Frage: Warum?

Antwort: Um die Musik zu begreifen.

Die Ratsherren sehen sich an.

Dann: Wer ihm Urlaub gegeben?

Kurze Antwort: Der Herr Superintendent.

Hochwürden verwehrt sich energisch: Nur vier Wochen!
Bach: Hat es der Stellvertreter, den er besorgt habe, an etwas fehlen lassen?
Hochwürden: Nein.
Bach: Keine Klage?
Hochwürden: Nein.
Bach: Na, also.
Jetzt ist die Verhandlung dort, wo sie die Herren haben wollten. Was jetzt kommt, ist ihnen wichtiger, als alles vorherige. Uns auch!
Der Bürgermeister steht auf :
»Halten ihm vor, daß er bisher in dem Spiel viele wunderliche Variationes gemachet, viele fremde Töne mit eingemischet, daß die Gemeinde drüber confundieret worden. Er habe ins Künftige, wenn er ja einen tonum peregrinum mit einbringen wolle, selbigen auch auszuhalten und nicht auf etwas anderes zu fallen ... Wenn er's nicht tun wolle, solle er's nur categorice von sich sagen, damit andere Anstalt gemachet und jemand, der dies täte, bestellet werden können. Soll binnen acht Tagen sich erklären.«
Die Sitzung ist geschlossen.
Bach geht, den Kopf gesenkt, in düsteren Gedanken nach Hause. »Sie sind nicht fromm, nein, sie sind nicht fromm, sie können nicht beten, sie begreifen die Musik nicht!«
Am nächsten Sonntag spielt Johann Sebastian zum erstenmal wieder.
Die Gemeinde vergißt nach seinem Spiel abermals, den Choral zu singen.
Acht Wochen lang wartet der Magistrat auf Bachs Antwort. Dann macht er ernst.
Er befiehlt ihm, sich zu entscheiden.
Bach entscheidet sich.

Juni 1707 ist er fort aus Arnstadt.

Die freie Reichsstadt Mühlhausen hat ihn zu sich geholt. Den Arnstädtern hinterläßt er als Erbe den noch ausstehenden Rest seines Gehalts und — sinnigerweise — wieder einen Bach als Nachfolger.

Im thüringischen Mühlhausen hat man schon viel von ihm gehört. Der Rat ist sehr »kunstsinnig«.

Alles scheint aufs beste zu stehen.

Johann Sebastian, kühnen Mutes, beschließt, einen Hausstand zu gründen.

Er heiratet.

Barbara. Eine Bachin.

Er ist sehr glücklich.

Eine Weile geht alles gut, dann vergißt die Gemeinde zum erstenmal, den Choral anzustimmen.

Es ist also wieder so weit! Der dicke Brief trifft ein.

»Es steht nicht jedem Kantor frei, nach seinem Gefallen die Musik und das Singen einzurichten und anzustellen: damit nicht ein jeder Organist ihm eine eigene Applikation und ein jeder Symphoniste seine eigne Phantasie darein mache.«

Die Mühlhausener sind noch nicht so geübt wie die Arnstädter, sie treffen den Nagel aber schon ganz schön auf den Kopf.

Zum Ratswechsel komponiert Johann Sebastian eine »Glückwünschende Kirchenmotette«, das erste Werk, das uns überliefert ist. Die Mühlhausener hören sie mit einigem Staunen.

Bach ist über die erneuten Schwierigkeiten nun selbst besorgt.

Manchmal scheint es ihm, er solle in die weltliche Musik hinüberwechseln, um allen diesen Dingen, die ihm solche Schmerzen bereiten, zu entgehen.

Er sieht, wie leicht es zum Beispiel am Hofe von Weimar ist, wohin er von Mühlhausen aus ab und zu zum Klavier- und Orgelspiel eingeladen ist.

In Weimar hat sich seit seiner »Heiduckenzeit« vieles geändert.

Das Orchester ist gut. Der neue Herzog versteht etwas von Musik. Bachs Spiel zieht ihn magisch an.

Bach denkt auch daran, daß die Mühlhausener Gemeinde leidet. Sie findet sich nicht mehr zurecht.

Die Pastoren geben bestimmt nicht nach.

Der Herzog hört von Bachs Überlegungen und bietet ihm die Stelle des Kammer- und Hoforganisten an. 156 Gulden im Jahr. Später 225.

Barbara wedelt triumphierend mit dem Brief durchs Haus.

Was tun? Es ist schwer.

Vielleicht ist es sogar eine Fahnenflucht.

Schließlich schreibt er an den Magistrat doch sein Entlassungsgesuch:

»Wenn ich auch stets den *Endzweck,* nehmlich eine regulierte Kirchenmusik zu Gottes Ehren gern aufgeholfen hätte, so hat sich's doch ohne Widrigkeit nicht fügen wollen, obwohl zu dieser Kirchen selbst eignen Seelen Vergnügen künftig fügen möchte ...«

Die Gemeinde ist betroffen. Aber der Rat sagt ja und scheidet in Frieden von ihm.

Die Familie des neuen Herrn Kammer- und Hoforganisten übersiedelt nach Weimar.

Der »Endzweck« ist in weite Ferne gerückt.

Frau Barbara Bach weiß nichts vom »Endzweck«.

Ihr scheint, alles sei gut. Sie ist glücklich. Sie beschäftigt sich in der Hauptsache mit Kinderbekommen. Sie bringt es auf sieben.

Am Hof ist man recht stolz auf den großartigen Organisten.

In den Jahren von Arnstadt und Mühlhausen ist Bach
der größte Orgelspieler seiner Zeit geworden. Es gibt für
ihn keine Schwierigkeiten mehr. Er spielt, wie andere
gehen. Er denkt in Musik, wie andere atmen.

Der Herzog reicht ihn von Hof zu Hof herum.

In Kassel begeistert die rein virtuose Seite seines Spiels
nach einem Pedalsolo den Prinzen so, daß er den Bril-
lantring von seinem Finger zieht und Bach schenkt.

Das sind schöne Gesten.

Aber der »Endzweck«! Der Endzweck!

Neun Jahre lang bleibt Johann Sebastian Bach in
Weimar. Warum? Was sah er vor sich?

Ja, was? Vielleicht gibt *das* Auskunft:

1716 stirbt sein Vorgesetzter, der fast 80jährige Kapellmeister Drese. Der Herzog bietet Telemann in Frankfurt die Stelle an. Telemann lehnt ab. Darauf ernennt
der Herzog Dreses Sohn zum Nachfolger. Bach reicht die
Kündigung ein!

Vielleicht war es dies.

Nun hatte es keinen Sinn mehr, zu bleiben.

Als etwas von seinen Gedanken durchsickert, meldet sich
sofort der junge Fürst Leopold von Anhalt-Köthen und
bietet ihm, soviel in seinen bescheidenen Kräften steht.

Bach ist entschlossen, zu gehen. Er muß tief gekränkt
sein.

Aber 1717 ist das Jahr der 200jährigen Reformations-
feier.

Der Herr Hofkonzertmeister hat noch Pflichten.

Er komponiert für das Fest am 31. Oktober die große
Kantate »Ein feste Burg ist unser Gott«. Dann darf er
wohl gehen?

Nein, der Herzog ist beleidigt!

Der Herzog ist beleidigt? Schäumend vor Wut rennt Bach auf die Kanzlei.

Das ist am 6. November.

An diesem Tage macht der Kanzleisekretär folgende Eintragung in den Rapport:

»6. November ist der bisherige Concertmeister und Organist Bach wegen seiner halsstarrigen Bezeugung von zu erzwingender Demission auf der Landrichterstube arretiert worden.«

Barbara ist in tausend Ängsten, als ihr Mann nicht heimkehrt.

Er kehrt einen Monat lang nicht heim.

Weimar hat die Ehre, Johann Sebastian Bach ins Gefängnis geworfen zu haben.

Am 2. Dezember, in der Adventszeit, als überall die Lichter angezündet werden und die Vorweihnachtslieder erklingen, wird er entlassen.

Er verläßt Weimar, ohne sich umzublicken.

Auch Barbara und die verschreckten Kinder atmen erst wieder befreit auf, als sie in Köthen sind.

Jawohl, Herr Bach! *So* hoch steht Herr Drese über ihm, und *so* hoch der Landrichter über Drese, und *so* hoch der Minister über dem Landrichter, und *so* hoch der Herzog über dem Minister, und immer noch spricht man von keinem von ihnen in der Weltgeschichte, verstanden?

Dann kommt erst noch ein Kurfürst, und dann ein König, und dann der Kaiser.

Ja, Bach sieht es ein.

Als er dem gleichaltrigen Fürsten in Köthen gegenübertritt, verbeugt er sich tief vor ihm.

Mit Staunen sieht er, daß auch der andere sich verneigt.

Ein Mensch! Ein Mensch! Ein Mensch!

Die beiden jungen Männer werden Freunde. Bach hängt sein Herz mit großer Dankbarkeit an den Fürsten.

Leopold von Anhalt-Köthen ist leider ziemlich arm.

Auch ist seine Kirche reformiert.

Musik ist also beim Gottesdienst fast verpönt.

Es ist eigentlich wieder eine kreuzunglückliche Lage.

Aber es ist dennoch Bachs schönste Zeit.

Er begleitet den Fürsten auf vielen Reisen.

Er musiziert mit ihm. Leopold spielt Geige im Orchester. Mitunter singt er auch. Baß.

Die Bachs singen bekanntermaßen ebenfalls.

Es ist eine schöne Zeit.

Er beginnt zu komponieren.

Eine Fülle von Partituren entsteht.

Er liest in der Bibliothek und fängt an, sich mit Mathematik und Mystik zu beschäftigen.

Er liest in den Nächten den mittelalterlichen Mystiker Tauler und den »neumodischen« Descartes.

Am Tage sitzt er an einer kleinen Hoforgel oder über Notenpapier. Die sieben Jahre in Köthen werden neben der Arnstädter Zeit die entscheidenden.

Ihm dämmert der »Endzweck«, er beginnt jetzt zu begreifen, was es ist.

In Köthen ersteht der große Komponist.

Die Worte »Johann Sebastian« gehen einem kaum noch über die Lippen. Er ist der »Bach« geworden.

Ein einziges düsteres Ereignis fällt in die Köthener Zeit: 1720 stirbt überraschend und unter tragischen Umständen seine Frau.

Das Haus ist plötzlich, trotz der Kinderschar, öde und leer.

Die Kinder sind noch klein. Unbeholfen, täppisch und rührend eilt Bach jetzt in jeder freien Stunde nach

Hause, er fürchtet sich vor dem Alleinsein und die Kinder auch. Sie schließen sich ganz eng zusammen.

Aus dieser Zeit ist ein »Klavierbüchlein vor Wilhelm Friedemann Bach« auf uns überkommen.

Es ist von seiner Hand geschrieben.

Kleine Übungen für das Händchen eines Kindes.

Während es Friedemann gespielt hat, wird Bach neben ihm gesessen und zugeschaut haben.

Anderthalb Jahre bleibt Bach allein.

Dann gestalten sich die Dinge immer schwieriger.

Der Älteste wächst heran. Der Fürst erwartet, daß Bach ihn wieder auf Reisen begleitet. Es drängt alles, wieder in geordnete Bahnen zu kommen.

Die Kirchenbücher melden kurz vor Weihnachten 1721, daß »Herr Sebastian Bach, hochfürstl. Kapellmeister allhier, Witwer, und mit ihm Jungfrau Anna Magdalena, Herrn Johann Caspar Wülkens, hochfürstl. Sächs. Weißenfelsischen Musikalischen Hof- und Feldtrompeters eheliche jüngste Tochter, auf fürstlichen Befehl im Hause copuliret wurden.«

Es ist jene Anna Magdalena, für die Bach später die beiden berühmten »Klavierbüchlein« geschrieben hat, das erste und schönste »Ich an Dich« der Welt.

Die kleine Anna Magdalena übernimmt Barbaras Aufgaben: sie setzt die Reihe der Kinder fleißig fort. Und sie macht ihn glücklich. Die Welt dankte ihr nach Bachs Tode, indem sie sie hungern ließ.

Das liegt aber noch in weiter Ferne.

Anna Magdalena krempelt die Ärmel hoch und stürzt sich unter die Meute der Bachkinder.

Sie bewundert ihren Mann grenzenlos.

Sie lernt mit den Jungens Klavierspielen, Notenlesen, Partituren abschreiben.

Er braucht bloß zu rufen, dann läßt sie in der Küche Putzlappen und Besen fallen und saust zu seinem Schreibtisch.

Stunden um Stunden schreibt sie seine Blätter ins reine, und wenn das ganze Kinderrudel im Bett liegt, beendet sie ihre Küchenarbeit.

Sie lernt ihren Mann verstehen.

Bald weiß auch *sie*, was der »Endzweck« ist.

So vergehen in der kleinen Residenzstadt noch zwei Jahre ihres Lebens, dann tritt eine Wende ein.

Der Fürst heiratet und verliert etwas von seinem Interesse für Musik. Die Kinder Emanuel und Friedemann müssen auf die Universität. Und das Amt wird zu eng, zu klein.

Bach spricht mit dem Fürsten offen darüber.

Er hört, daß in Hamburg die heißbegehrte Organistenstelle von St. Jakobi frei wird. Er bewirbt sich.

Hamburg antwortet, daß er zur Wahl angenommen sei. Probespiel nicht nötig.

Das ist etwas ganz Unerhörtes für die damalige Zeit! So groß ist bereits sein Ruf.

Im Hause Bach packt man in Gedanken schon die Kisten, da kommt die Nachricht, daß das Presbyterium einen anderen vorgezogen habe. Einen Unbekannten.

Wir wissen heute, wie es zustande kam. In den Kirchenbüchern befindet sich eine Eintragung, 14 Tage nach der Wahl, daß der neue Organist aus Erkenntlichkeit der Kirchenkasse 4000 Mark gezahlt habe.

Pastor Neumeister steigt zu Weihnachten auf die Kanzel von St. Jakobi und donnert seine Gemeinde an:

»... und wenn selbst von den Bethlehemitischen Engeln einer vom Himmel käme, der göttlich spielte, und wolle Organist zu St. Jakobi werden, hätte aber kein Geld, so könnte er nur gleich wieder davonfliegen.« Was nützt das Donnern. So ist der Lauf der Welt.

Bach ist wütend. Anna Magdalena seufzt. Also weiter Kapellmeister in Köthen.

Im Juni 1722 hört Bach, daß Leipzig einen Thomaskantor sucht.

Soll er sich dort bewerben?

Ihm vergeht schon die Lust, wenn er sieht, daß man sich wieder um Telemann bemüht. Aber Telemann lehnt ab.

Soll er sich bewerben?

Leipzig bemüht sich nun um den Darmstädter Graupner. Es vergeht einige Zeit, bis man hört, daß auch Graupner nicht kommen kann.

Ach, ich weiß nicht, schreibt Bach an einen Freund, ob ich soll oder nicht. Vom Kapellmeister wieder zurück zum Kantor? Aber meine Söhne sollen ja studieren! Ich muß also nach Leipzig.

Er schreibt die Bewerbung.

Oh, es ist noch gar nicht sicher, daß die sehr hochfahrenden und verwöhnten Leipziger ihn nehmen. Sie verlangen ein Probespiel.

Bach fährt hin.

In dem Augenblick, wo er an der Orgel sitzt, ist alles entschieden.

Am 7. Februar 1723 wird er gewählt. Die Würfel sind gefallen!

Er ist zurückgekehrt zu der Stätte, wo er den »Endzweck« erfüllen soll.

27 Jahre, bis zu seinem Tode, wird er nun in Leipzig bleiben. Das ewige Herumirren hat ein Ende.

Die Thomasschule, eine der ältesten Pflegestätten der Kirchenmusik, ist ein großer Komplex mit Kirche, Alumnat, Orchester und vier Chören, denn der

Thomaskantor steht sämtlichen Kirchen Leipzigs vor: Der alte Rektor Ernesti führt Bach bei seinem ersten Rundgang.

Sie gehen durch die Klassen. Hier in Quinta und Tertia soll Bach auch Lateinunterricht geben.

Die Schule ist dumpfig und düster.

Im Alumnat stehen 55 Schüler aufgebaut, um den neuen Herrn Kantor zu empfangen. Die Räume sind feucht und eng. Die Kinder haben vom Dreikönigssingen in den Straßen, wo sie für sich und den Rektor mit dem Teller herumgehen, krächzende Stimmen. Alle sind schmutzig. Viele haben die Krätze.

Rektor Ernesti lächelt alt und müde.

So beginnt Johann Sebastian Bach als Thomaskantor.

So endet er 27 Jahre später auch. Lehrer, Rektoren, Superintendenten und Ratsherren kommen und gehen, es ändert sich nicht viel in Leipzig.

In diesen beschämenden Verhältnissen, wo er ohne Erlaubnis des Magistrats nicht die Stadt verlassen darf, wo er mit seiner Schülerschar vor großen Leichenbegängnissen einhergehen muß, wo er seine Kantatentexte dem Rat zur Genehmigung vorzulegen hat, wo die ganze entsetzliche Plage von Arnstadt, Mühlhausen und Weimar vereint ist, beginnt Bach zwischen Protestschreiben, Verhören und rasenden Wutausbrüchen sein unsterbliches Werk zu schaffen.

Wenn er Schule und Kantorei und Magistrat hinter sich gelassen hat, wenn er die Tür zu seiner Stube geschlossen hat, wischt er sich mit einer Handbewegung über die Stirn, als wolle er alles Gewesene auslöschen, und setzt sich an das Notenpult.

Er ist älter geworden. Er hat nicht mehr so viel Zeit.

Mag alles laufen, wie es will.

Nur die Musik, die wirkliche, abstrakte Musik muß er noch finden. Er muß schreiben, schreiben, schreiben.

Jeden Sonntag führt Bach eine neue Kantate auf. Hundertundneunzig allein sind uns überliefert.

Hunderte von Motetten, Vorspielen und Chorälen entstehen.

Überall, in St. Thomas, in St. Nicolai, in der Universität, in der Neuen Kirche, in St. Peter, erklingt Bachsche Musik.

Hier in Leipzig wiederholt sich nicht mehr, woran er früher gescheitert ist: Man verbietet ihm »seine« Musik, diese merkwürdige Musik, nicht.

Tausende von Menschen sitzen in den Kirchen und in seinen Konzerten und hören ihm zu, wie er seine Andacht mit Gott abhält.

Niemand wendet etwas ein.

Händels Musik, Telemanns Musik sind intrigenumkämpft.

Bachs Musik steht außerhalb dieser Bereiche.

Er schreibt seine großen Passionen über Matthäus und Johannes, seine Oratorien und Messen, Fugen, Konzerte und Sonaten.

1729 bricht noch einmal ein schwerer Konflikt zwischen ihm und dem Rat der Stadt aus.

Es geht nicht um seine Musik. Von ihr spricht man nicht.

Es geht um subalterne Demütigungen.

Wenn er sie doch vergessen könnte, wenn er sie doch übersehen wollte!

Aber wie soll er über seinen eigenen Schatten springen!

Aus dem gleichen Herzen kommen seine Passionen und Kantaten! Der sonst so gütige, bescheidene Mann rast dann in der Stube auf und ab, auf und ab.

Er spielt mit dem Gedanken, von Leipzig fortzugehen.

Aber es ist ja Unsinn. Er wird nicht fortgehen, er weiß es selbst.

Aber er wird wenigstens einmal schlau sein. Er fährt nach Dresden, liebedienert am Hofe des Kurfürsten, spielt den Damen vor, bittet um den Titel des Hofkomponisten.

Das Wörtchen kostet den Kurfürsten nichts. Nachdem er es drei Jahre lang im Trubel seiner Staatsgeschäfte als polnischer König vergessen hat, fällt es ihm eines Tages wieder ein, und er spricht es aus.

Ach, das köstliche kleine Wörtchen »Hof«.

Die Leipziger Ratsherren werden endlich etwas vorsichtiger diesem Bach gegenüber.

Der Thomaskantor wischt sich den Schweiß von der Stirn.

So vergehen die Jahre. Immer näher dem »Endzweck«.

Johann Sebastian ist darüber alt geworden.

Sieben von seinen dreizehn Kindern hat er sterben sehen.

Von zwanzig Nachkommen leben nur noch elf.

Viel Leid.

In seinem Hause wird es von Jahr zu Jahr stiller. Die meisten Kinder sind fort, der eine hierhin, der andere dorthin. Wie einst er selbst.

Philipp Emanuel ist am Hofe Friedrichs des Großen.

Er ist der Klavierbegleiter des flötenspielenden Königs.

1747 bittet der König den alten Bach zu sich nach Potsdam.

Es wird die letzte Reise.

Die Spenersche Zeitung vom 11. Mai bringt ihren Lesern in nah und fern einen langen Bericht darüber.

Bach sendet nach seiner Rückkehr dem König zum Dank für die Ehrung ein »Musikalisches Opfer«.

1749 setzen die ersten Anzeichen ein, daß Bachs Leben sich dem Ende nähert.

Seine Augen erkranken. Er unterzieht sich zwei Operationen.

Der Arzt, der sie durchführt, ist ein berühmter Engländer. Aber der berühmte Engländer versagt.

Die Folgen sind schrecklich: Bach erblindet.

Nun lebt er in ewiger Nacht.

Er schreibt seinen letzten Choral.

Ach, er schreibt ihn nicht, er muß ihn diktieren.

Thema: »Vor Deinen Thron tret' ich hiermit...«

Als die letzte Note niedergeschrieben ist und Bach hört, daß das Kratzen der Feder auf dem Papier aufgehört hat, lächelt er und spricht die abgründigen Worte:

»Das ist wiederum ein mathematisches Meisterstück.«

Wie nannte es Rilke? »Werkleute sind wir...«

Vor Deinen Thron tret' ich *hiermit*.

Weiß er, wann der Tag ist?

Wahrscheinlich ahnt er es.

Er wird nur noch einmal irre, als zehn Tage vor seinem Tode ein Ereignis eintritt, das fast ein Wunder ist:

Das Augenlicht kehrt zurück!

Er erwacht eines Morgens und kann wieder sehen!

Aber es ist der Abschied von dieser Erde.

Am 28. Juli 1750 trifft ihn ein Gehirnschlag.

Er ist sofort tot.

DER APFEL VOM BAUM DER
ERKENNTNIS

Der Bedeutung Bachs, die heute unbestritten ist, steht
die merkwürdige Tatsache gegenüber, daß Bach lange
Zeit fast vergessen war.

Bald nach seinem Tode trat der Augenblick ein, da
kaum noch jemand im Volke von ihm sprach. Und eine
so ungeheuer große Schöpfung wie die Matthäus-
Passion blieb 70 Jahre lang unaufgeführt.

Man hat daraus den Schluß gezogen, daß Bachs Wir-
kung überhaupt erst bei seiner Wiederentdeckung zu
Anfang des 19. Jahrhunderts einsetzte. Aber der Schluß
ist nicht richtig. Man verwechselt Ruhm mit Wirkung.
Man muß außerdem bedenken, daß es um 1750, 1760
diesen trampelnden Parkett-Enthusiasmus der heutigen
Zeit nicht gab. Das Wackeln der Kronleuchter an der
Decke ist kein Maßstab für die Echtheit des Erlebnisses.
Bach wirkte, das ist richtig, zunächst in einem kleinen
Kreis. Von Leipzig aus strahlte er nicht allzu weit. Es
waren nicht Millionen, es waren »nur« Zehntausende,
die ihn hörten. Aber es gab kaum einen wichtigen, be-
deutenderen Musiker, der nicht ihn oder seine Musik
kennengelernt hatte.

Händel, der gewiß wenig berührt von ihm blieb, versuchte mehrmals vergeblich, Bach zu begegnen. Er traf
ihn auch in Leipzig zufällig nicht an. Als er zum
zweitenmal nach Sachsen reiste, war Johann Sebastian
schon tot.

Mozart, 1756 geboren, kannte Bach anfangs nur dem Namen und der Überlieferung nach. Durch Zufall hörte er dann eine Motette. Kaum hatte der Chor die ersten Takte gesungen, als Mozart aufsprang und laut rief: »Was ist *das*?«

Als im Mai 1800 in einer Leipziger Zeitung die Notiz erschien, daß Bachs letzte Tochter, inzwischen hochbetagt, hungere, war einer der ersten, die eine Spende einsandten, der damals dreißigjährige Ludwig van Beethoven. »Meine musikalische Bibel« nannte er Bachs »Wohltemperiertes Klavier«. Man legt zuviel Gewicht auf die Beobachtung, daß andere Komponisten seinen Ruhm zunächst überstrahlten. Ist das wichtig? Das Erlebnis war gewesen. Es hatte Zehntausende direkt und bald Millionen über Mittler getroffen. Auch in *uns* steckt Bach, wenn wir Puccini ein bißchen lächelnd aufnehmen und wenn es uns überhaupt möglich ist, uns Reger, Hindemith und Schönberg anzuhören. Alles, was heute ohne »Bestechungsversuch« an Musik auf der Welt ist und von uns als »reine«, als »abstrakte« Musik andächtig gehört wird, ist ohne Bachs Leistung nicht denkbar. Es ist seine Leistung, uns vermittelt über eine Gruppe unserer Vorfahren und über alle großen Meister, die dazwischen liegen, ob sie wollten oder nicht, ob sie seine direkten Jünger waren oder als Advocatus diabolus ihm trotzten.

Wir alle tragen das Erlebnis Bach in uns. Das »Wissen« seiner Musik kreist sogar im Blut derer, die ihn bekämpfen wie die Malaria.

Wenn man heute sagt, Bach sei im Volk wahrhaft unvergessen stets nur als Organist gewesen, so spricht man damit lediglich die Bestätigung seiner Wirkung aus. Es liegt nicht die geringste Einschränkung darin. Die Orgel ist sein direktes Handwerkszeug gewesen. Mit diesem Werkzeug hat er die Menschen »traktiert«. Daß es eigene Kompositionen waren, die der Organist spielte, war damals selbstverständlich. Nur wir heute im Zeitalter der Manager sind gezwungen, einen Unterschied zwischen dem Werk und dem Interpreten zu machen.

»Der Kreislauf der Dinge bringt nach kürzeren oder längeren Zwischenperioden jede Hauptrichtung großer Menschengeister wieder empor«, schrieb der Musik-Kritiker Rochlitz in der Goethezeit, als viele Werke von Bach vergessen waren, ohne daß man das Erlebnis an sich vergessen konnte.

In die gleiche Zeit fällt die Begegnung des eigenwilligen Komponisten und Goethefreundes Zelter mit Bachscher Musik, und er sagt: »Dieser Leipziger Kantor ist eine Erscheinung Gottes: klar, doch unerklärlich.« Und Goethe schrieb, als er zum erstenmal Bach hörte: »Ich sprachs mir aus: als wenn die ewige Harmonie sich mit sich selbst unterhielte, wie sichs etwa in Gottes Busen, kurz vor der Weltschöpfung, möchte zugetragen haben. So bewegte sich auch in meinem Innern, und es war mir, als wenn ich weder Ohren, am wenigsten Augen, und wieder keine übrigen Sinne besäße noch brauchte.« Es ist eines der schönsten und, unbeabsichtigt, hintergründigsten Worte. Vor wenigen Jahren hat man Taubstummen, die die Musik nur durch Vibration aufnehmen können, Bach vorgespielt und beobachten können, daß sie, die also weder Melodie-Sentimentalität noch sonstige betörende Beeinflussungen ihrer Sinne empfinden können, ganz genau so reagierten. Die am häufigsten wiederkehrenden Worte waren: »So sieht es in der Brust Gottes aus« und »Als ob Engel singen«.

Daß die Wirkung Bachs nach seinem Tode nicht so

offensichtlich wurde, hat es erschwert, ihn später richtig zu erkennen. Es kamen damals Verhältnisse auf, die einem breiten, ruhmreichen Wirken entgegen standen. Es gingen Kriege über's Land, 1741 brach der erste österreichisch-preußische Erbfolgekrieg aus, und sechs Jahre nach Bachs Tod begann der Siebenjährige Krieg.

Die Städte waren ärmer geworden. In den Kirchen schaffte man bald nach 1750 das große Musizieren innerhalb des früher vier Stunden dauernden Gottesdienstes ab; Schulen und Kirchen trennten sich, und die Chöre gingen ein. Die Orchester, die man noch an hohen Feiertagen hören konnte, waren zu Dilettanten-Orchestern herabgesunken. »Man« hatte kein Geld, »man« hatte andere Sorgen, »man« wollte es nicht. Es waren weitgehend Einflüsse von oben.

Auch die Textunterlagen der Bachschen Kantaten, Passionen und Oratorien wurden als nicht mehr zeitgemäß, als geistig altmodisch empfunden; denn inzwischen waren neue Wellen im Anrollen. Zwei große Fluten zeichneten sich bereits am Horizont ab, geistige Fluten, bei denen sich die Menschen über alles Orthodoxe hinausgewachsen fühlten. Also auch über die sie störenden alttestamentarischen Bachtexte.

Die beiden Wellen liefen fast gleichzeitig an, und auch die beiden Genies lebten fast gleichzeitig: Kant und Klopstock.

Beide haben sich nicht gekannt, beide haben wenig voneinander gewußt, beide haben nichts voneinander verstanden, und beide haben sich gehaßt.

Fernab vom Seh- und Hör-Erlebnis hatte sich im Denkerischen in England und Frankreich eine Wandlung vollzogen.

Wenn man dazu alte Wurzeln freilegen will, so stößt man zuerst auf Kopernikus!

Aber erinnern wir uns: Kopernikus war nur *einer* eines Dreigestirns. Also müssen die Wurzeln auch noch »seitlich« von ihm, zugleich bei Luther und Dürer liegen.

Die Vermutung ist richtig.

Man hatte in England entdeckt, daß der Weg menschlicher Erkenntnis von Dürer, Luther und Kopernikus weiterführte, wenn man ihn nur kühn beschritt.

Es ging um den Apfel vom Baume der Erkenntnis.

Man biß hinein.

Jene Bewegung ist unter dem Namen »Aufklärung« in die Geschichte eingegangen. Die Linie führt von Kopernikus über Descartes zu Hobbes, also von Deutschland nach Frankreich und England. David Hume, François Voltaire und Jean-Jacques Rousseau sind die entscheidenden »Aufklärer«.

Nach Vorbereitung durch äußere Ereignisse, vor allem fortschreitende Wissenschaft und des-illusionierende Kriege, waren es Franzosen und Engländer, die in ihren Ländern diese Wendung herbeiführten. Sie versuchten glaubhaft zu machen, daß die »reine Vernunft« die einzige Instanz sei, an die man sich noch halten könne, und die das Wesentliche des Menschen überhaupt sei.

Ohne selbst kritisch genug in den Spiegel zu schauen, verkündete man die absolute Zuverlässigkeit des »gesunden Menschenverstandes«, also die grundsätzliche Einsicht und Güte des Menschen. Die »nüchterne Überlegung« wurde der Gradmesser für alles und der schärfste Mißtrauensantrag gegen die Metaphysik, also gegen alle Empfindungen und Überlegungen, die bisher einer hinter den Dingen vermuteten höheren Welt und Ordnung gegolten hatten. Man strebte eine »natürliche«, eine »vernünftige«, eine »logische« Religion an, eine Forderung, die, wenn man genau hinsieht, dem tiefsten Sinn jeder Religion widerspricht.

Unter der Voraussetzung der eingeborenen Güte des Menschen und Regulierbarkeit aller Dinge durch den »gesunden Menschenverstand« glaubte man an eine stetige Höherentwicklung und formulierte dafür den Begriff »Fortschritt«.

Bei diesem Stichwort wird man an die heutige Zeit erinnert. Das ist kein Zufall.

Der Zusammenhang ist außerordentlich aufschlußreich. Die »Aufklärung« hat dem Menschen *vorbehaltlos* das Recht verkündet, seinen »gesunden Menschenverstand« als Richter über das gesamte Leben zu setzen. Jedes einzelne Individuum hatte auf Grund dieser angenommenen »Gleichheit« das Recht, sich selbst als Kriterium von Sinn und Unsinn, von Recht und Unrecht, von Zweckmäßigkeit und Unzweckmäßigkeit aller Dinge zu betrachten. Mit dieser These verkündete man praktisch die Herrschaft der Quantität an Stelle der Qualität.

Die Zahl, das Meßbare, sollte Ordnung in die Welt bringen, vor allem in die äußeren, sozialen und politischen Verhältnisse, die seit dem Dreißigjährigen Krieg alle Menschen zu schärfster Kritik an den Machthabern herausgefordert hatten. Man war zutiefst überzeugt, daß der Verstand dies zuwege bringen könne durch Belehrung der Menschen und genaueste Regulierung ihrer Beziehungen untereinander.

Denn: »L'homme est une machine«!

Der Mensch ist letzten Endes etwas, was wie eine Maschine funktionieren kann, sagte der Franzose Lamettrie.

Man betrachtete die Natur auf ihre Gesetzlichkeit hin, ausschließlich, um sie dem Menschen dienstbar zu machen, und kehrte sich gänzlich vom Metaphysischen ab. Man war überzeugt, mit der Erkenntnis vom »Funktionieren« den Schlüssel für eine tadellose Regulierung der Welt mit Wohlstand, Frieden, Humanität und fortschrittlicher Ausnutzung in der Hand zu haben.

Die »Aufklärung« war die Geburtsstunde des Glaubens an die Maschine und die Massen.

Dies alles sind Anschauungen, die für die Welt heute wieder die Basis des Lebens bilden. Allerdings liegen inzwischen 200 Jahre hinter uns, und wir können überblicken, daß die Entwicklung eine grotesk andere Richtung angenommen hat, als man damals glaubte. Die französische und englische »Aufklärung« war eine Erscheinung, die in unserem Sinne nichts mit der Aufschließung neuer seelischer Bereiche zu tun hatte, sondern eine Begleiterscheinung der endgültigen Wende zum Abstieg, zum Verfall. Es waren keine Gewinne, es waren Programme. Zugeschnitten auf den Zustand, in dem sich England und Frankreich bereits befanden.

Als die »Aufklärung« in der englisch-französischen Fassung damals über die Grenzen nach Deutschland kam, war Deutschland aber noch lange nicht in solchem Zustand! Und daher passierte nichts.

Der gegenteilige Anschein täuscht.

Friedrich der Große, scheinbar begeisterter Anhänger der französischen Aufklärung, war innerlich davon gänzlich unberührt. Es ist kein größerer Gegensatz denkbar als Voltaire und der König. Sie haben sich brillant unterhalten — das ist in Wahrheit alles. Die »Aufklärung« war der Feind der alten Ordnung der Gesellschaft; Friedrich II. war ihr Verteidiger. Die

»Aufklärung« träumte von einem »Weltbürgertum«; der preußische König war überzeugter Diktator. Die »Aufklärung« betete die »Wissenschaftlichkeit« an; dem Alten Fritz war sie ziemlich gleichgültig. Die »Aufklärung« verkündete: »Das Völkerrecht soll auf einem Föderalismus freier Staaten begründet sein«; Friedrich wandelte sich gerade in der Zeit der Aufklärung vom Anti-Machiavellist zum Machiavellist zurück.

Der König ist typisch dafür, wie die französisch-englische »Aufklärung« in ihrer ursprünglichen Form in Deutschland nur über die Wasseroberfläche hinwegsäuselte. Hundert Jahre lang kam diese Urfassung bei uns nicht zur »Verwendung«. Folgerichtig kam sie aber im 20. Jahrhundert sofort als praktische Gebrauchsanweisung zum Zuge, als die dazwischenliegenden Genieerscheinungen vorüber und deren letzte verzweifelte Versuche einer Erhaltung unseres köstlichen Reichtums »endlich vorbei« waren. Dann allerdings ging es in sausender Talfahrt den anderen Völkern nach!

Unter solchen Umständen wäre an dieser Stelle von der englisch-französischen Aufklärung gar nicht zu sprechen gewesen, wenn ihr nicht im 18. Jahrhundert in Deutschland jenes Schicksal totaler Umformung bereitet worden wäre, wie es 250 Jahre zuvor Albrecht Dürer der italienischen Renaissance bereitet hatte:

Der Mann, der die herübergekommene Urform packte, ihr die entscheidende Wendung gab und sie für uns zu einem *Erlebnis* machte, war Immanuel Kant.

Er war derjenige, der die »Aufklärung« von jeder praktischen Konsequenz auf dem Gebiet des gesellschaftlichen Lebens befreite und sie auf das rein Theoretische, auf die reine Erkenntnis abdrängte.

Kant machte die seelisch tote, programmhafte »Aufklärung« durch eine einzige Wendung zum seelischen Neuland: Er richtete den Scheinwerfer auf den Menschen zurück.

In der englisch-französischen Aufklärung war zu vieles selbstverständliche Voraussetzung gewesen. »Cogito, ergo sum«, hatte Descartes gesagt: Ich denke, folglich bin ich, und hatte sich nach dieser Feststellung der Umwelt zugewandt. Kant besagte das gar nichts. Jedoch nahm er die großartige Anregung an, übernahm die Kampfansage gegen Metaphysik und Dogmatik und begann, statt der Gesetze außerhalb, die Gesetze *im* Menschen, also in sich selbst zu untersuchen.

Er *entdeckte* erst einmal jenen Menschen, der behauptete, »aufgeklärt« zu sein. Er entdeckte das Wesen des »Cogito, ergo sum«, den rätselhaften Vorgang der Selbsterkenntnis durch Selbsterkenntnis, der Logik durch Logik, der reinen Vernunft durch die reine Vernunft.

Mit einer Verstandesschärfe und einem Abstraktionsvermögen, wie es bis dahin noch niemand möglich gewesen war, untersuchte er die Möglichkeiten menschlicher Erkenntnis und die Grenzen unserer geistigen Freiheit. Er stellte Fragen, vor denen seine Zeitgenossen zunächst fassungslos standen. Die Kantsche Beantwortung erfüllte sie dann mit Jubel, mit einem Hochgefühl des Verbundenseins mit den Weltgesetzen.

Was ist eure »Vernunft«? fragte Kant. Kann sie überhaupt nach menschlichem Ermessen mehr sein als die Summe unserer fehlerhaften irdischen Erfahrungen und deren logische Anwendung im Denkprozeß?

Und was ist Logik? Kann es auf religiösem oder sittlichem Gebiet eine »Logik« geben? Darf der Mensch das Prädikat »gut« oder »schlecht« mit unkritischem

Vertrauen auf seine Berechtigung auch nur irgendeinem Hauptwort, geschweige denn dem Wort »Mensch« hinzufügen?

Durch eine brillant geführte Untersuchung des menschlichen Bewußtseins kam er zu der ihm wichtigsten Erkenntnis, daß unser Bewußtsein eine »a-priori-Struktur« hat; das heißt: daß wir »von vornherein«, wahrscheinlich existenzbedingt, *Bewußtseinsfähigkeit* besitzen für Raum, Zeit, Substanz, Folgerung und einige weitere Verstandeskategorien.

Alle unsere Erfahrungen, folgerte Kant, sind überhaupt erst möglich, weil wir dieses Bewußtsein für Raum, Zeit, Substanz usw. haben. Ohne dieses »Gitter« würden Erlebnisse, Wahrnehmungen durch uns hindurchrutschen, ohne von uns »bewertet« werden zu können.

Aber selbst *mit* dieser Fähigkeit bewerten wir immer nur die »Erscheinung«, nie das »Ding an sich«. Ja es ist überhaupt fraglich, ob es ein »Ding an sich« gibt.

Mit diesen Überlegungen geriet das ganze, auf soviel Selbstverständlichkeit gesetzte Gebäude der englisch-französischen »Aufklärung« ins Wanken.

Die »Aufklärung« hatte eine Wendung um 180 Grad gemacht!

Kant grübelte weiter:

Was bedeutet es, daß wir Menschen überhaupt hinter den sichtbaren und erklärlichen Erscheinungen ein »Ding an sich« *suchen*? Was bedeutet es, daß diese Frage in uns liegt?

Damit wandte er sich der Aufgabe zu, die alten überirdischen, metaphysischen Fragen in eine befriedigende Verbindung mit seiner Erkenntnistheorie zu bringen.

Über unerklärliche, umstrittene Begriffe wie »Pflichtgefühl« und »Selbstachtung« tastete er sich langsam vor zu den metaphysischen, also nicht zu begreifenden oder zu berechnenden Wurzeln unseres sittlichen Empfindens. Vor den Ideen Gott, Ende, Anfang, Schöpfung, Freiheit kapitulierte endlich auch sein scharfer Verstand. Nach dieser letzten Kurve seines Gedankenganges stand er wieder vor der Demut!

Am Ende seines Lebens bekannte er, daß er über den »gesunden Menschenverstand« der Aufklärung erröten müsse.

In einem einzigen scharf formulierten Satz läßt sich die Verwandlung der »Aufklärung« durch Kant darlegen: die englisch-französische »Aufklärung« ist in höchstem Maße optimistisch, Kant in steigendem Maße pessimistisch.

Der junge Kant hat noch gesagt: »Der Mensch hat keine unmittelbare Neigung zum Bösen, er liebt das Gute aufrichtig.« Der alte, erkenntnisreiche Kant sagte vom Menschen, er sei »von Natur böse«.

Kant hat einmal ernsthaft die Frage aufgeworfen, »ob nicht fast alle Menschen in gewisser Weise gestört sind«, ob sie nicht ein »Mittelding von Engel und Vieh« seien.

Ein Schrei der Empörung wäre bei diesen Worten durch die Reihen der Hobbes, Locke, Hume und Rousseau gegangen.

Die Deutschen aber, die Bluterben des Albertus Magnus und Kopernikus, waren fasziniert von Kants Erkenntnissen.

Ein neues Gefühl der Reinigung erfüllte alle, die er berührte. Millionen, die ihn nicht »verstanden«, ahnten jedoch die Richtung seiner Gedanken.

Er selbst wußte, was er bedeutete. Er sagte: »Niemand zuvor hat auch nur den Gedanken gefaßt.«

IMMANUEL KANT

Dr. phil., Universitätsprofessor
Geboren am 22. April 1724 in Königsberg
Gestorben am 12. Februar 1804 in Königsberg

Während Johann Sebastian Bach in seiner Leipziger
Kantorswohnung, ein Schälchen »Coffee« neben sich,
die Kantate »Lobe den Herrn« schreibt und der Soldatenkönig Friedrich Wilhelm in Potsdam den Befehl
gibt, einen gewissen Franz Albert Schultz in Frankfurt
an der Oder zum Regimentsprediger zu ernennen, wird
im nördlichsten Winkel seines Landes, in Königsberg,
Immanuel Kant geboren.
Was in Leipzig geschieht, geht an Kants Leben spurlos
vorüber.
Aber jene Laune des Soldatenkönigs, sein Wohlwollen
für einen Mann, den die Welt längst vergessen hat, wird
sein Schicksal werden.
Königsberg im Jahre 1724:
Am Schloßteich, zu Füßen der dicken grauen Turm-
mauern, musiziert eine Militärkapelle.
In den Gärten, die bis zum Wasser heranführen, sitzen
Damen auf Stühlchen, die Reifröcke drapiert, Schals
um die Schultern, flankiert von Herren in braunen und
blauen Fracks und duftenden Perücken. Kähne mit
jungen Paaren schaukeln am Ufer.
Lampions werden entzündet.
Über den Schloßplatz, die Französische Straße herunter, an den vielen Buchläden, Putzgeschäften, Kon-
ditoreien und Weinstuben vorbei, strömen die Menge

der Bürger aus der ärmlichen Vorstadt, die Fabrikanten und Brauer aus dem »Löbenicht« und die Handelsherren und Militärs von der »Kneiphof«-Insel zusammen.

Kutschen halten am Ufer.

Am Wagenschlag sieht man die Wappen der von Schön, der von Saucken und von Hoverbeck.

An solchen Sommerabenden ist Königsberg schön.

Am nächsten Morgen aber ist der Spuk verflogen.

Die Sonne quält sich in die dunklen, engen Schächte der Altstadt. Der »Löbenicht« qualmt und lärmt.

Die Hand am Degenknauf, ernst, schreiten Offiziere, Beamte, Ratsherren aneinander vorbei.

Nüchterne Gesichter, pflichterfüllt und streng, blicken durch die Scheiben der Kontore und Läden.

Die Königsberger sind so nüchtern, daß sie nicht einmal ihren Kirchen, wie in aller Welt, Namen geben.

In dieser Stadt, in dem winzigen, niedrigen Häuschen des Riemermeisters Johann Georg Kant in der Sattlergasse, wird in den Morgenstunden des 22. April ein schwächliches, dünnes Kind geboren.

Vorsichtshalber tauft man es schon am nächsten Tage.

Johann Georg wirft einen Blick auf den Kalender: 22. April — Emanuel. Ein schöner Name.

In der Taufkapelle der Domkirche erhält das Kind den Namen Emanuel, aus dem es selbst später aus unerfindlichen Gründen Immanuel macht.

Der kleine ärmliche Festzug bewegt sich dann mit dem Steckkissen in seiner Mitte zur Sattlergasse zurück.

In der guten Stube wird der mitleiderregende Held des Tages in die Wiege gelegt, während ihn gespannt das fünfjährige Schwesterchen beobachtet, ob von ihren vier Brüdern nun dieser am Leben bleiben wird.

Sechs Paten sind nicht minder gespannt.

Und die Mutter, Anna Regina aus Nürnberg, schreibt mit zittriger Hand in das Hausbuch: »Gott erhalte ihn in seinem Gnaden Bunde bis an sein 'seliges Ende um J: C: Willen. Amen.«

»Manelchen« bleibt zum Staunen der Schwester am Leben.

Bald wackelt ein dünnbeiniges, kleines Männchen durch das Haus und wenige Jahre später über die Straße.

Am Ende der Sattlergasse liegt die »Insel Venedig«, ein grabenumflossener Platz. Hier sammelt Manelchen, im Sand Kuchen backend, seine ersten Menschenkenntnisse aus der Froschperspektive.

In den nächsten Jahren gelingt weiteren drei Mädchen und einem Knaben das Kunststück, am Leben zu bleiben und bis zur »Insel Venedig« vorzustoßen.

Die Jahre gehen hin wie die Jahre tausend anderer armer Kinder.

Da tritt eines Tages Franz Albert Schultz in sein Leben!

Das Schicksal tritt auf.

Es ist jener Franz Albert Schultz, der sich als Garnisonsprediger in Frankfurt an der Oder mit strammen Erbauungsstunden für die Soldaten das rauhe, aber gottesfürchtige Herz des Soldatenkönigs erobert hat.

Soeben ist er aus Frankfurt in Königsberg eingetroffen, denn die Laune Friedrich Wilhelms hat ihn über Regierungsbeschlüsse und Etats hinweg zum Theologieprofessor, Konsistorialrat und Direktor des Gymnasiums Fridericianum gemacht.

Frau Kant, die fromme Fränkin, hat vom ersten Augenblick an fleißig seine Bibelstunden besucht. Ihr stilles, lauschendes Gesicht ist ihm bald wohlbekannt.

Eines Tages erscheint er überraschend zu einem Besuch in der Sattlergasse.

Hätte er die Schwelle des Kantschen Hauses nie überschritten, so besäße die Welt keinen »Kant«.

Aber er überschritt sie, wie Cäsar den Rubikon, und war sich auch bewußt, was er tat, als er zu den Eltern sagte: »Dieses Kind«, er deutete auf den achtjährigen Emanuel, »sollte studieren! Wenn Sie es möchten, Meister, will ich es in meine Schule aufnehmen.«

1732 vollzieht sich das große Ereignis: Das Sattlerkind zieht in das Gymnasium ein.

Auf dem Katheder steht Franz Albert Schultz und blickt mit Wohlgefallen auf die vielen erwartungsvoll gefalteten Händchen, unter denen neben den zarten, durchsichtigen Emanuels auch derbe litauische und russische, schmale schwedische und ein schokoladenbraunes Paar aus Afrika sind.

Franz Albert Schultz räuspert sich und beginnt die erste von tausend Stunden, die nun folgen sollen.

Viele Jahre später, als Kant bereits der große Philosoph und berühmte Professor ist, öffnet er einmal sein Herz und berichtet, daß die Erinnerung an diese Schuljahre ihn mit »Bangigkeit und Schrecken« erfüllt.

1740 kehrt er nach glänzend bestandener Prüfung dem Fridericianum so endgültig den Rücken, daß er sich nicht einmal in seiner größten Not an ihm als Lehrer bewirbt.

Das Fridericianum hegt die gleichen Gefühle: Noch im Jahre 1900 befand sich in der großen Bibliothek des Gymnasiums nicht *ein* Buch von Kant.

Im Herbst noch, ohne Zeit zu verlieren, bezieht Kant die Universität.

Die Mutter ist tot. Der Vater ist alt geworden und arm. Es geht ihm erbarmungswürdig.

Die ältere Schwester ist Dienstmädchen. Die anderen Geschwister sind noch klein.

Emanuel schneidet mit einem rücksichtslosen Schnitt alle Bindungen durch. Er verläßt das Haus in der Sattlergasse und nimmt den Kampf mit dem Schicksal auf.

Freunde geben ihm Unterkunft. Er wandert von Bude zu Bude, von Freitisch zu Freitisch. Er gibt Nachhilfestunden gegen Entgelt. Mitunter tauschen die Freunde Kleider untereinander aus. Damit Student Kant einen notwendigen Gang machen oder das Kolleg besuchen kann, sitzt Student Wlömer im Bett und wartet auf seine Rückkehr.

Abends sind Wlömer, Kant und Heilsberg, sofern alle Hosen besitzen, im Kaffeehaus und spielen Billard.

Sie spielen nicht zum Vergnügen.

Sie sitzen bei einem Täßchen Kaffee stundenlang und warten auf ein Opfer.

Kommt ein billardinteressierter Gast, so stürzen sie alle drei hinzu und überreden ihn zu einem Wettspiel.

Sie gewinnen immer. Kant lebt davon. Heilsberg bezahlt damit seinen Französisch-Lehrer, Wlömer das Zimmer und die Hosen.

Ein Jahr lang geht das ausgezeichnet. Dann gibt es in Königsberg niemand mehr, der nicht schon mehrmals hereingefallen wäre.

Sie wechseln die Branche und verlegen sich jetzt auf das L'hombre-Spiel.

Vorher Nachhilfestunden.

Tagsüber Kollegs.

Nachts Studium.

Kant sieht schlecht aus.

Er ist klein und zart. Seine Brust ist eingefallen. Er ist ein bißchen verwachsen.

Er ißt zu wenig und schläft zu wenig.

Er arbeitet fieberhaft.

Er hört allgemeine Philosophie, Logik, praktische Philosophie, Jura, Psychologie, Mathematik, Astronomie.

Sechs Jahre lang geht dieses Leben so.

In manchen Stunden wird ihm selbst angst und bange.

Er sieht noch kein Ziel. Er weiß nicht, wie das enden wird.

Im März 1746 rufen ihn die Geschwister ins Elternhaus. Der Vater ist sehr krank.

Emanuel geht täglich hinüber.

Einige Tage später stirbt der Vater in seinen Armen.

Nach der Beerdigung auf dem Armenfriedhof kehrt Emanuel dem Haus zum zweitenmal den Rücken, diesmal für immer.

Die Kantkinder stehen nun allein auf der Welt.

Jedes schlägt sich selbst durch.

Emanuel weiß oft nicht, wo seine Geschwister sind.

Er vergräbt sich jetzt ganz.

Die Studienzeit nähert sich dem Ende. Er arbeitet an einer ersten Schrift, die er einreichen wird.

Schon der Gedanke, welchen Mut er zu diesem Schritt aufgebracht hat, erregt ihn tief.

Bis weit in die Nacht hinein sitzt er beim blakenden Lampenlicht über dem Manuskript. Zum Abschluß des Sommersemesters ist er fertig. Er reicht die Schrift dem Dekan der philosophischen Fakultät ein.

Sie hat die Frage zum Thema, ob Descartes recht hat mit seiner Behauptung, daß die Kraft das Produkt aus Masse und einfacher Geschwindigkeit ist, oder ob Leibniz im Recht ist, wenn er sagt, die Kraft sei das Produkt von Masse und dem *Quadrat* der Geschwindigkeit.

Welche Überraschung: nichts von Philosophie!

Auch der Dekan ist etwas erstaunt.

Mit klopfendem Herzen wartet Kant darauf, was man sagen wird. Er glaubt, mit seiner Arbeit ein ganz neues System der physikalischen Anschauung geschaffen zu haben.

Aber das Echo ist lau: Eine fleißige Arbeit.

Niemand scheint ein Lehrgebäude entdeckt zu haben.

So endet sein erster Traum, seine erste große Kraftanstrengung.

Heute wissen wir, daß seine Lösung überhaupt falsch war.

Ein halbes Jahr später verläßt er die Universität.

Was nun?

»Ich habe mir die Bahn schon vorgezeichnet, die ich halten will. Ich werde meinen Lauf antreten, und nichts soll mich hindern, ihn fortzusetzen.« Diese Worte hat er gewagt, in die Vorrede zu seiner ersten Arbeit zu setzen. Also, wohin geht der Lauf? Die Professoren sind neugierig.

»Ich muß fort von Königsberg«, denkt Kant, »ich muß weggehen und Zeit gewinnen. Ich werde erst wiederkommen, wenn ich soweit bin. Ich habe mich geirrt. Ich weiß zu wenig, ich weiß nichts, gar nichts!«

Ein Sommertag 1747 sieht den kleinen Mann die Landstraße nach Judtschen wandern.

Judtschen ist ein winziges Dorf von 25 Höfen zwischen Insterburg und Gumbinnen, dort, wo die endlose Fläche Ostpreußens von Pregel-Nebenflüssen zerklüftet wird und nicht mehr so monoton ist. In Judtschen sitzt als Pastor und Ortsrichter Hochwürden Andersch.

Der Herr Pastor hat, wie könnte es anders sein, viele kleine Kinderchen.

Sie sind das Ziel des wandernden, weißverstaubten Immanuel Kant.

Er ist der neue »Hofmeister«, er hat sich entschlossen, Hauslehrer zu werden.

Dort in der ländlichen Einsamkeit bleibt er nun drei Jahre.

Seine Bücher sind ihm nachgereist. Das kleine Zimmer im Pfarrhause ist voll von ihnen.

Die Bauern sehen ihn weite Spaziergänge machen. Den Kopf gesenkt, grübelt er vor sich hin.

Sicher ein fast so gelehrter Herr wie Hochwürden.

Wenn sie ihn fragen, was er ist, sagt er nicht Kandidat, sondern Student.

Sie mögen ihn gern.

Zweimal übernimmt er sogar Patenschaften bei den Bauern.

1750 faßt er den Entschluß, ein Angebot des Majors von Hülsen anzunehmen.

Er verläßt Judtschen, Hochwürden, die Bauern und seine Patenkinder und reist an die andere Ecke Ostpreußens.

Das Rittergut der Hülsens liegt zwischen Elbing und Osterode in Groß-Arnsdorf.

Königsberg entschwindet in so weiter Ferne, daß Immanuel beinahe schwindlig wird.

Er denkt dauernd an Königsberg.

Bei den Hülsens wird er reizend, fast wie ein Gast, aufgenommen.

Hier bleibt er wieder drei Jahre.

Die Söhne hängen bewundernd an dem sonderbaren Hauslehrer.

Die Eltern sprechen oft über ihn.

Manchmal, nach langen abendlichen Gesprächen, beschleicht sie das Gefühl, als sei ein Harun-al-Raschid in ihr Haus gekommen und säße ihnen unerkannt gegenüber.

Sie reden immer nur über unbedeutende Dinge, denn der Major behauptet, ein einfacher Mann zu sein. Aber noch nie hat er einen Menschen so glasklar denken sehen und reden hören.

Viele Jahre später noch gehen zwischen Arnsdorf und Kant in Königsberg Briefe hin und her, in liebevoller Erinnerung auf der einen Seite, in der Erinnerung, der »schlechteste Hofmeister der Welt« gewesen zu sein, auf der anderen Seite.

16 Jahre muß der Major von Hülsen sich noch gedulden, ehe sich sein Harun-al-Raschid der Welt zu erkennen gibt.

»Ich werde meinen Lauf antreten, und nichts soll mich hindern, ihn fortzusetzen.«

Sieben Jahre ist es her ...

1754 probiert er es noch einmal: Er kehrt zurück nach Königsberg. In seinem Koffer liegen die Manuskripte »Über die Achsendrehung der Erde« und »Die Frage, ob die Erde veralte«.

Wieder also versucht er es auf diesem Gebiet!

Immer noch geht er ahnungslos an den Dingen vorüber, die ihn einmal weltberühmt machen sollen.

Aber der Weg, den er sich ausgedacht hat, ist diesmal ein listiger: Er spricht bei den »Wöchentlichen Königsbergischen Frag- und Anzeigungsnachrichten« vor und bietet seine zwei fertigen Arbeiten zum Vorabdruck an. Die ersten wissenschaftlichen Fortsetzungsreportagen sollen erscheinen!

Die Zeitung bedenkt sich kurz und sagt dann ja.

Am 8. und 15. Juni erscheint seine Arbeit »Über die Achsendrehung«.

Vom 10. August bis 14. September folgt die Serie »Über das Altern der Erde«.

Die Zeitung liegt des Morgens auf allen Kaffeetischen.

Mehrere hundert Augenpaare stutzen.

Auch die Professoren werden sie gelesen haben, wenn sie auch, wie es sich für Professoren gehört, schwiegen.

Über Winter bereitet sich Kant auf die Doktorpromotion vor.

Am 17. April reicht er die Arbeit ein.

»Über das Feuer.«

Wieder ein naturwissenschaftliches Thema!

Nichts, kein Gedanke, läßt das künftige Genie ahnen. Er ist 31 Jahre alt und schreibt, das Feuer sei ein noch immer nicht erklärbares Element, das die Merkmale flüssiger Materie besitze, aber ursprünglich Materie in einem anderen Zustand gewesen sei.

Kein neuer Gedanke und alles falsch.

Aber man ist damals in der Wärmetheorie noch nicht so weit, und so wird ordnungsgemäß vier Wochen später die übliche mündliche Prüfung angesetzt.

Das Auditorium maximum erlebt eine Überraschung: Halb Königsberg ist erschienen, um Kant zu hören!

Die Zeitungsleser!

Nach der Rede des Dekans erscheint die kleine Gestalt auf dem Katheder.

So also sieht er aus?

Schade.

Er spricht Lateinisch.

Schade.

Am 12. Juni wird ihm in einem feierlichen Akt das Diplom überreicht.

> Facultas Philosophica
> viro iuveni nobilissimo et clarissimo

Emanueli Kant
und so weiter, und so weiter.

»Die philosophische Fakultät wird dem hochedlen und hochberühmten Emanuel Kant, aus dem Königreich Preußen, hochwürdigen Kandidaten der Philosophie, nach vorzüglichen, in seiner Abhandlung und bei dem Examen rigorosum gelieferten Proben den Grad und die Auszeichnungen eines Doctors der Philosophie oder Magisters am nächsten Donnerstag, 12. Juni, in gehöriger Form und feierlich übertragen.«

Dem hochedlen und hochberühmten ...

Ach, wie weit ist er davon entfernt!

Es ist nur eine Redensart, er weiß es. Aber es ist tröstlich.

Er rafft sich auf und schickt sofort eine Habilitationsschrift hinterher. Er will den Schwung, mit dem er auf die Universität angerannt ist, ausnutzen. Er wird versuchen, als Dozent hineinzukommen.

»Eine neue Beleuchtung der ersten Prinzipien der metaphysischen Erkenntnis.«

Die Wende zur Philosophie? Nein. Ein fast zufälliges Abschweifen. Es steckt auch hier noch nichts von »Kant« drin.

Jedoch der doppelte Sprung gelingt. Am 27. September 1755 erfolgt seine Habilitation.

Er zieht als Privatdozent in die geheiligten Säle der Universität ein. Im Hörsaal des »Kollegen« Kypke im Gebäude auf dem Löbenicht hält Magister Kant zu Beginn des Wintersemesters seine erste Vorlesung.

Wir wissen nicht, worüber.

Aber Borowski, Kants späterer Biograph, damals als fünfzehnjähriger Student zu seinen Füßen sitzend, hat uns überliefert, daß der Saal voll von Neugierigen war. Eine »beinahe unglaubliche Menge« drängt sich zur ersten Vorlesung; auf der Treppe und im Korridor stehen die jungen Studenten wie eine Mauer.

Kant kann sich kaum zum Katheder durchzwängen.

Er ist tödlich verlegen.

Mit leiser Stimme beginnt er zu sprechen.

Auf der Treppe ist nichts zu verstehen.

Auch auf dem Korridor hört man ihn kaum.

Die Vorhalle leert sich still und unauffällig.

Kant geht, aufs höchste konzentriert und nichts um sich wahrnehmend, auf und ab.

Er verspricht sich oft und muß sich ständig verbessern.

Endlich ist die Stunde herum.

Es war ziemlich schlimm.

Die Menge wird von Tag zu Tag weniger.

Das war natürlich vorauszusehen.

Sie erreicht nach einigen Wochen den Tiefstand.

Dann aber steigt sie langsam wieder an.

Kants Unsicherheit schwindet. Im gleichen Maße beginnt sein klarer, kühler Vortrag zu bestechen. Sobald alle Schwächen sich verloren haben, leuchten bei manchen Themen plötzlich ein ungewöhnlicher, scharfer Verstand und ein großes Wissen hervor.

Mit jeder Vorlesung wird Kant freier. Es schält sich eine Gruppe von Studenten heraus, die spüren, daß etwas Neues in der Luft liegt. Es geht aufwärts.

Am besten ist das vom Neid der Professoren abzulesen. Bald hat Kant einen festen Kreis von Hörern, deren Zahl die anderen Privatdozenten erblassen läßt: Er hat 23 fest eingeschriebene Studenten!

Ganz Königsberg hat nur hundert bis hundertfünfzig.

Kein Wunder, daß das Herz schwillt.

In seinem späteren Nachlaß gibt es eine Rechnung, wonach er in dieser Zeit 3 Gulden für eine eigene Magd,

1 Gulden für Waschen, 6 Groschen für Butter, 3 für die Perücke und 7¹/₂ Groschen für Wein ausgegeben hat.

Ostern 1756 bewirbt er sich, seinen Stolz überwindend, um die freie Professur für Logik und Metaphysik.

Aber der Kriegsausbruch kommt dazwischen, die Stelle wird nicht besetzt.

Der Krieg, den sie da irgendwo in Schlesien führen, scheint böse für Friedrich den Großen zu stehen.

1758 rücken die Russen in Königsberg ein.

Kant hebt nur einmal kurz den Kopf von seinen Büchern, streicht die Anrede seines zweiten Gesuches an den »Allerdurchlauchtigsten Großmächtigsten König« durch und setzt darüber »Allerdurchlauchtigste Großmächtigste Kayserin und Große Frau«.

Das Schreiben ist jetzt richtig adressiert. Die Russen regieren von nun an vier Jahre lang in Ostpreußen.

Sie geben sich große Mühe, zivilisiert zu sein.

Die Universität ist sogar ihr Lieblingsspielzeug. Sie bekommt etwas Geld, und die Logik und Metaphysik erhalten ihren neuen Professor.

Aber es ist nicht Kant.

Auch sein zweites Gesuch bleibt erfolglos.

Der andere, der gewählt wird, ist unbedeutend, das ist wahr.

Aber ist Kant bedeutend?

Drei falsche Theorien und 23 Studenten.

Es liegt noch ein sehr weiter Weg vor ihm.

Man kann nicht sagen, daß es in ihm gärt und rumort. So ist er überhaupt nicht.

Seine Gedanken laufen noch in falscher Richtung.

Er ahnt es fast. Er hat innerlich schon Angst, wenn sich ihm beim Schreiben die Ideen und Erkenntnisse gar so vereinfachen.

So kommt es, daß er seine nächste Arbeit »Naturge-
schichte und Theorie des Himmels« anonym herausgibt.
Das Schicksal will es, daß dies ausgerechnet die erste
Arbeit ist, die später in die Weltliteratur der Natur-
wissenschaften eingeht!
Später — zu spät. Er ist dann längst berühmt.
Als sie in Königsberg zwischendurch doch noch unter
seinem Namen erscheint, bleibt sie unbeachtet.
Sie bleibt so unbekannt, daß 40 Jahre danach der Fran-
zose Laplace die gleiche Weltentstehungstheorie noch
einmal verkünden kann. Dadurch erst wird das alte
Werk Kants plötzlich wieder ans Tageslicht gezogen.
Sie heißt dann nur noch die »Kant-Laplacesche Theorie«.
Sein Grübeln war umsonst.
Das Schicksal weigert sich weiter.
Kants nächste Arbeit über den Begriff der Bewegung
und der Ruhe von Materie ist wieder ein ausgesprochen
bedeutendes Werk. Darin verkündet er als erster, daß
er alle Bewegung für wechselseitig relativ hält und daß
auch die Ruhe im Kosmos kein absoluter Zustand sein
könne.
Die Arbeit ist ganze acht Seiten stark.
Das Echo beschränkt sich auf die Universität.
1762 schreibt er nach sorgfältigem Studium und langem
Nachdenken: »Der einzig mögliche Beweisgrund zu einer
Demonstration des Daseins Gottes.«
Zum erstenmal nähert er sich dem, wozu er berufen ist.
In dieser Schrift räumt er mit den alten dogmatischen
Gottesbeweisen, allen Wunderzuschreibungen und Ein-
griffen in den mechanischen Ablauf des Universums auf
und weist »Gott« an den Anfang und das Ende der
Welt zurück.
Alle Gottes-»Beweise« von den Kirchenvätern über Des-

cartes bis zu den »Aufklärern« verwirft er. Nur einer scheint seinem kritischen Verstande annehmbar: daß die Aufhebung eines Weltsinnes, wie ihn das Wort »Gott« verkörpert, zugleich die Aufhebung alles logischen Seins bedeuten würde. Es sei nötig, dem Weltsinn »Gott« zu vertrauen, aber es sei unnötig, ihn demonstieren zu wollen.

In dieser Arbeit befinden sich auch die großartigen ahnungsvollen Sätze, Elektrizität, Wärme und Magnetismus seien wahrscheinlich nur verschiedenartige Erscheinungsformen eines gleichen Urstoffes.

Das Jahr dieser Schrift, 1762, ist die Wende!

Kant wird mit einem Schlage berühmt.

Das Buch kommt auf den Index.

Alle lesen es.

General von Meyer lädt ihn ein und läßt ihn zum Diner mit seiner Equipage abholen.

Freiherr von Schroetter wird sein Freund.

Oberstleutnant von Dillon führt ihn in den Klub ein.

Kant bewegt sich vollendet wohlerzogen. (Die Zeit bei Hülsens!)

Er ist stets gleichbleibend freundlich.

Er ist bereit, auf jeden Scherz und jedes banale Gespräch einzugehen, nur philosophische Themen scheut er. Dann verstummt er und stiert die Leute gepeinigt an.

Es ist die Zeit, wo ihm sein erster Ruhm Freude macht. Sein bisher so monotones Leben gerät in maßvolle Unordnung. Mit Verwunderung vermissen viele die »Königsberger Normaluhr Kant«, die Punkt 7 Uhr abends ihren Spaziergang anzutreten pflegte. Wahrscheinlich ist er jetzt im Klub oder in Goldap bei Lossens oder bei dem Geheimen Kommerzienrat Jacobi und dessen junger, beängstigend unruhiger Frau.

Frau Jacobi hat ihren Gemahl mit 13 Jahren heiraten müssen. Das hat sie etwas durcheinandergebracht.

Sie bewohnen ein prachtvolles Stadtpalais, in dessen Garten Kant so gern spazierengeht.

Frau Jacobi, inzwischen 10 Jahre älter, aber nicht klüger, begleitet ihn und zwitschert vergnügt.

Setzt sich Kant in den Fauteuil des Wintergartens, so kuschelt sie sich zu seinen Füßen und zwitschert dort weiter.

Am 12. Juni bricht Kant den Verkehr zum ratlosen Staunen des Kommerzienrates plötzlich ab.

Die Ursache ist ein Brief, den er bekommen hat.

Er ist uns erhalten:

»Wehrter Freünd

Wunderen Sie sich nicht daß ich mich unterfange an Ihnen als einen großen Philosophen zu schreiben? Ich glaubte sie gestern in meinen garten zu finden, da aber meine Freündin mit mir alle alleen durchgeschlichen, und wir unseren Freünd unter diesem Zirckel des Himmels nicht fanden, so beschäfftigte ich mich mit Verfertigung eines Degen Bandes, dieses ist ihnen gewidmet. Ich Mache ansprüche auf Ihre gesälschafft Morgen Nachmittag, Ja Ja ich werde kommen, höre ich sie sagen, nun Gutt, wir erwarten sie, dan wird auch meine Uhr aufgezogen werden, verzeihen Sie mir diese erinnerung. Meine Freündin und Ich überschicken Ihnen einenn Kuß, per Simpatie die Lufft wird doch woll im Kneiphoff dieselbe seyn, damit unser Kuß nicht die Simpatetische Krafft verlieret, Leben Sie Vergnügt und Wohl

Jacobin

auß dem garten d. 12. Juny 1762.«

Es ist besser so. Sauberer.

Und diese Orthographie! Entsetzlich.

Auch eine gewisse Luise Fritz, die später, als alte Frau, einmal sagt, daß »Kant sie einst geliebet«, kreuzt seinen Weg nur kurz.

Keine »Seele«, kein »verfeinerter Geschmack, der der ungestümen Neigung die Wildheit nimmt.«

Ach, er hat Angst! Ja, er hat Angst, enttäuscht zu werden.

»Daher«, schreibt er einmal, »entspringt der Aufschub und endlich die völlige Entsagung.«

Um 7 Uhr kann man ihn jetzt wieder häufiger auf seinem einsamen Spaziergang sehen.

Kommt er dann zurück, so setzt er sich sofort wieder an das Schreibpult.

Er muß weiter, weiter!

1764 erscheint die psychologische Untersuchung »Über das Gefühl des Schönen und Erhabenen«. Sie ist selbst schön und erhaben.

Er vertieft sich in die »Aufklärer« Locke, Hume und Rousseau.

Eine Kette von kleineren Schriften, darunter preisgekrönte, zeigen an, wie es jetzt in ihm arbeitet.

Er hat eine Menge Pläne im Kopf.

So sehr ihn die Universitätsvorlesungen befriedigen, so klar ist ihm aber auch, daß die schärfere, die größere und schnellere Waffe das Buch ist.

In diesen Jahren vollzieht sich in ihm die entscheidende Wandlung: Er beginnt, sich ganz dem Menschen und seinen Erkenntnismöglichkeiten zuzuwenden. Hume und Rousseau haben ihn erschreckt und aufgewühlt.

Er denkt jetzt Tag und Nacht nur noch an seine Idee, Hume und Rousseau die Grenzen menschlicher Vernunft aufzuzeigen und die Menschen über die »Aufklärung« »aufzuklären«.

Nicht mehr das Universum — der Mensch, der Mensch!
Das Berliner Ministerium schickt 1764 an die (inzwischen
wieder preußische) Regierung in Königsberg den Befehl,
dem Magister Kant die Professur für Poesie anzubieten:
»Uns ist ein gewisser dortiger Magister namens Imma-
nuel Kant durch einige seiner Schriften bekanntgewor-
den, aus welchen eine sehr gründliche Gelehrsamkeit
hervorleuchtet.«
Kant lehnt ab!
Lieber nimmt er vorübergehend die Stellung eines Hilfs-
bibliothekars im Schloß an.
Dort wird er nicht von seinem Wege abgebracht.
Dort liest er den ganzen Tag.
Im Winter 1769/70 meldet sich die Universität Erlangen
in Franken und bietet ihm einen Lehrstuhl an.
Er lehnt ab.
Im Januar bewirbt sich Jena um ihn. (Dort wäre er mit
Schiller zusammengetroffen!)
Kant lehnt ab.
Er ist entschlossen, durchzuhalten.
Jetzt ist er 46 Jahre alt und immer noch unbesoldet.
Aber hartnäckig starrt er auf den Königsberger Lehr-
stuhl für Logik und Metaphysik. Das ist das Instrument,
das ihm wie eine fixe Idee vorschwebt. Davon scheint
ihm alles abzuhängen.
War es eine fixe Idee?
Wahrscheinlich nicht. Er wird gespürt haben, daß er mit
allen Wurzeln an dieser Stadt hing. Was wissen wir, wie
es in ihm aussah.
Seine unglaubliche Hartnäckigkeit und Gradlinigkeit
wird endlich, endlich belohnt.
Am 31. März 1770 wird er durch Friedrich den Großen
auf den vakanten Lehrstuhl für Logik und Metaphysik

in Königsberg als Ordinarius berufen! Von nun an verläuft sein Leben geradlinig wie auf einer Schiene. Äußere Ereignisse treten ganz zurück, seine Biographie wird die Geschichte seiner Gedanken.

1781 erscheint sein großes Werk »Kritik der reinen Vernunft«.

In langer, mühevoller Denkarbeit während der Jahre des schriftstellerischen Aussetzens ist er zu den tiefsten Erkenntnissen, den klarsten Formulierungen durchgedrungen.

Neun Jahre lang hat er gezögert, das Buch abzuschließen. Immer wieder erheben sich neue Fragen, neue Zweifel. Aus einem Tastversuch wird eine Hypothese, aus der Hypothese schließlich ein Gedankengebäude, das an die letzten Dinge rührt, an die Frage der Möglichkeiten, mit unserer Vernunft die Vernunft und ihr Wesen selbst zu ergründen.

Das schreckliche Abenteuer liegt für ihn darin, daß er sieht, wie es ihn Schritt für Schritt von der Schulmetaphysik fortführt, daß er erkennt, wie alle alten Gedanken und Vorstellungen von Dogmen und vom Glauben überwuchert sind.

Er steht vor der Notwendigkeit, eine ganz neue Methodik aufzubauen.

Dann geht er kalt wie ein Arzt an das Sezieren.

Wünsche, Glauben, gesunder Menschenverstand schwinden unter seinen Händen. Übrig bleiben wie in der strengen Wissenschaft der Physik auch für das Innere des Menschen nur noch ein paar Formeln und Begriffe.

Was da auf dem Seziertisch zerlegt und zerfetzt vor ihm liegt, ist die »Aufklärung«.

Es ist ihr Todesstoß.

Was war sie? Auch nur ein Traum, ein Wunsch, ein Wahn, eine Vertrauensseligkeit.

Mit den wenigen Gewißheiten und Formeln, die ihm geblieben sind, untersucht er dann alle bisherigen wissenschaftlichen Gebiete und zeigt die Grenzen ihrer absoluten Zuverlässigkeit auf. Der Rest, sagt er, »ist für die reine Vernunft abgestochen«, ist »Idee«. »Ideen« aber haben nichts mit reiner Erkenntnis und Vernunft zu tun.

Das ist das Kantsche Todesurteil über die englisch-französische »Aufklärung«. Die Vernunft ist keine »Göttin Vernunft«. Sie ist eine dünne Eisdecke, auf der wir ständig über ein Meer von Ungewißheiten gehen.

Als das Werk erscheint, versteht es zunächst niemand.

Die ersten Korrekturbogen, vom Setzer unsauber gesetzt, flößen Kant Entsetzen ein: Er versteht ganze Teile selbst nicht mehr.

Wieder geht es ans Überarbeiten.

Es dauert drei Jahre, ehe das Buch durchdringt.

Dann allerdings ist es, als wenn an allen Universitäten ein Tor aufbräche.

Er sieht die Wirkung und ahnt, daß eine Umwälzung vor sich gehen könnte.

Pädagogische Fragen beschäftigen ihn.

Seine eigenen Schulerinnerungen sind düster. Die Schule war in Dogmen erstarrt.

»Wir würden ganz andere Menschen um uns sehen, wenn diejenige Erziehungsmethode allgemein würde, die weislich aus der Natur gezogen ist. Nicht eine langsame Reform, sondern eine schnelle *Revolution* kann dies bewirken.« Das Wort Revolution ist von Kant gesperrt.

Er scheint zu wissen, welchen Platz er einmal in der Geschichte einnehmen wird.

1785 hört man, daß Kant an einer neuen Ethik arbeitet. Man wartet diesmal schon mit Spannung.

Die Schrift, nur rund 100 Seiten stark, erscheint unter dem Titel »Grundlegung zur Metaphysik der Sitten« und erregt wieder großes Aufsehen.

Sie ist populär geschrieben. Drei Jahre später behandelt er das gleiche Thema systematisch und rein wissenschaftlich. Es entsteht das Werk, das sich an die Seite der »Kritik der reinen Vernunft« stellen läßt und auch einen ähnlichen Titel trägt: »Kritik der praktischen Vernunft«. Hier stößt er zu den tiefsten Wurzeln unseres ethischen Bewußtseins vor. Er reinigt es von allem Gefühlsmäßigen, von den schwankenden Instinkten, von Lust- und Unlustgefühlen, von Eitelkeit, von Überlieferung und Glauben. Die Berufung der Ethik auf Gott-Wohlgefälligkeit lehnt er als unwissenschaftlich ab.

Was wissen wir, was ein Weltgeist wirklich »will«? Nein, so kommen die Menschen nicht weiter und nicht zur Klarheit.

Am Ende des Werkes steht der Lehrsatz, der das winzige aber inhaltsschwere Ergebnis des langen Grübelns und Sezierens ist, ein Satz von klassischer Kantscher Klarheit und Sauberkeit: »Handle so, daß die Grundsätze Deines Willens jederzeit zugleich als Prinzip einer allgemeinen Gesetzgebung gelten können.«

Es ist der berühmte »Kategorische Imperativ«.

Der Wesensbeweis nicht Gottes, aber des Menschen ist geführt!

Immanuel Kant steht auf der Höhe seines Ruhms.

Er ist darüber alt geworden.

Aber er arbeitet unermüdlich weiter. Es ist seine zweite Natur geworden, zu schreiben. Denken, lehren, schreiben. Stunde um Stunde, nur von etwas Schlaf, vom Mittagessen und einer Tasse Tee im Kaffeehaus unterbrochen. Tag für Tag und Jahr um Jahr.

1790 erscheint die dritte und letzte »Kritik«: Die »Kritik der Urteilskraft«.

Ein einziges Ereignis stört noch einmal seinen ruhigen Lebensabend. Eine heftige, auf Biegen oder Brechen geführte Auseinandersetzung mit dem von Friedrich Wilhelm II. neu ernannten Minister Wöllner in Berlin.

Es ist jener Wöllner, an dessen Personalakte der Alte Fritz geschrieben hatte: »Ein betriegerischer und Intriganter Pfaffe, weiter nichts!«

Der ist nun zuständiger Minister des schwachen, haltlosen Königs. Ein verheuchelter Moralist.

Man versucht, ihn vorsichtig zu beschwichtigen und ihm klarzumachen, Kants revolutionäre Erkenntnisschriften deckten letzten Endes doch die engen Grenzen menschlichen Verstandes auf und legten damit die Rückkehr zum blinden Religionsglauben ans Herz. Aber Wöllner ist mißtrauisch.

Er geht mit dem Gedanken um, dem Königsberger Philosophen das Schreiben ganz zu verbieten.

Kant ist stärker. Er bringt entgegen der Nichtgenehmigung die Schrift »Religion innerhalb der Grenzen der bloßen Vernunft« heraus.

Wöllner schweigt.

Innerhalb eines Jahres schläft der Aufruhr wieder ein.

Kant lächelt: »Es ist traurig, wenn die oberste Kraft der Seele, der ›große Herr‹, der Verstand, hinter dem Pöbel der Leidenschaften einhergeht.«

Ein kleines dreieckiges Käppchen auf dem Kopf, im gelben Schlafrock mit roter Binde sitzt der greise Immanuel Kant, das einstige »Manelchen«, der große Denker und Sinneswender, jeden Morgen Punkt 5 Uhr am Schreibtisch seines Arbeitszimmers.

Aber er arbeitet nicht, oh, nein!

Jetzt, wo er alt ist, gönnt er sich verschwenderisch bis 6 Uhr eine Ruhepause.

Er trinkt Tee, raucht eine Pfeife und läßt seine Gedanken umherschweifen.

Die Sattlergasse —

Der Schultz —

Judtschen —

Arnsdorf —

Die Russen —

Dieser Wöllner —!

Die Menschen. —

Noch ein Pfeifchen, Herr Professor? fragt der Diener Lampe.

Genug.

Er bereitet sich auf die Universität vor.

Von 7 bis 8 Uhr Logik oder Metaphysik.

Von 8 bis 9 Uhr Moral oder Physik.

Von 9 bis 10 Uhr Anthropologie.

Mittags hat er Gäste.

Dann geht er spazieren.

Dann arbeitet er.

Es ist 10 Uhr, Herr Professor.

Ja, es ist Zeit zum Schlafengehen.

Er ist jetzt 80 Jahre alt.

Es wird Zeit zum endgültigen Schlafengehen.

Er weiß es.

»Meine Herren, ich fürchte nicht den Tod, ich werde zu sterben wissen ... Ja, wenn ein böser Dämon mir im Nacken säße und mir ins Ohr flüsterte: Du hast Menschen *unglücklich* gemacht! Ja, dann wäre es etwas anderes.«

Jemand fragt ihn einmal gerade heraus, was er nach dem Tode erwarte.

Kant schweigt eine Weile. Dann sagt er zögernd: »Nichts Bestimmtes« und »Ich weiß es nicht«.

Im Winter 1803/04 welkt er an Altersschwäche langsam dahin.

Die letzten Tage — es ist Februar — verbringt er im Bett.

Sein Bewußtsein schwindet. Der Verstand, dieser wunderbare, scharfe Verstand, setzt aus.

Seine letzten Worte sind: »Es ist gut.«

Ja, es ist gut und alles getan.

Am 12. Februar 1804, mittags 11 Uhr, hört sein Herz auf zu schlagen.

DER DURCHBRUCH
DER DICHTUNG

»Kant unternahm und vollbrachte das größte Werk, das vielleicht je die philosophierende Vernunft einem einzelnen Manne zu danken gehabt hat. Er prüfte und sichtete das ganze philosophische Verfahren auf einem Wege, auf dem er notwendig den Philosophien aller Zeiten und aller Nationen begegnen mußte, er maß, begrenzte und ebnete den Boden desselben, zerstörte die darauf angelegten Truggebäude und stellte, nach Vollendung dieser Arbeit, Grundlagen fest, in welchen die philosophische Analyse mit dem durch die früheren Systeme oft irregeleiteten und übertäubten natürlichen Menschensinne zusammentraf. Er führte im wahrsten Sinne des Wortes die Philosophie in die Tiefen des menschlichen Busens zurück.«

»Wie viel oder wenig sich von der Kantischen Philosophie bis heute erhalten hat und künftig erhalten wird, maße ich mir nicht an zu entscheiden, allein dreierlei bleibt, wenn man den Ruhm, den Kant seiner Nation, den Nutzen, den er dem spekulativen Denken verliehen hat, bestimmen will, unverkennbar gewiß. Einiges, was er zertrümmert hat, wird sich nie wieder erheben; einiges, was er begründet hat, wird nie wieder untergehen; und was das Wichtigste ist, so hat er eine Reform gestiftet, wie die gesamte Geschichte der Philosophie wenig ähnliche aufweist.«

Das schrieb Wilhelm von Humboldt.

Und Goethe: »Kant hat uns aufmerksam gemacht, daß

es eine Kritik der Vernunft gebe, daß dieses höchste Vermögen, was der Mensch besitzt, Ursache habe, über sich selbst zu wachen. Wie großen Vorteil uns diese Stimme gebracht, möge jeder an sich selbst geprüft haben.«

Die Menschen des 20. Jahrhunderts können es heute aber nicht mehr prüfen. Es ist eingeschmolzen.

Es ist wie eine Ernte in die Scheuer eingefahren, wir *haben* es und sehen es nicht mehr bewußt. Es *war* ein Erlebnis, es ist keines mehr. Für unsere Augen ist unsichtbar geworden, was ein anderer als wir selbst, ein Asiate, ein Afrikaner, ein gänzlich Fremder, in unseren Zügen sofort erkennen würde. Für einen Chinesen sind wir *deutlich* kantisch, deutlich albertisch, deutlich bachisch.

Unsere gegenwärtige innere Existenz ist nicht ein »physikalisches Gemisch«, sondern eine »chemische Verbindung« eines vielschichtigen Erbes.

Jede neue »Rubrik«, jedes neue Erlebnis, fügt nicht einfach etwas hinzu, sondern verändert das Ganze.

Die Verbindung wird immer komplizierter — das Riesenmolekül immer unstabiler.

Wir können unsere Verwandlungen und unsere innerlichen Gesetzgeber nur noch durch geschichtliche Analyse, nur noch historisch feststellen.

Kant war einer der großen Gesetzgeber.

Er war der Drakon seiner Zeit.

Während Kant das deutsche Denken vor der englisch-französischen »Aufklärung« mit ihrem Herrschaftsanspruch und ihrer Entseelung durch eine ungeheure Kraftanstrengung abschirmte und verwandelte, rollte eine andere Welle heran.

Auch sie war zunächst als Aufstand gegen das fremde

Symptom eines Niedergangs gedacht, brachte aber im Zuge eines wahrhaft triumphalen Sieges, wobei sie nicht nur über die französisch-englische »Aufklärung«, sondern auch über Kant geradezu hinwegrauschte, etwas ganz Neues: Die Geburt der freien Dichtung, das große Erlebnis des dichterischen Fluges, das große Erlebnis der irrationalen Dichtung, der olympischen Weihe des geschriebenen Wortes, der Herrlichkeit, zum erstenmal, nur um des Mitteilens willen und ohne Zweckgebundenheit, wie ein Gott zu sprechen.

Der Einschnitt ist ganz scharf; die Spur des großen X liegt, man kann fast sagen, bei dem Datum eines bestimmten Jahres. Es ist 1748. Von hier ab geht eine jähe Verwandlung, die rasant fortschreitet, durch Deutschland; keine stille, schweigende, sondern eine bewußt werdende. Mit Jubel bezeugen es alle Menschen, die davon ergriffen sind.

Was wissen wir heute noch von der Wucht dieses Ereignisses?

Wir wissen kaum noch den Namen des Mannes, der den Durchbruch erzwang!

Seine Werke werden nicht mehr gelesen, wir haben uns von ihnen ästhetisch entfernt.

Wir sind zu müde und übersättigt, ihnen nachzuspüren, wir, im 20. Jahrhundert, stürmen nicht mehr, wir lassen uns fahren.

Überdies sind in seinem Gefolge andere, riesenhafte Fixsterne und Kometen gekommen, Lessing, Herder, Schiller, Goethe, Hölderlin, Kleist, die ihn verdunkelten, eine Fülle von Namen, denn die Herrschaft des dichterischen Worts war angebrochen, er selbst hatte es auf den Thron gehoben.

Es wird nicht *ihn*, es wird wohl *uns* richten, wenn wir

die singende Musik seiner Lyrik, das naiv-großartige Pathos, das Übermaß und Verströmen nicht mehr lieben und bei der Nennung seines Namens als Genie erstaunen: Klopstock!

Sein Leben glich einem Märchen.

FRIEDRICH GOTTLIEB KLOPSTOCK

Königl. dän. Legationsrat
Markgräfl. badischer Hofrat
Geboren am 2. Juli 1724 in Quedlinburg
Gestorben am 14. März 1803 in Hamburg

Wenn irgendwo der Name Klopstock komisch gefunden wird: in Quedlinburg nicht.

Die Klopstocks gehören seit undenklichen Zeiten zu den angesehenen Familien der alten Sachsenkaiser-Stadt.

Der Urgroßvater war Kammerverwalter des Stifts.

Der Großvater war Rechtsanwalt.

Der Vater ist Kommissionsrat.

Sein Sohn wird der erste sein, der Quedlinburg verläßt, doch er wird dafür sorgen, daß die Welt den Namen nur mit Ehrfurcht ausspricht.

Friedrich Gottlieb Klopstock wird am 2. Juli 1724 geboren.

Der Vater ist gerade mit einem Sack voll Talern von einer böhmischen Reise zurückgekehrt, wo des Nachts im einsamen Gasthaus Räuber in seine Stube einzudringen versuchten, denen er den Garaus machte, indem er seine gewaltige Pistole zog und Türen, Fenster und Ofen in Trümmer schoß.

So kurz entschlossen ist Kommissionsrat Klopstock.

Er ist ein seltsamer Mann.

Er trägt auch nachts manchen Strauß mit dem Teufel persönlich aus. Er glaubt fest an Geister und Gespenster. »Messieurs«, donnert er und schlägt an seinen Degen, »wer etwas dawider spricht, das nehm ich als touche gegen mich, der muß sich mit mir schlagen!«

Die Geburt seines Sohnes freut ihn, er ist sehr glücklich. Die vielen Segenswünsche, die von Paten und Tanten in die Wiege gelegt werden, erfüllen ihn allerdings mit einer ironischen Heiterkeit.

Er kann sich des Gefühls nicht erwehren, daß es das fatalste aller Geschenke des Schicksals ist, in diese jämmerliche Welt hineingeboren zu werden.

»Die irdische Glückseligkeit ist ein Widerspruch: Sie gehört mitnichten in das rauhe Klima dieses Lebens.«

In dieser Umgebung wächst der kleine Friedrich Gottlieb auf.

Einige Jahre später tritt eine Veränderung ein.

Eine schöne. Diese Vokabel wird sich durch sein ganzes Leben ziehen.

Der Vater pachtet das große Amtsgut bei Friedeburg an der Saale. Die Familie übersiedelt in das ländliche Herrenhaus zwischen Pferden, Kühen, Schweinen, Schafen, Knechten, Mägden und wogenden Kornfeldern.

Ein Hauslehrer kommt jeden Tag aufs Gut und unterrichtet die Kinder. Friedrich Gottlieb hat Geschwister bekommen und wird deren laufend weitere erhalten, im ganzen sechzehn.

Das Hervorstechendste an dem künftigen Genius ist zu dieser Zeit seine unerhörte Faulheit beim Lernen.

Dafür leistet er auf anderen Gebieten Beträchtliches: Ein beliebtes Spiel ist es, daß Friedrich Gottlieb sich an den Schwanz eines Stieres hängt und die Geschwister das Tier mit roten Tüchern und Stöcken so reizen, daß es mit Friedrich Gottlieb am Schwanz durch die Höfe rast. Eine alte, heute hundertfünfzigjährige Chronik sagt: »... und die ländliche freie Natur kräftigte daselbst seinen körperlichen Organismus.«

Das ist sehr fein gesagt.

Er ringt mit den Knechten und boxt mit den Dorf-
kindern.

Er schwimmt, erst im Teich, dann in der Saale, den
Weg hin und her legt er im Lauf zurück.

Er reitet, jagt und klettert.

Das Jagen verlegt er vornehmlich in das Gebiet des frei-
herrlichen Nachbarn.

So geht die Zeit bis zu seinem 13. Lebensjahr dahin.

Dann kehrt die Familie nach Quedlinburg zurück.

Die Pacht in Friedeburg war ein wirtschaftlicher Fehl-
schlag.

Kommissionsrat Klopstock hat wieder viel mit Ge-
spenstern zu tun, und nachts quälen ihn Sorgen.

Der dreizehnjährige Friedrich Gottlieb weiß davon
nichts.

Drei Jahre lang besucht er das Quedlinburger Gymnasium, dann kommt er ins Internat nach Schulpforta.

Ein Wandel vollzieht sich: Er fängt an, das Lernen zu
lieben.

Schulpforta ist streng auf die Antike ausgerichtet.

Die alten Gymnasien sind die letzten stolzen Hoch-
burgen des Humanismus.

In der Schulordnung von Halle heißt es:

»Die Lehrer sollen mit ihren Schülern Latein sprechen
zu Hause und auf der Straße, nam, ut ait poeta, a bove
maiori discit arare minor.«

(... denn, wie ein Dichter sagt, das Kalb lernt das Pflü-
gen vom ausgewachsenen Ochsen.)

In Eßlingen zum Beispiel ist es genauso:

»Wer hierin brüchig erfunden und nicht lateinisch reden
würde, soll es von Stund an mit dem Hintern bezahlen
und mit einer Prozedur ernstlich gebüßt werden.«

In den ersten Jahren in Schulpforta läuft er noch einmal Gefahr, relegiert zu werden, weil er wieder einmal blutige Klassenschlachten inszeniert hat, was den Vater zu ernster Besorgnis in der Tiefe seines Busens, äußerlich aber zu einem stolzen Schlag auf seinen Degenknauf veranlaßt.

Jedoch das Unheil geht vorüber.

Klopstock ist inzwischen fast 20 Jahre alt geworden und in das Alter der schwärmerischen Verehrung für Johann Christian Günther, Professor Gottsched und Christian Fürchtegott Gellert getreten.

Es ist die Zeit der Empfindsamkeit, und die Gemüter der jungen Leute befinden sich in einem Zustand wie bei Föhnwetter.

Hier in Schulpforta ereignet sich etwas, was Klopstock jedoch noch allen verheimlicht: Er faßt den Plan zu einem gewaltigen Dichtwerk.

Oh, in den dunklen Zimmern des alten Schulpforta sind schon viele Pläne gefaßt worden, viele Verse in allen Sprachen der Welt geschmiedet, Länder erobert und Welträtsel gelöst worden.

Wenn Klopstock, seine kühn hingeschleuderte Disposition auf den Knien, daran denkt, daß er zu jenen Vergessenen zählen könnte — das schmerzt! Merkwürdig realistisch und kühl beschließt er, den Plan sorgfältig aufzubewahren und nicht vor seinem dreißigsten Lebensjahr zu verwirklichen.

30 Jahre! Es muß ihm damals unendlich alt erschienen sein und zeugt von einer auffallenden Urteilsfähigkeit. Im Herbst 1745 macht Klopstock das Abitur und geht nach Jena.

Student der Theologie.

Vermutlich wollte es der Vater.

Klopstock fühlt sich in Jena nicht glücklich.

Er klagt über die rohen Manieren der Studenten und über die groben Umgangsformen.

Die theologischen Vorlesungen sind recht langweilig. Dazu kommt, daß ihn dummerweise sein großer Plan nicht in Ruhe läßt.

Unruhig läuft er durch die Straßen und macht weite Wanderungen an der Saale. Der Gedanke an sein »Werk« läßt ihn nicht los.

Eines Tages holt er das Exposé wieder aus der Kiste heraus und liest es durch.

Er sieht gar nicht auf die Worte, die da stehen; Gedanken, schöner und mächtiger als je zuvor bewegen ihn, die Worte erheben sich wie mit Flügeln, er nimmt die Feder und schreibt bis tief in die Nacht hinein.

Am anderen Tage läuft er die Ufer der Saale ab, unruhig und melancholisch. Er ist 21 Jahre alt, es kann, es kann, es kann nichts taugen.

Er packt es wieder weg.

Der Winter ist öde, das Kolleg auch. Der einzige Trost ist das Schlittschuhlaufen. Er läuft gut Schlittschuh.

Staunend über den ungewohnten Anblick des auf beinernen Schienen dahingondelnden jungen Mannes stehen die Bürger am Ufer.

Im Frühjahr, als er hört, daß sein Vetter als Student nach Leipzig geht, hält ihn nichts mehr in Jena.

Er packt und übersiedelt ebenfalls an die sächsische Universität.

Das ist ein anderes Leben!

Gottsched, der Literaturpapst, lehrt Logik und Metaphysik.

Gellert ist Dozent für Poesie und Rhetorik.

Da gibt es Vereinigungen, Gesellschaften, Dichterkreise, Konzerte. Klopstock und sein Vetter, der spätere Weimarer Kanzler und Rat Johann Schmidt, schließen sich eng aneinander an.

Vetter Schmidt ist wohlhabend.

Er ist geistig der Gegensatz zu Klopstock: trocken, scharf intellektuell, spöttisch.

Aber er ist ein guter Freund. Wenn er Klopstock bei jeder Gelegenheit veralbert und ironisiert, dann glaubt er, nur deshalb das Recht dazu zu haben, weil er ebenso oft zugibt, daß er ihn in Wahrheit für den weit Überlegenen hält.

Er versteht zu schweigen und zu staunen, wenn Klopstock des Abends über seinem Manuskript sitzt und schreibt.

Ja, er schreibt wieder!

Gegen alle Vernunft. »Es« ist stärker in ihm.

Er schreibt alles noch einmal um, denn in einer Stunde, die ihm wie eine Erlösung schien, hat er endlich die Form für den gewaltigen Stoff gefunden: Er schreibt in Hexameter-Versen!

Wer hat das jemals gewagt!

Die Zeilen fließen, die Worte sieden und kochen, Vetter Schmidt ist verstummt.

Mitunter liest Klopstock ein paar Verse vor.

Eines Abends öffnet sich die Tür, und Cramer tritt herein.

Cramer ist Stubennachbar. Er ist junger Dozent, Mitherausgeber einer Zeitschrift und Verlobter der filia hospitalis.

Klopstock bricht ab und läßt das Manuskript verschwinden.

Cramer beginnt über Literatur zu reden.

Schmidt, in tiefer Abneigung gegen den Gottsched-Dozenten, wird sofort boshaft. Er macht sich über die deutschen »Dichter« lustig und behauptet, es gäbe noch keine.

Cramer ist indigniert und böse.

Klopstock will begütigen und fängt an, salbungsvoll von Gottsched zu sprechen.

Vetter Schmidt schreit: Was? Ausgerechnet du? Er springt zur Wäschekiste und langt mit sicherem Griff das Manuskript heraus.

Cramers Ohren spitzen sich.

Klopstock versucht, des Manuskripts habhaft zu werden, aber Schmidt ist größer und hält es hoch über sich. Dabei beginnt er, es vorzulesen:

> *Messias.*
>
> *Sing, unsterbliche Seele, der sündigen Menschen Erlösung...*«

Aber der Teufel reitet ihn, er liest absichtlich mit falscher Betonung und falscher Aussprache.

Ganz geschlagen sinkt Klopstock in sich zusammen.

Cramer hört eine Weile unbewegt zu.

Dann winkt er ab. Er lächelt und sagt, man könne ihn nicht täuschen, das Thema erschüttere ihn, und die Verse seien wundervoll.

Schmidt grinst und reicht Klopstock das Manuskript.

Der Dichter liest nun eine Stunde lang weiter, und eine tiefe Verzückung ergreift alle drei.

Dieser Abend entscheidet Klopstocks Leben.

Cramer veranlaßt ihn, die ersten drei Gesänge, die er fertig hat, in seiner Zeitschrift zu veröffentlichen.

Cramer ist völlig berauscht.

Aber Klopstock packt plötzlich die Angst. Er ist so jung! Dieses Thema! Die Öffentlichkeit!

Cramer schickt eine Probe seinem Freunde, dem berühmten Schriftsteller Bodmer in Zürich.

Bodmer gerät über die wenigen Verse außer sich und setzt mit einem Dutzend Briefen die halbe Welt in Kenntnis.

Anfang des Jahres 1748 erscheinen die ersten Gesänge in den »Neuen Beiträgen«, aber ohne Nennung des Namens!

Zitternd wartet Klopstock, daß der Himmel über ihm zusammenstürzt.

Ein Häufchen Elend.

Was geschieht?

Die Wirkung der Veröffentlichung ist eine unbeschreibliche und reißt den Dichter buchstäblich über Nacht zur steilsten Höhe des Ruhmes empor.

Ganz Deutschland ist in Aufruhr, alle Federkiele in Bewegung.

Ewald von Kleist schickt an Gleim einen Eilbrief:

»Sie haben doch sicher den Messias in den Neuen Beiträgen gelesen? Ich bin ganz entzückt darüber. Nun glaube ich doch noch, daß die Deutschen was Rechts in den schönen Wissenschaften leisten werden. Solche Poesie und Hoheit des Geistes konnte ich mir von keinem Deutschen vermuten. Wissen Sie nicht, wie der Verfasser heißen mag?«

Den jungen Wieland übermannen die Tränen, wie er die drei Gesänge Klopstocks liest.

Goethe berichtet in »Dichtung und Wahrheit«, wie er später mit seiner Schwester heimlich hinter dem Ofen den »Messias« liest, während sich der Vater rasieren läßt, und wie er in Begeisterung über herrliche Fluchszenen alles um sich vergißt und so aufschreit, daß dem Barbier das Seifenbecken aus der Hand fällt.

»Ich habe auf dem Isthmus gelebt, der von dem eisernen Alter zu dem goldenen hinübergeht!« ruft Bodmer aus. Daß das Goldene Zeitalter anbreche, dieser Gedanke steht in Tausenden von Briefen. Wir lächeln heute. Warum? Ist eine sehnsüchtige Hoffnung lächerlich?

Typisch: Voltaire ist prosaisch wie ein gekacheltes Bad.

»Ich kenne den Messias gar wohl; er ist der Sohn des ewigen Vaters, der Bruder des heiligen Geistes, und ich bin sein gehorsamer Diener. Ein neuer Messias ist nicht nötig, schon den alten liest niemand.«

Ach, wie geistreich!

Er ahnt nicht, daß er *dem* Werk gegenübersteht, das jedes Wort von ihm hinwegfegen wird.

In einem Jahr überfliegt der »Messias« alle deutschen Ländergrenzen.

Klopstock ist gegenüber dieser Welle der Begeisterung fassungslos. Er erwacht erst, wie aus einem Traum, als er gleich nach beendetem Studium Leipzig verläßt und, nach der Sitte aller Theologiekandidaten, eine Hauslehrerstelle annimmt.

Der Wechsel, die Fremde, die Aufgabe bringen ihn in den Alltag zurück.

Im gleichen Augenblick, in dem Kandidat Immanuel Kant Hofmeister bei Hochwürden Andersch in Judtschen ist, tritt Klopstock seine Hauslehrerstelle in Langensalza bei Herrn Kaufmann Weiß an. Die Weiß' sind entfernte Verwandte Klopstocks.

Ihr Haus gilt als fein: Im Garten stehen ein Apoll, ein Orpheus und eine Eurydike.

In Langensalza wohnen auch die Eltern des ironischen Vetters Schmidt und seine Geschwister, darunter jenes junge Mädchen Marie-Sophie, zu dem er schon bei früheren Begegnungen eine stille Zuneigung gefaßt hat.

Zwischen lateinischen Vokabeln und mathematischen Formeln erlebt Klopstock nun in den zwei Jahren seines Aufenthaltes in Langensalza die leidenschaftliche Liebe zu dem Mädchen, den Rausch der Hoffnung, die Enttäuschung und schließlich die Elegie der Entsagung.

In diesen zwei Jahren dichtet er für die unnahbare Geliebte die schönsten seiner frühen Oden.

Wie Goethes »Werther« und wie alle jungen Menschen der Welt seitdem, möchte er seine Verzweiflung und sein Leid am liebsten laut herausschreien. Er erlaubt, daß seine Freunde die Gedichte veröffentlichen. Er denkt jetzt nicht an gut oder schlecht oder Ruhm, er denkt nur daran, daß alle Welt es wissen und daß das Mädchen es lesen soll.

»Vielleicht, daß das liebe, göttliche Mädchen diese Trophäen anlächelt«, stöhnt er in einem Brief an den Bruder.

Die Oden erscheinen. Ein zweiter Sturm der Begeisterung geht durch Deutschland!

Es ist die Geburtsstunde der reinen Dichtung.

Der Name des fünfundzwanzigjährigen Klopstock wird zum Losungswort einer Bewegung.

Goethe in »Werthers Leiden«: »Wir traten ans Fenster. Es donnerte abseitwärts, und der herrliche Regen säuberte das Land, und der erquickendste Wohlgeruch stieg in aller Fülle einer warmen Luft zu uns auf. Sie stand auf ihren Ellenbogen gestützt, ihr Blick durchdrang die Gegend, sie sah gen Himmel und auf mich... legte ihre Hand auf die meinige und sagte: ›Klopstock!‹ Ich erinnerte mich sogleich der herrlichen Ode, die ihr in Gedanken lag und versank in dem Strome von Empfindungen, den sie in dieser *Losung* über mich ausgoß.«

Das seltsame Mädchen aber bleibt ungerührt.

Alle Welt, in Hunderten von Briefen, überschüttet den jungen Dichter mit Liebe, nur Fräulein Marie Sophie Schmidt nicht.

Sie heiratet später einen Kaufmann und wird die Seele des Geschäfts.

Was in Klopstock vorgeht, ist merkwürdig.

Eine Weile geht er düster und elegisch umher.

Dann packt er die Koffer und fährt nach Hause.

Richtig! Er hat ja noch ein Zuhause!

In Quedlinburg hat man ihn seit sieben Jahren nicht gesehen.

Der Kommissionsrat faßt mit zittriger Hand den Degen fester, als er dem berühmten Sohn gegenübertritt. Die Mutter weint, die Schwestern schluchzen. Nun ist Friedrich Gottlieb wieder daheim.

Seine Stirn entwölkt sich. Urplötzlich ist er wieder heiter.

Briefe kommen und gehen in alle Himmelsrichtungen.

Gleim kommt aus Halberstadt angeritten.

Der Philosoph Sulzer reist aus Berlin herbei.

Der Herzog von Braunschweig bietet ihm eine Stellung an.

Der dänische Minister Graf Bernstorff läßt ihm sagen, er möge sich nicht binden, der König werde ihn nach Kopenhagen holen.

Bodmer lädt ihn zu sich nach Zürich, wo er sein Gast bleiben soll, solange es ihm gefalle.

Dem Brief liegen gleich 300 Taler für die Reise bei.

Lächelnd geht Klopstock umher.

Ein bißchen fährt er nach Halberstadt, ein bißchen nach Braunschweig, ein bißchen nach Magdeburg.

Dort ist er Gast des steinreichen Kaufmanns Bachmann.

Bachmann besitzt auf einer der Elbinseln einen herrlichen Garten. Im Pavillon wohnt Klopstock. Die Insel ist stets voll von Besuchern, von jungen Männern, Mädchen und Frauen, die sich an ihn herandrängen.

Die Hausfrau besitzt alle Oden in handschriftlicher Abschrift, selbst die intimsten.

Die Gäste liegen im Kreis um ihn herum im Gras.

Gleim liest zwei Gedichte an die Geliebte vor.

Klopstock verbirgt sich hinter den Reifröcken und Sonnenschirmen. Man fragt ihn nach Marie Sophie.

Er sieht, daß die Augen der Zuhörer in Rührung schwimmen, und betrachtet das aufmerksam.

Plötzlich überwältigt es ihn, er steht auf und verläßt alle.

Er wandert bis Mitternacht umher, weint und betet, setzt sich danach hin — und schreibt einen genauen Bericht über alle Einzelheiten an das Mädchen nach Langensalza!

Dann dreht er sich um und notiert:

»Endlich darf sie mir einmal doch wohl, die zürnende Träne,
rinnen, endlich mein Schmerz sagen, wie bitter er ist.
Bürdet mir Stolz nicht auf, wenn ich von Entweihungen rede:
Wer so lange wie ich duldet' und schwieg, ist nicht stolz.«

Angewidert wirft Fräulein Schmidt den Brief in den Papierkorb.

Eine fremde Welt! Himmelhoch jauchzend, zu Tode betrübt. Rasend in Gefühlen, lauernd in Kälte.

Eine Welt, die sie nicht kennt.

Sie kann sie auch nicht kennen:

Ein neuer Menschentyp ist da!

Heiter und unbeschwert reist Klopstock nach Quedlinburg zurück und von dort zu Bodmer nach Zürich.

Für den liebenswürdigen, alternden Züricher Professor,
der in großer Abgeschiedenheit lebt, ist die Ankunft des
Messiasdichters ein so erregendes Ereignis, daß er die
ganze Nacht wach liegt.

Er wacht und grübelt.

Er wird mit Klopstocks Bild noch nicht fertig.

Er selbst gehört der alten Generation an. Er hat, trotz
allem Ahnen des Neuen, einen homerischen, würdigen,
gesetzten Herrn erwartet. Immer hat er ihn sich vorgestellt, wie er ihn verehren und zu ihm aufsehen könnte.
Der Dichter des Messias, so wie er nun vor ihm steht, ist
ihm ein Rätsel.

So werden Goethe, Hölderlin, Kleist ein Rätsel werden.
Keiner zuvor war es.

Klopstock stürzt sich in den Trubel, den sein Erscheinen in Zürich hervorruft.

Eine Schar junger Menschen umschwärmt ihn.

Während Bodmer ihnen durch die Scheiben seines Stu-
dierstübchens nachschaut, lacht und scherzt und jubelt
sich der Schwarm der Männer und jungen Mädchen mit
Klopstock in der Mitte zum Seeufer hinunter zu einer
großen festlichen Rundfahrt.

Klopstock hat seinen roten Rock an, er steht am Bug des
Bootes, und alle Mädchenherzen fliegen ihm zu.

Spät nachts kehren sie zurück.

Bodmer empfängt sie mit einem müden Lächeln.

Klopstock zieht sich in sein Zimmer zurück.

Sein Gesicht verwandelt sich. Er zündet die Lampe an,
nimmt die Feder und schreibt, während eine ange-
strengte Falte zwischen seinen Brauen steht:

»*Dir nur, liebendes Herz, euch, meine vertraulichsten*

Träume, sing ich traurig allein dies wehmütige
Lied.
Nur mein Auge soll's mit schmachtendem Feuer
durchirren, und, an Klagen verwöhnt, hör' es mein
leiseres Ohr!
Ach, warum, o Natur, warum, unzärtliche Mutter,
gabest Du zum Gefühl mir ein zu biegsames Herz
und in das biegsame Herz die unbezwingliche Liebe,
dauernd Verlangen und, ach, keine Geliebte dazu?«

Er trinkt einen Schluck Wein und zieht sich aus.

Ehe er sich hinlegt, geht er noch einmal zum Schreibtisch
zurück.

Er nimmt ein neues Blatt und notiert, zwischendurch
auf und ab gehend und intensiv nachdenkend:

»Er erschreckt uns,
unser Retter, der Tod. Sanft kommt er
leis im Gewölke des Schlafs.
Aber er bleibt fürchterlich, und wir sehen nur
nieder ins Grab, ob er gleich uns zur Vollendung
führt aus Hüllen der Nacht hinüber
in der Erkenntnisse Land.«

Ist das gut?

Ja, es ist hervorragend.

Er löscht das Licht und geht zu Bett.

Ein unbegreiflicher neuer Mensch für Bodmers alte
Welt.

Zwischen Kahnfahrten, Rudern, Ringen, Reiten und
Bodmer Aus-dem-Wege-Gehen schickt er laufend Oden
und Elegien hinaus, die seine Freunde in Deutschland
veröffentlichen.

Aus der Ferne wirkt das Genie ruhig und strahlend
wie eine neue Sonne.

Seine Wirkung ist wie eine Offenbarung.

Im Februar 1751 kommt der langerwartete Ruf an den Hof des dänischen Königs.

Die Freunde, vor allem der Friderizianer und Erzpreuße Gleim, toben, daß das Ausland sich den jungen, strahlenden Genius holt. Aber nüchtern und geschäftlich nimmt Klopstock das Angebot an und reist nach Kopenhagen ab.

Das Glück reist ihm nach, wohin er auch geht.

Zunächst besucht er Quedlinburg. Dann macht er in Hamburg Station, um den Dichter Hagedorn zu besuchen. Aber er trifft ihn nicht an.

Um die Langeweile auszufüllen, kramt er aus den Taschen irgendeine Adresse einer Hamburger Verehrerin hervor und sucht sie auf. Er trifft sie beim Wäscheeinschlagen.

Das Mädchen ist einem Herzschlag nahe, als Klopstock eintritt.

Sie hat sich einen würdigen, bärtigen Herrn vorgestellt. Der Anblick des liebenswürdigen jungen Mannes setzt sie in helle Flammen.

Am nächsten Tag kommt Klopstock wieder.

Am übernächsten auch.

Von der kurzen Überfahrt über den Belt schickt er drei Briefe nach Hamburg.

Eine Fülle neuer Oden entsteht.

Er begleitet das Mädchen in Gedanken Tag und Nacht. Seine Gedichte, die er ihr schickt und die von dort weiter den Weg in die Öffentlichkeit nehmen, steigern sich mitunter zu expressionistischer Kraft.

>*Cidli, Du weinest, und ich schlummere sicher,*
wo im Sande der Weg verzogen fortschleicht;
auch wenn die stille Nacht ihn umschattend decket,
schlummere ich sicher.

Wo er sich endet, wo ein Strom das Meer wird,
gleite ich über den Strom, der sanfter aufschwillt:
denn, der mich begleitet, der Gott gebot's ihm.
Weine nicht, Cidli!«

Goethe?

Hölderlin?

Trakl?

Ein Klopstock. Heute längst vergessen.

Damals aber trifft er die Deutschen mitten ins Herz.

1754 heiratet er »Cidli«, die reizende kleine Margarete Moller, die so wunderschöne Briefe schreiben kann.

Jedoch das Glück ist dieses eine Mal gedankenlos und unachtsam:

Cidli stirbt bereits nach vier Jahren.

Dreißig Jahre hindurch kann er sie nicht vergessen und besingt sie in seinen Elegien. Erst im hohen Alter heiratet er noch einmal.

Zwischen behaglicher Ruhe, maßvollen Festen bei Hofe, Ehrungen und gemächlicher Arbeit vergeht die Zeit.

Er wird älter, aber immer noch ist seine Gestalt schlank und gestählt vom Schwimmen, Reiten und Eislauf.

Ein Genuß ist es, sich im Strome der Liebe und des Ruhmes dahintreiben zu lassen. Cidli ist eine traurigsüße Erinnerung.

Zwanzig Jahre lang bleibt Klopstock in Dänemark.

1771 kehrt er nach Deutschland zurück.

Er bringt den Titel Legationsrat und eine lebenslängliche Pension mit.

Er geht nach Hamburg und läßt sich dort nieder.

In Ottensen liegt Cidli begraben.

Die Arbeit fließt langsamer dahin. Geistliche Lieder, mythologische Oden, geschichtliche Dramen — er hat sich gewandelt!

1773 erscheint endlich der vollständige »Messias«.

Klopstock ist jetzt 49 Jahre alt. 25 Jahre dauert schon sein Ruhm.

Es können die Nächsten kommen.

Lessing hat bereits seine »Minna von Barnhelm« und »Emilia Galotti« geschrieben.

Goethe soeben den »Götz von Berlichingen« herausgebracht.

Deutschland ist durch Klopstock und Kant innerlich aufgewühlt wie ein Meer.

Natürlich nicht die vielbeschäftigten Fürsten.

1760 besucht Gellert in Potsdam Friedrich den Großen. Das Gespräch ist uns wörtlich erhalten:

Der König spricht bald Deutsch, bald Französisch; Gellert meistens Deutsch und nur im Notfall Französisch. Nach einigen einleitenden Fragen sagt der König:

»Sage Er mir, warum wir keinen guten deutschen Schriftsteller haben?«

Der begleitende Major äußert darauf:

»Ihro Majestät sehen hier einen vor sich, den die Franzosen selbst übersetzt haben und den deutschen Lafontaine nennen.«

Der König: »Das ist viel; hat Er den Lafontaine gelesen?«

Gellert: »Ja, Ihro Majestät, aber nicht nachgeahmt; ich bin ein Original, aber darum weiß ich noch nicht, ob ich ein gutes bin.«

Der König: »Das ist also einer, aber warum haben wir nicht mehr gute Autoren?«

Gellert: »Ihro Majestät sind einmal gegen die Deutschen eingenommen.«

Der König: »Nein, das kann ich nicht sagen.«

Gellert: »Wenigstens gegen die deutschen Schriftsteller.«
Der König: »Das ist wahr.«
Die beiden zergrübeln sich den Kopf, kein Name fällt dem König ein, und Gellert bringt das Wort Klopstock nicht über die Lippen.

Klopstock vergißt es dem Alten Fritzen sein Leben lang nicht, und er ist bereit, allen gekrönten Häuptern böse zu sein, da trifft eine Einladung von Markgraf Friedrich von Baden ein zu einem unbegrenzten, mit einer zweiten reichen Pension ausgestatteten Gastaufenthalt in Karlsruhe.

Klopstock packt die Koffer.

Seine Reise über Göttingen, Kassel, Frankfurt nach Baden gleicht einem Triumphzug.

Der Fürst ist ein ungewöhnlich gebildeter Mann, der Klopstock geradezu mit Ehrerbietung und Scheu entgegentritt.

Karlsruhe ist herrlich.

Gluck ist gerade da.

Auch er ist von Klopstock begeistert und vertont seine Lieder.

Der ganze Hof kreist wie ein Planetensystem um den Dichter.

Heiter, gelassen und ohne jedes Organ für die Etikette lebt Klopstock dahin.

Im Winter trübt sich das Verhältnis etwas.

Ärgerlich.

Als ihn im Frühjahr sein Bruder in Karlsruhe besucht, mag er plötzlich nicht mehr und reist mit ihm nach Hamburg zurück.

Er meidet jetzt jeden Schatten.

Er verabschiedet sich aus diesem Grunde auch nicht vom Markgrafen. Es wäre auch nur ärgerlich.

»Das Abschiednehmen hat Gottsched erfunden!«

In Karlsruhe ist man sehr bestürzt.

Der Fürst ist traurig, und es ist rührend zu sehen, wie er dem Dichter nach Hamburg immer wieder seine Verehrung und Gewogenheit mitteilen läßt.

Die Pension wird ihm nachgeschickt.

»Der Markgraf von Baden ist ein Mann, mit dem man reden kann«, nickt Klopstock. Er ist wieder heiter und schaffensfreudig.

Er tritt in den dritten Abschnitt seines Lebens.

Was ihn jetzt beschäftigt, sind deutsche Sprachstudien. Er ist Forscher geworden.

Es erscheint eine Schrift »Fragmente über Sprache und Dichtkunst« und einige Jahre später ein Werk »Grammatische Gespräche«.

Es ist ein phantastischer, fast gespenstischer Versuch einer Schriftreform.

Staunend lesen die Deutschen: »Ich gestehe übrigens gern, daß Glüx ganz anders aussit als Glücks, und daß fliz für flieht's noch viel weiter von dem Gewöhnlichen abweicht . . .«

In seinen Oden treten jetzt Barden und mythologische Seher auf.

Ist das noch der Sänger des »Messias«?

Werther, die Räuber, Nathan, Kabale, Iphigenie, Kritik der reinen Vernunft, Don Carlos sind erschienen — der Dichter der Oden hat sich selbst und seinen Ruhm überlebt.

Der alte, nun weißhaarige Mann wallt noch einmal auf, als die Französische Revolution ausbricht.

Er entzündet sich an ihren Gedanken.

Sieht er nicht, daß es das ist, was er vernichtet hat, was er abgewendet, was er durchbrochen hat?

Was er hassen müßte?

Die Franzosen lehren es ihn selbst.

Zunächst sind die Herren Mirabeau, Marat und Robespierre sehr geschmeichelt von der Kunde, daß Klopstock ein paar glühende Oden auf den »Morgen der Freiheit« gedichtet hat.

Der Nationalkonvent ernennt ihn zum Ehrenbürger Frankreichs und Mitglied des Nationalinstituts.

Aber dann müssen sich die Jakobiner ernsteren Geschäften zuwenden. Die »Aufklärung« läßt die Köpfe rollen.

Entsetzt erkennt Klopstock seinen Irrtum.

Er ist nur kurz entsetzt.

Er schreibt einige Oden gegen den »Morgen der Freiheit« und schickt den Ehrenbürgerbrief zurück.

»Ich sagte sehr ernsthafte Wahrheiten über verabscheute Handlungen in einigen Oden, die, wenn die Grazie mir günstig gewesen ist, nicht untergehen werden.«

Sie *sind* untergegangen.

Der fast Achtzigjährige weiß nicht, daß er das Feuer des Prometheus längst abgegeben hat.

Er bekommt es nicht zu spüren. Noch ist ein Kreis schwärmerischer Verehrer um ihn.

Noch fühlt er sich glücklich und gesund.

Er reitet immer noch und läuft Schlittschuh

Aber: *»Oft bin ich schon im Traume dort,*
           wo wir länger nicht träumen . . .«

dichtet er, als der harte Winter 1802 noch einmal glücklich vorübergegangen ist.

Zum erstenmal in seinem Leben wird er krank und erholt sich nicht mehr recht.

Alle seine Freunde sind schon von ihm gegangen. Er ist der Letzte.

Ein Jahr noch —
Am 14. März 1803 gleitet er sanft hinüber, »wo wir
länger nicht träumen«.

Hamburg bereitet dem großen Dichter eine Totenfeier,
wie sie die Stadt noch nie sah.
Von allen Türmen läuten die Glocken.
Alle Schiffe haben Halbmast geflaggt.
Vierspännig rollt der Wagen mit dem Toten durch die
Straßen, in denen die Menschen zu Zehntausenden
stehen.
Ganz Hamburg hat Trauerkleidung angelegt.
Auf dem Sarg liegt inmitten von Lorbeer das aufge-
schlagene Buch »Messias«.
Unter gedämpfter Trauermusik seiner Ode »Vater-
unser« folgen die Regenten der Stadt, die Abgeordneten
von Fürsten und die residierenden Gesandten von Bel-
gien, Dänemark, England, Frankreich, Österreich,
Preußen und Rußland und die Domherren.
Der Trauerzug bewegt sich nach Ottensen.
Ottensen ist zu dieser Zeit noch dänisch.
An der Grenze nimmt eine Ehrengarde dänischer Hu-
saren den Sarg in Empfang und geleitet ihn weiter dorthin, wo Klopstock ruhen wollte: unter der Linde auf
dem Dorffriedhof, an der Seite Cidlis.

LEID-ENTDECKUNG UND
LEID-STOLZ

Klopstocks zu lange dauerndes Glück und zu lange dauerndes Leben, das nach den siebziger Jahren nur noch abwärts ging, waren der paradoxe Grund für sein *kurzes* Glück und sein *kurzes* Leben in der Geschichte. Der Gedanke ist frivol, aber richtig: Welch ein Mythos hätte sich gebildet, wenn er im Züricher See ertrunken wäre und wir nichts besäßen als die drei ersten Gesänge des »Messias« und ein Dutzend Oden!

In seinen nach Tausenden zählenden Aufzeichnungen und Briefen gibt es aus den frühen Langensalzaer Jahren eine Stelle, wo er sagt, er werde wohl keine lange Spanne der Schaffenskraft haben und sein Ruhm werde schneller vorübergehen als bei anderen.

Es ist das einzige Mal, daß er diese Ahnung hatte. Dann häufte sich Glück auf Glück, und er gewöhnte sich daran.

Es ist begreiflich. Klopstock wußte, was sein »Messias« und seine ersten Oden bedeutet hatten, und wenn je einer gefühlt hat, daß es die Rolle eines Genies für Deutschland gibt, so war er der erste.

Der neue Menschentyp, der mit seiner Vehemenz, seiner Hitze und Kälte, seinem stürmischen Wesen und seiner Melancholie die damalige Welt so erschreckte und in der Verkörperung Klopstocks zum erstenmal so jählings vor aller Augen trat, war der »genialische«.

Er war die Voraussetzung für die Geburt der irrationalen Dichtung.

Ohne Klopstocks Leipzig kein Leipzig Goethes, ohne Klopstocks Zürich kein Goethesches Straßburg!

Ohne den »Messias« kein Hyperion Hölderlins.

Und ohne Klopstock kein eislaufender, schwimmender und reitender Goethe!

Es ist merkwürdig, daß dieser etwas abseits scheinende Gedanke solange ganz unbeachtet geblieben ist. Meines Wissens hat Carl Diem zum erstenmal 1948 in seinem Buch »Körpererziehung bei Goethe« den Satz ausgesprochen: »Klopstock war der erste Sportsmann unserer Zeit.«

In »Dichtung und Wahrheit« berichtet Goethe, wie er nach Friedberg fuhr, um den nach Karlsruhe reisenden Klopstock zu sehen. Sie redeten stundenlang miteinander, aber kein Wort über Kunst. Klopstock hörte, daß der junge Goethe so begeistert über seine Eislauf-Oden war, und sprach nun nur noch über den Gedanken des Sports und der Körperertüchtigung. Wenn er auf dieses Thema kam, konnte er wie ein Sektenprediger reden.

Man sollte diese Entdeckung »Klopstock war der erste Sportsmann unserer Zeit« nicht unterschätzen. Der Sport ist das einzige und letzte wirklich neue Element, das einzig neue Phänomen, dem sich seit der Entseelung und Erschöpfung aller anderen Lebensgebiete unsere Zeit mit Vehemenz hingegeben hat!

Vor Klopstock gab es kein dionysisches Körpergefühl. Es war mit Griechenland untergegangen.

Er war der erste, der in einer Ode schrieb, daß er durch den Sport überhaupt erst »die Glut der Gesundheit« gefühlt habe.

Der junge Goethe hat dasselbe empfunden; alle hatten

es, die noch zu dem Ereignis zu zählen sind, durch das der Dichtung der Sprung auf den Thron gelang. Dieses Ereignis war keine sanfte Entwicklung, sondern eine Explosion.

Auch das ist von Klopstock heute vergessen.

Auch hier hat ein anderes Genie, Goethe, die Erinnerung an ihn verdunkelt.

Jedoch zurück zu seiner dichterischen Größe und historischen Tat: Auch die formal Größeren, die nach ihm kamen, haben zwar ästhetische Urteile korrigieren, ihn aber nicht entthronen können.

Er war der erste, der Flügel hatte und sich in die Lüfte erhob. Darin war auch Goethe nur sein Nachfolger.

Goethe wußte es.

Ihn führte sein Weg zu einem ganz anderen, neuen Ziel. Wir werden sehen, daß für ihn die Tatsache des schon »besetzten« Klopstockschen Thrones und der schon vergebenen Urheberschaft gänzlich belanglos wurde; daß ihm das Reich des Wortes, das Klopstock gegründet hatte, nur noch Instrument war. Er hätte sich auch eines anderen Instrumentes bedienen können, und beinahe wäre es auch so gekommen: Er dachte ernsthaft daran, Maler zu werden.

Zeitlich liegt Goethe unmittelbar nach Klopstock. Scheinbar auch dem Gebiet und der Richtung seines Wirkens nach.

Jedoch das täuscht.

Es schiebt sich noch eine Gestalt dazwischen. Sie ist zwar 21 Jahre später geboren, stirbt aber früher, so daß Goethe auch im zeitlichen Sinne der spätere wird.

Der Mann, der eine Strecke des Goetheschen Lebens wie der dunkle Trabant eines Doppelsterns begleitet, war jene Gestalt, von der ich sagte: »Das Rembrandtische, an dem Deutschland auch ohne Rembrandt nicht vorübergehen konnte, ruhte für uns noch lange, wurde aber eines Tages doch erlebt; der Mann, der es uns mitbrachte, ließ allerdings noch 150 Jahre auf sich warten und kam folgerichtig dann auch nicht mehr vom Optischen her.« Es war so weit.

Sogar das gleiche Land schickte ihn uns, seine Vorfahren kamen aus den Rembrandtischen Niederlanden:

Es ist Ludwig van Beethoven.

Er wurde der erste deutsche »Lear«. Noch nie zuvor war das menschliche Leid als das wahrhaft Titanische, das Ungeheure unseres irdischen Lebens mit Glanz umgeben worden, noch nie war die Qual des einzelnen als Sprecher aller Menschen seines Volkes empfunden worden, nie zuvor, trotz Dreißigjährigem Krieg, Pest und Hungersnöten, war die Zeit reif gewesen für die jähe Erkenntnis unserer irdischen Verlassenheit und unseres Angewiesenseins auf das tiefe, schweigende, erschütterte Mitgefühl. Noch nie zuvor hatte man einem Menschen erlaubt, seine persönliche Verzweiflung im Namen aller laut werden zu lassen, ja sogar mit Trotz und Starrsinn und dafür um so erschütternder zu verkünden.

Von Beethoven ab stößt man in der Geschichte unseres Lebens auf Schritt und Tritt auf dieses neue Bewußtsein im Menschen.

Hat es zuvor jemand versucht?

In Deutschland ist niemand erkennbar. Schweigend und klagelos betet Bach, erhoben malt Dürer, grübelnd forscht Kopernikus, tief bewegt und staunend schaut Albertus, schwerelos und glücklich bleibt Klopstock.

Daß es wirklich nur diese Seite von Beethovens Werk ist, die zur *Genietat* wurde, ist eigentlich sehr deutlich: Wenn wir in ein Beethovenkonzert gehen, suchen, erwarten und erhalten wir das gleiche Erlebnis wie vor den späten Rembrandtbildern. Und wenn Beethoven in seiner 9. Sinfonie das »Freude, schöner Götterfunken ...« singen läßt, so ist es in Wahrheit kein Schillerscher Jubel und kein »Aufbrausen«, sondern ein Heraufstampfen voll Leiderfahrung und erhabenem Trotz.

Schiller war klopstockisch, als er es schrieb. Beethoven war rembrandtisch, als er es vertonte.

Sein Lachen ist das gleiche wie auf dem erschütternden Altersbild van Rijns.

Das Wunder, das er vollbrachte, wäre vordem nicht glaubhaft gewesen: daß das Leid-Erlebnis Trost und Balsam für die Hörenden sein kann.

Und wenn der Mensch in seiner Qual verstummt, gab Beethoven und seitdem allen Nachfolgern ein Gott zu sagen, was wir Menschen leiden!

Früher waren Leid und Not etwas Erniedrigendes, Demütigendes, Klägliches. Man versteckte es, man bat um Abhilfe, man kniete nieder.

Beethoven war der erste, der aufrecht stehen blieb, der sich gegen die Brust trommelte und schrie, ein Mann könne vernichtet, aber nicht besiegt werden.

Das gab es in unserem seelischen und geistigen Leben nie zuvor. Schon der christliche Glaube stand dagegen. Er mußte erst ins Wanken geraten.

Ehe die letzten Takte seiner Musik, auch der größten Klage und des erbittertsten Wütens verklungen sind, schlägt das Erlebnis in Frieden und Ruhe um, denn Beethoven »bringt alles wieder in Ordnung«.

Was ist dagegen ein »Aufheitern« durch andere?

Ablenken.

Abwenden.

Nichtsehen.

Das war es tausend Jahre lang.

Beethoven bedeutet: sehen und darüber hinwegkommen. So wie er im Leben darüber hinweggekommen ist. Denn sein Leben war ein prometheisches Schicksal.

LUDWIG VAN BEETHOVEN

Komponist
Geboren am 16. oder 17. Dezember 1770 in Bonn
Gestorben am 26. März 1827 in Wien

Bonn am Rhein zählt 11 000 Einwohner, als Ludwig van Beethoven geboren wird.
Eine kleine Residenz.
Alle leben von der Hofhaltung des kölnischen Kurfürsten.
Der große Herr residiert in dem langgestreckten gelben Palais.
Morgens und abends geht ein Strom von Bürgern hin und zurück, Lieferanten, Dienstmänner, Verwalter, Geistliche, Beamte, Hofherren, Schauspieler und Musikanten.
Auch Ludwigs Vater ist Mitglied der kurfürstlichen Kapelle.
Er ist Sänger.
Tenor. Ein schlechter Tenor, und aus Kummer trinkt er und wird immer schlechter.
»Papächen, Papächen«, betteln die drei Kinder und zupfen ihn am Ärmel, wenn sie ihn endlich in einer Schenke gefunden haben.
Die Mutter ist kränkelnd und von Arbeit früh zerrieben.
Die Beethovens wohnen in einer Mansarde. Es ist ein elendes Leben.
Hat nicht eben ein gewisser Wolfgang Amadeus Mozart als Wunderkind den großen Umschwung für seine Familie gebracht?

Johann van Beethovens Blick wandert prüfend von seinem Sohn zum Klavier. Und er beschließt, auch aus ihm ein Wunderkind zu machen.

Ludwig ist vier Jahre alt.

Täglich treibt der Vater ihn von nun an zum Klavichord. Wenn es nicht anders geht, mit dem Stock.

Stundenlang krabbeln die kleinen schwachen Finger die Tasten herauf und herunter.

Der Vater steht hinter dem Kind und gibt erst das Zeichen zum Aufhören, wenn es Zeit für den Abendschoppen ist.

Das Kind weint sich bei der Mutter aus. Nachts träumt es von den Schrecken des vergangenen Tages.

Wenn Johann van Beethoven die Angst überfällt, kommt es vor, daß er den Jungen nachts weckt, aus dem Bett reißt und üben läßt.

1778 führt er sein Wunderkind an einem »musikalischen Nachmittag« zum erstenmal öffentlich vor.

Er kündigt ihn als sechsjährig an. Zwei Jahre also unterschlägt er. Ludwig klettert auf den Stuhl und haspelt sein Konzertstück zitternd und bebend herunter.

Die anwesenden Damen und Herren der Gesellschaft betrachten das Kind mitleidig und den Vater mit Verachtung.

Der Beifall ist höflich, aber kalt. Was ist das eigentlich für ein Ansinnen von Monsieur Johann van Beethoven? Wofür hält er sie?

Die Zeit ist musikalisch hochkultiviert. Beethoven begegnet es später immer wieder, daß Damen der Gesellschaft seine Sonaten aus dem handgeschriebenen Original fehlerlos vom Blatt spielen!

Der Vater ergreift noch einmal den Stock. Zwei Jahre lang wird weitergeübt.

1780 fährt die Mutter mit dem Kind nach den Niederlanden, um es in Rotterdam als Wunderkind zu zeigen. Die Reise wird ebenfalls ein Mißerfolg.

Der Vater sinkt in dumpfe Resignation. Es dauert nicht mehr lange, dann ist er so weit gesunken, daß die Familie auf seine Pensionierung drängen muß.

Das Rentamt händigt auch nicht mehr ihm, sondern seinem Sohn die Rente aus.

Ein Wrack.

Böse Ahnungen befallen den Jungen.

Er erinnert sich, daß es früher schon einmal einen Trinker in der Familie gegeben hat.

Er fühlt sich selbst krank und schwach.

Er denkt an den Tod.

»Ein schlechter Mann, der nicht zu sterben weiß«, sagt er später einmal. »Ich hätte es schon mit 15 Jahren gewußt.«

Der Vater sagt jetzt zu allem ja und amen. Er sieht ein, daß irgend etwas geschehen muß, und bittet den Hofkapellmeister und Organisten Neefe, seinem Sohn Unterricht zu geben.

Eine neue, himmlische Zeit beginnt für den Knaben!

Neefe ist sanft, liebevoll, schwärmerisch, ein Künstler, ein glühender Verehrer Klopstocks und Bachs.

Also wird es auch Ludwig.

Wieder träumt er des Nachts von Musik, aber jetzt sind es wunderbare Träume.

Neefe muß mit dem Jungen noch einmal ganz von vorn anfangen. Es ist ein schweres Stück Arbeit. Dann geht es sprunghaft vorwärts.

1782 nimmt Neefe den Zwölfjährigen mit an die Orgel. Ein halbes Jahr später überläßt er ihm die ständige Vertretung als Organist.

1783 stellt der Kurfürst den Knaben als Cembalo-Begleiter in seiner Kapelle an.

Mit einer tadellosen Halsschleife geschmückt, stolziert jetzt Ludwig an des Vaters Stelle jeden Tag zum Palais und zurück.

Er ist »doppelter Gehaltsempfänger«!

Eines Abends verkriecht er sich in eine Ecke der Mansarde und schreibt seine erste Komposition.

Ein Marsch von Herrn Musiker Dreßler hat es ihm angetan.

Er schreibt darüber »Variationen«.

Neefe lobt.

Dann schreibt er drei Klaviersonaten, Es-Dur, f-Moll, D-Dur.

Neefe lobt.

Darauf schreibt er eine zweistimmige Fuge für Orgel.

Neefe staunt.

Und gleich noch zwei Rondos für Klavier.

Neefe staunt.

Nun schreibt er ein Klavierkonzert, E-Dur. Neefe führt es auf.

Der Kurfürst lobt.

Seine Durchlaucht und Eminenz Maximilian Franz ist ein Sohn Maria Theresias, ein Bruder des Kaisers in Wien.

Auf einen Wink von ihm könnten sich alle Türen öffnen.

Neefe verwendet sich beim Kurfürsten liebevoll für den kleinen Beethoven.

Der alte, gute Mann hat große Pläne: Er möchte, daß Ludwig nach Wien geschickt wird und bei Wolfgang Amadeus Mozart Unterricht nimmt.

Mit Engelszungen spricht er auf seine Kaiserliche Hoheit ein.

Im April 1787 läßt ihn der hohe Herr reisen!

Ausstaffiert mit einem guten Anzug und Reisegeld fährt der Siebzehnjährige nach Österreich ab.

Er trifft Mozart in Arbeit und Sorgen.

Ein ganz unglücklich gewählter Zeitpunkt.

Die meiste Zeit sitzt der junge Mann aus Bonn im Vorzimmer und wartet.

Gegen Ende des Monats trifft die Nachricht ein, daß seine Mutter schwer erkrankt ist.

Er packt wieder die Reisetasche und kehrt heim.

Zwei Kometen kreuzten den Weg, niemand nahm davon Notiz.

Mozarts Wort »Auf den gebt acht, der wird einmal seinen Weg machen« ist eine schöne Erfindung. Er hat es nie gesagt.

Beethoven trifft mit der Eilpost in Bonn ein. Seine Mutter ist schon vom Tode gezeichnet. Im Juni stirbt sie.

Ludwig ist jetzt das Familienoberhaupt.

Der Vater sitzt da, weint oder tobt oder brütet vor sich hin.

Er wird entmündigt.

Die Brüder sind in der Lehre.

Das Haus ist trostlos.

Er flieht es.

Er hat Gott sei Dank Freunde, gute Freunde.

Frau von Breuning läßt ihre Kinder von ihm unterrichten, zieht ihn, so oft es geht, in ihr Haus und öffnet dem verschlossenen, scheuen jungen Menschen das Herz.

Dann ist Neefe noch da und Ries, der Geiger, der ihn oft um die Schulter faßt und ihn, auf und ab gehend, tröstet.

Und Waldstein ist da, natürlich nur von ferne: Graf Waldstein, der Freund des Kurfürsten, der immer

lächelt und »na?« sagt, wenn er den kleinen Cembalisten
sieht.

Ist das alles wichtig?

Sehr wichtig.

Diese Erinnerungen sind später sein einziger Trost.
»Lorchen« Breuning ist seine »Leonore, ein Engel, ein
Engel«, und den Grafen Waldstein vergißt er nie und
widmet ihm die wunderbare C-Dur-Sonate, die den
Namen unsterblich macht.

1792, Ludwig van Beethoven ist 22 Jahre alt, stirbt sein
Vater.

Eine Zentnerlast ist von ihm genommen.

Aber seltsam: Der schreckliche, alte Mann war doch
immer noch der Inbegriff des »Zuhause« gewesen.

Nun erst ist Beethoven allein.

Graf Waldstein, der sich heimlich mehr um ihn küm-
mert, als er ahnt, spricht noch einmal mit dem Kurfürsten.

Der alte Haydn ist gerade auf der Durchreise von London. Es wäre schön, wenn man Beethoven zu ihm nach
Wien schicken könnte.

Haydn sieht sich den jungen Mann an.

Er blättert in der Kantate, die Beethoven auf den Tod
des Kaisers geschrieben hat.

Ganz hübsch.

Hat fleißig Bach studiert?

Ja, ja, der große Bach ist das Alpha und Omega! Wird
niemand mehr erreichen.

Wollen sehen, denkt Ludwig van Beethoven hinter seiner wulstigen, klobigen Stirn und schweigt.

Waldstein lächelt.

Im November darf Beethoven dem berühmten Haydn
nach Wien nachreisen.

Der Kurfürst bezahlt es.
Acht Groschen, Kaffee und Schokolade pro Unterrichts-
stunde.

Papa Haydn ist alt und zahm.
Er weiß ungeheuer viel, aber er geht zu gemächlich vor.
Von Kontrapunkt und Fuge versteht Ludwig so gut wie
nichts.
Er lernt wie ein Besessener.
Nach einigen Monaten ist die Situation folgende:
Haydn stellt eine Aufgabe. Beethoven liefert die Ar-
beit ab.
Haydn korrigiert sie flüchtig nach endlosen Worten.
Dann korrigiert Beethoven noch einmal Haydns Fehler
heraus.
Heimlich nimmt er noch Unterricht bei dem Kompo-
nisten Schenk. Vormittags Haydn, mittags schnell essen,
dann drei Stunden Klavierspiel, nachmittags Schenk,
abends Kontrapunkt und Kompositionen.
Draußen im Sonnenschein promeniert Wien.
Beethoven arbeitet.
Er fängt an, seine Kompositionen zu numerieren.
Op. 1 malt er zum erstenmal auf ein Manuskript.
Zu früh?
Haydn sieht sich die Arbeit an.
Sehr schön.
Nein, nicht zu früh.
Er sagt so nebenbei, Beethoven möge hinter seinen Na-
men die Worte »Schüler von Joseph Haydn« setzen.
Wozu?
Der alte Herr windet sich etwas, Beethoven wartet auf
die einzige Erklärung, die möglich ist.
Aber Haydn bringt sie nicht über die Lippen.

Also unterbleibt es.

Großmogul, denkt der Alte und sieht den zottigen jungen Mann fast ärgerlich an.

1794 reist Haydn nach London.

So löst sich für beide die Verbindung ohne Peinlichkeit auf.

Sein neuer Lehrer ist der Theoretiker Albrechtsberger.

Aber nicht lange. Es hat keinen Sinn weiter.

Er besitzt auch kein Geld mehr. Die Französische Revolution hat das Kurfürstentum Köln beseitigt, die Unterstützung hat aufgehört.

Er muß verdienen.

Am 30. März 1795 gibt er sein erstes Konzert im Hoftheater.

Er spielt fremde Kompositionen.

Die Lichnowskys sind da (Fürsten), die Rasumowskys (Grafen), die Lubkowitzs (Fürsten), die Brunswicks (Grafen), die Guicciardis (Grafen), die Esterhazys (Fürsten), die Kinskys (Fürsten), wahrscheinlich auch Erzherzog Rudolf, der zehn Jahre später sein Klavierschüler wird.

Beethoven hat seinen grünen Frack an, sein bestes Stück. Aber das sehen sie anscheinend alle nicht.

Frau von Bernhard schreibt nach dem Konzert an ihre Freundin: »Er war klein und unscheinbar, mit einem häßlichen, roten Gesicht voll Pockennarben. Sein Haar war ganz dunkel und hing fast zottig ums Gesicht.«

Er sieht es ihren Mienen an und senkt die Augen.

Aber sein Schmerz schlägt bei den ersten Anzeichen von Güte in wilde Freude um.

Mit leuchtendem Blick erzählt er, die Fürstin Lichnowsky hätte am liebsten »eine Glasglocke über mich machen lassen, damit kein Unwürdiger mich berühre«.

Das ist wahr, die alte Fürstin, selbst verstümmelt und leidend, ahnt mit dem Instinkt alter aristokratischer Kultur, wer ihr da begegnet. Sie läßt als erste seine Kompositionen aufführen.

Sie ist Mozartschülerin gewesen und hat die Musik ihres Lehrers sehr geliebt.

Bis sie diesen Beethoven hörte.

Mit den Lichnowskys reist Beethoven nach Prag und Berlin.

Er spielt vor dem König und vor Prinz Louis Ferdinand.

Sehr gefeiert kehrt er nach Wien zurück.

Sie fahren achtspännig ein. Beethoven sitzt neben dem Fürsten.

Viele Eindrücke. Er setzt sich gleich wieder an den Schreibtisch.

Es entstehen das Klavierkonzert Nr. 1, drei Violin-Sonaten, die Pathétique und seine 1. Sinfonie.

Am 2. April 1800 wird die Sinfonie aufgeführt.

Von nun an ist ein Kommen und Gehen bei Beethoven.

Wenn die Kutschen vorfahren, müssen die Diener erst fragen: Ist Herr van Beethoven zu sprechen für Ihro Durchlaucht?

Wohnt er überhaupt noch hier?

Er wohnt bei den Lichnowskys, bei den Brunswicks, bei Grillparzers, bei Schikaneder im Theater an der Wien, wo man über Soffitten und Feuerlöscher steigen muß.

Insgesamt hat er 30 Adressen.

Drei große Verlage bemühen sich um ihn.

Diese lästigen Geschäfte.

»An Herrn Franz Anton Hoffmeister, Leipzig!

Reitet Euch denn der Teufel insgesamt, meine Herren — mir vorzuschlagen, eine solche Sonate zu machen? Herr Mollo hat wieder neuerdings meine Quartette sage voller

Fehler und Errata in großer und kleiner Manier heraus-
gegeben, sie wimmeln darin, wie die Fische im Wasser!«
»An Herrn Nikolaus Simrock, Bonn!
Wegen einem Kommissionär habe ich mich auch um-
gesehen ... Er verlangt von Ihnen das drittel Rabatt.
Der Teufel verstehe sich auf Eure Handelei ... Sind
Eure Töchter schon groß? Erziehen Sie mir eine zur
Braut.«
»An Breitkopf und Härtel, P. P. Leipzig!
Re-re-re-re-re-zen-zen-si-si-si-si-siert-siert! nicht bis in
alle Ewigkeit, das könnt ihr nicht. Hiermit Gott be-
fohlen!«
Ist er nicht lustig? Sehr lustig.
Hat er nicht allen Grund? Allen Grund.
Aber seine Musik! Sie wird immer aufwühlender und
furioser!
Nach der Pathétique: das Oratorium »Christus am Öl-
berg«, die klagende Mondscheinsonate, die zerquälte
As-Dur mit dem Trauermarsch, die Hamletsche d-Moll
und die 6 Gellert-Lieder, die wie verzweifelte Gebete
klingen.
Was ist geschehen?
Die Freunde sehen ihn lächeln. Mehr denn je ist er der
Mittelpunkt der glanzvollen Abende in den Wiener
Stadtpalais.
Um diese Zeit wissen nur zwei Menschen, was vor sich
geht: seine Freunde Amende und Wegeler. Beide weit
weg von Wien.
Im Sommer 1802 ist Beethoven plötzlich verschwunden.
Im Herbst ist er wieder da.
Er ist auch äußerlich verändert. Er ist scheu und macht
einen hilflosen Eindruck.
In sein Leben ist irgendeine große Unruhe gekommen.

Er meidet die Menschen. Er antwortet manchmal nicht. Am Flügel dreht er sich nach dem Spiel um, und wenn er sieht, daß der ganze Salon tief bewegt und erschüttert ist, läßt er den Klavierdeckel fallen, stößt seine kurze, abgehackte Lache hervor und geht.

Es ist merkwürdig, daß man es ihm nicht übel nimmt.

Warum eigentlich nicht?

Fürst Lichnowsky ist imstande, ihm nach solcher Szene 600 Gulden auszuwerfen.

Nach wie vor suchen ihn die Equipagen in der ganzen Stadt.

Es gibt Zeiten, wo er unerwartet wieder elegant unter Menschen erscheint. Aber es sind nur kurze Perioden.

Auf die strahlende 2. Sinfonie von 1802 folgt sofort die todernste Eroica.

Auf die Eroica die rasende Appassionata.

»Das sind die Kämpfe und das Schluchzen eines ganzen Lebens«, sagt Bismarck, als er sie hört. Bismarck weiß zu seiner Zeit schon alles, was Beethovens Umgebung 1806 noch nicht ahnt.

Auf die Appassionata folgt die Schicksals-Sinfonie, die Fünfte.

Plötzlich unterbricht er sie und schreibt in einem Zuge die helle, glückliche 4. Sinfonie herunter.

»Manchmal möchte ich bald toll werden über meinen unverdienten Ruhm«, ruft er einmal aus, »das Glück sucht mich, und ich fürchte mich fast deswegen vor einem neuen Unglück.«

Vor einem *neuen?*

Langsam, in den Jahren um 1810 herum — er ist 40 Jahre alt —, öffnen Briefe, Verlautbarungen hier und da, Bemerkungen der Ärzte und Geflüster den Menschen die Augen über das, was sich in Beethovens Leben abspielt:

Er verliert sein Gehör. Er versteht die Sprechenden schon fast nicht mehr.

Zu Hause liegen greuliche blecherne Hörgeräte.

Homer war blind? Das ist ein barmherziges Schicksal gegen: Beethoven wird taub!

Zwei haben es seit Jahren gewußt. Beethoven hat Amende und Wegeler damals erschütternde Briefe geschrieben, aber sie flehentlich gebeten, nichts zu verraten.

Die Ärzte wissen noch mehr: Seine Augen lassen nach.

Er hat Gott und sein Schicksal tausendmal in seiner Einsamkeit verflucht.

Denn er allein weiß noch mehr als die Ärzte: Er ist todkrank.

Deshalb hat er die Menschen zu meiden begonnen.

Aber von Zeit zu Zeit packt ihn eine wahnsinnige Sehnsucht nach ihnen.

Wenn ein Mund ihm zulächelt, schlägt sein Herz zum Zerspringen. Sein Herz, so rein und so weit fort von aller Begierde, hat gezittert, so oft, so oft!

Der Narr! Der Bajazzo!

Nur fünf oder sechs Menschen wissen davon.

Giulietta Guicciardi — ein Spiel, ein Witz für die Komtesse.

Therese Malfatti — wie die kleine Italienerin erschrak!

Magdalena Willmann — Staunen, Erschrecken, Abschied.

Anna Milder — Staunen, Erschrecken, Abschied.

Amalie Sebald — Staunen, Erschrecken, Abschied.

Nach seinem Tode findet man in der Schublade den nie abgesandten Brief »An die unsterbliche Geliebte«.

»Mein Engel, mein Alles, mein Ich! Ach Gott, welches Leben . . .«

Aber wer sie ist, wird er nie sagen!

Es ist — wir glauben es heute zu wissen — das schöne junge Mädchen Therese von Brunswick, Gräfin Brunswick.

Als alte Frau, immer noch unverheiratet — Beethoven ist lange tot —, gesteht sie ihre unglückliche Liebe.

So sieht sein Leben aus!

Zurück, zurück in die Einsamkeit!

»Für dich, armer Beethoven, gibt es kein Glück von außen, du mußt es dir alles in dir selbst erschaffen ... Alles anwenden, was noch zu tun ist, um das Nötige zu der weiten Reise zu entwerfen ... alles sein lassen, nur für deine Weise schreiben! Und dann eine Hütte, wo du das unglückliche Leben beschließest ... Laß mich leben, sei es auch nur mit Hülfsmitteln. O Gott, gib mir Kraft, mich zu besiegen, mich darf ja nichts ans Leben fesseln.«

Von seiner Hand geschrieben in einem Notizbuch.

Nach seinem Tode finden sie es und starren erschüttert auf die armseligen Worte.

Würde Beethoven sehen, wie sie so dastehen, so würde er wieder den Klavierdeckel fallen lassen und sagen, was er zu Goethe sagte, als der Dichter ihn in tiefer Bewegung in Teplitz spielen hörte:

»Rührung? Das habe ich von Ihnen nicht erwartet! Von Euch, Goethe, lasse ich mir dies nicht gefallen! Wenn mir Eure Dichtungen durchs Gehirn gingen, so hat es Musik abgesetzt, und ich war stolz genug, mich auf die gleiche Höhe schwingen zu wollen wie Ihr, aber ich habe es meiner Lebtag nicht gewußt zu weinen, und am wenigsten hätte ich's in Eurer Gegenwart selbst getan!«

Es steht schlimmer um Beethoven, als alle ahnen.

Von nun an hört er nicht mehr, was seine Hände in den vielen, vielen Jahren niederschreiben.

Mitunter sitzt er in einer seiner trostlosen Buden — nie hat er Geld, denn was er besitzt, verschenkt er allen, die sich an ihn herandrängen; und die alten Gönner sind tot —, von Wirtschafterinnen bestohlen, belogen und verlassen, am Klavier und spielt. Er hat ein Brettchen zwischen den Zähnen, dessen anderes Ende auf dem Klavier liegt. Er spielt und spielt, und seinen Augen sieht man an, wie er ängstlich darauf wartet, ob er nicht über das Stückchen Holz die Vibration spüren könnte. An solchen Tagen rennt er dann hinaus und läuft gestikulierend bis in die Nacht hinein durch die Gegend.

Polizisten verhaften ihn, und Bürgermeister von weit entfernten Orten müssen ihn befreien und in ihrer Kutsche wieder nach Hause bringen.

Am nächsten Morgen steht der hypochondrische Grillparzer in seinem Zimmer und klagt ihm, auf ein Täfelchen schreibend, sein Leid.

Beethoven lächelt. Mut, Mut!

»Hätte ich den tausendsten Teil Ihrer Kraft!« seufzt der Dichter.

»Wie?« fragt Beethoven und deutet auf die Tafel.

Grillparzer schreibt:

»War keine Zeit, wo die Ereignisse des Lebens Sie auf längere Zeit im Arbeiten gestört haben?«

Gestört! Mein Gott!

Aber Beethoven schüttelt lächelnd seinen dicken Kopf.

Grillparzer geht getröstet.

Beethoven dreht sich um, nimmt ein Notenblatt und beginnt zu schreiben. Die »Missa solemnis« entsteht.

Kein Laut der Außenwelt dringt zu ihm. Nie wird er hören, was er jetzt niederschreibt.

Ein Jahr später vollendet er sein größtes Werk, die Neunte Sinfonie.

Am 7. Mai 1824 wird sie uraufgeführt.

Beethoven ist jetzt 53 Jahre alt.

Er bittet: Er möchte noch einmal, ein einziges Mal dirigieren.

Er wird nicht mehr, wie früher bei seiner Oper »Fidelio«, voll Scham weglaufen, wenn er merkt, sie spielen in Wahrheit ohne ihn. Er wird nicht weglaufen! Bestimmt nicht!

Nur Takt schlagen. Nur dastehen.

Ein einziges Mal noch.

Der Abend beginnt schon beispiellos. Polizei muß absperren.

Die Mitglieder der kaiserlichen Familie haben der Etikette entsprechend mit drei Beifallssalven begrüßt zu werden.

Beethoven erhält bei seinem Eintritt fünf.

Die Aufführung wird ein Triumph.

Als der letzte Ton verklungen ist, springt die Menschenmenge auf, winkt, schreit und schwenkt die Hüte.

Beethoven, den Rücken zum Saal, steht immer noch da und schlägt den Takt.

Es ist ein gespenstisches Bild.

Die Sängerin, die kleine Karoline Unger, nimmt ihn bei der Hand und dreht ihn um.

Nein, er läuft nicht mehr weg. Er sieht auf die erregte Menschenmenge und dankt.

Da unten stehen sie alle, mit denen er früher gesprochen und gelebt hat.

Eine vergangene Welt.

Die Guten! Warum weinen sie? Sie sollen nicht verzagen! Hat er sie denn nicht getröstet?

Freude, schöner Götterfunken — Haben sie es denn nicht gehört?

Das Leid ist etwas Gigantisches, eine Kraft! Sie sollen nicht weinen, zum Teufel!

Finster steigt er vom Podium.

Im Foyer bricht er zusammen und wird ohnmächtig.

»Die Freude!« flüstert Henriette Sontag.

»Die Anstrengung!« lächelt die kleine Unger.

Nein, nicht die Anstrengung: Es sind 40 Taler Einnahmen in der Kasse, das hat er eben erfahren. 40 Taler für die Neunte Sinfonie.

In jedem Werk seiner letzten Jahre bringt er sein Leid »in Ordnung«.

Er selbst aber, der arme furiose Narr, gelangt nie zum Frieden.

1802 — auch das erfährt die Nachwelt erst nach seinem Tode — war er nahe am Selbstmord.

Damals, als er aus Wien verschwand und in die Einsamkeit nach Heiligenstadt flüchtete, schrieb er sein Testament.

Es beginnt mit den verzweifelten Worten: »O ihr Menschen, die ihr mich für feindselig, störrisch oder misanthropisch haltet oder erkläret, wie unrecht tut ihr mir! Ihr wißt nicht die geheime Ursache von dem, was euch so scheinet ... Vergeßt mich nicht ganz im Tode. Ich habe es um euch verdient, indem ich in meinem Leben oft an euch gedacht, euch glücklich zu machen.«

Resignation? Welches elende Zufluchtsmittel!

Es kam die große Wandlung, seine unsterblichen Werke entstanden.

»Ich will dem Schicksal in den Rachen greifen!« rief er aus.

Nun steht er an der Schwelle des Alters.

Einsamer als je zuvor.

Trotziger als je zuvor.

Alles das, was ein Mensch nach ihm an Leid und Verzweiflung erfahren könnte, will er in seiner Musik noch »in Ordnung« bringen. Es beginnt ein Wettlauf mit dem Tode.

Als er im Mai 1825 schwer krank wird, schickt er dem Arzt Professor von Braunhofer, von seiner unsicheren Hand hingekritzelt, ein paar Noten statt eines Briefes.

Es ist ein spaßiger Kanon.

Aber die Worte des Kanons sind grausig:

»Doctor

sperrt

das

Tor

dem

Tod:

Note

hilft

auch

aus

der

Not.«

»Doctor

sperrt

das

Tor

dem

Tod:

Note

hilft

auch

aus

der

Not.«

Man hört, wie es an seine Tür klopft.

So klopfen und pochen die Worte.

In einer Ecke des Blattes steht der zittrige Zusatz:

»Ich speie ziemlich viel Blut aus.«

Professor Braunhofer gibt ihn noch einmal dem Leben zurück.

Dem Leid.

Im Spätsommer 1826 begeht sein Sorgenkind, sein verkommener Neffe, an dem er Vaterstelle vertritt, einen Selbstmordversuch.

Fast ist es kein Selbstmord, fast ist es Mord. An Beethoven.

Er steht bebend und zitternd vor diesem neuen Schicksalsschlag.

Um sich — und jedem, der es nach ihm erleben wird — darüber hinwegzuhelfen, um auch aus diesem Leid aufzuerstehen, nimmt er noch einmal Notenblatt und Feder zur Hand.

In seiner letzten Komposition, dem Finale op. 130, bringt er auch dies »in Ordnung«.

Im Dezember 1826 wirft ihn eine Lungenentzündung endgültig nieder.

Vier Monate dauert das Ringen.

Dreimal versuchen die Ärzte, mit einer Punktion wenigstens die rapide fortschreitende Wassersucht aufzuhalten.

Aber es ist ja nicht das allein.

Blut, Zirkulation, Galle, Leberzirrhose.

Zwei Tage vor seinem Tode schwindet Beethoven das Bewußtsein.

Der Todeskampf setzt ein.

Das Herz arbeitet, die starken Lungen kämpfen gewal-

tig, um den Tod noch einmal abzuwenden. Es ist der
26. März 1827, 6 Uhr abends.

Draußen rast ein Schneesturm und läßt das Haus er-
zittern, der Himmel ist in Aufruhr, und grelle Blitze
zerreißen die Finsternis.

Beethoven öffnet noch einmal die Augen.

Er hebt die geballte Faust zum Fenster —
dann sinkt er zurück und ist tot.

DER RICHTER

Es ist meines Wissens noch nie untersucht worden, wie
weit die Reaktionen auf Beethovensche Musik durch die
reine Bildvorstellung seiner Gestalt mitbestimmt werden.
Ich meine nicht den Mythos, der sich um jede Person
seines Formats und um das Werk bildet.
Ich meine ganz prosaisch die Vorstellung seiner Erscheinung, seines Gesichts, seiner Züge.
Bis zu Beethoven ist das Antlitz eines der Genies nicht
unbedingt das »einzig mögliche«, das allein angemessene,
vorstellbare und auch tatsächlich vorgestellte. Unser Gefühl bestätigt auch wider unser besseres Wissen, daß
Dürer anders aussehen könnte, daß Kant das Gesicht
Lessings haben dürfte, ja sogar daß Luther mit den
Zügen Alberts des Großen, Melanchthons oder Bachs
denkbar ist.
Undenkbar aber ist zum erstenmal ein Verzicht auf unser
inneres Bild von Beethoven.
Undenkbar ist für ihn das Gesicht Carl Maria von We-
bers, Händels, Mozarts, Bachs, Brahms', Bruckners,
Schumanns, aber auch Dürers, Luthers, Kopernikus',
Holbeins, Klopstocks, Goethes. In die Nähe rückt allein
das Altersgesicht Rembrandts. Aber auch diese Vorstel-
lung, jede, ist mehr als unangenehm: Sie ist quälend!
Die Erklärung, daß das *natürlich* sei, weil sein Antlitz
von seinem Wesen und Leben geprägt wurde, genügt
selbstverständlich *nicht*. Auch Dürers Züge sind die
Skizze seines Schicksals. Wir wissen das genauso.

Jedoch: Wir *wollen* sie nicht unbedingt so bei Dürer. Nicht so, und nicht sonst irgendwie. Daran liegt es: Wir *wollen* aber Beethoven so.

Warum? Das Werk scheint unserem Gefühl nicht zu genügen. Wir wünschen und sind dankbar und um so tiefer bewegt, wenn sichtbare Zeichen des irdischen Beethoven uns bestätigen, daß er so war, wie es seine Musik aussagt. Daß er die Leiden, das Furioso, das Prometheische nicht lediglich »gewußt«, nicht wie die heutigen Pfarrer von der Selbstentäußerung »gesprochen«, sondern *erlebt* hat. Daß er Kronzeuge wie Christus ist.

Erst das erhöht unser Gefühl der Beruhigung über die Echtheit seines Trostes, der *unser* Trost ist, und seines Leidstolzes, der *unser* Stolz ist, mit dem wir — mit dieser Welt versöhnt — den Konzertsaal verlassen.

Beethovens Musik hat ja nicht deshalb allein die ungeheure Wirkung, weil sie musik-ästhetisch so vollendet ist. Das ist sie außerdem, und zwar in einem Maße, daß nach der Romantik sämtliche Komponisten den vergeblichen Versuch einer Steigerung oder Fortführung abbrechen und noch einmal bei Bach und Händel beginnen! Beethovens Musik hat eine ganz neue Seite unserer seelischen Kraft, unseres Reichtums aufgedeckt, dieselbe, die lange vor ihm für die Niederlande Rembrandt und für England Shakespeare (dem er sich mit Recht verwandt fühlte!) entdeckten: Ihr braucht nicht nur stolz auf euer Menschentum zu sein, wenn ihr (wie Dürer) *Grund* dazu zu haben glaubt — wenn es euch »gut geht«. Ihr könnt auch dort darauf stolz sein und wie ein Gigant durchs Leben gehen, wo ihr früher geweint habt!

Nie würden wir das von einem Theoretiker angenommen haben. Dazu gehört der ans Kreuz geschlagene Beethoven!

Bei Beethoven fängt das totale Beispielgeben und nicht nur Zeiten- und Sinneswenden an!

Mit dem gleichen Gefühl stehen wir vor dem, der seine ebenso erhabene Antithese ist, vor dem Nächsten und in diesem Sinne Letzten:

Vor Goethe.

»Die Natur wollte wissen, wie sie aussähe, da erschuf sie Goethe!«

In diesem einen Satz hat Heinrich Heine alle unsere Empfindungen über die Existenz Goethes zum Ausdruck gebracht.

Wir müssen uns ins Gedächtnis zurückrufen, in welchem Augenblick diese Gestalt erschien: Es war erdrückend, was innerhalb eines halben Jahrhunderts an »Entdeckungen« auf die Deutschen eingestürmt war! Durch Bach die absolute Musik, durch Kant das reine Denken, durch Klopstock die dichterische Erhebung, durch Beethoven das verspätete »Rembrandt-Erlebnis«. Wenn Goethe einmal gesteht, daß er anfangs von einem Extrem ins andere geworfen wurde, so ist er nur ein Spiegelbild für die ungeheure Belastungsprobe, die der seelisch empfängliche Teil der Deutschen durchzumachen hatte. Die Summe aller Erlebnisse und Wandlungen konnte man zwar nennen, es war eine Zahl. Aber ihre Wirkung, das Produkt war nicht übersehbar, es mußte ein Mensch sein. Kein anderes Volk außer dem deutschen hat erfahren, wie dieser Mensch aussieht! Frankreich, England, Spanien, Italien besitzen ihr Seh-Erlebnis, ihr Hör-Erlebnis, ihr Freiheits-Erlebnis, *ihren* Klopstock, *ihren* Beethoven, aber bei keinem anderen Volk ist es mehr zu einem Goethe gekommen.

Er kam auch für uns im allerletzten Moment. Goethe selbst hat es gewußt. »Wir werden, mit vielleicht noch wenigen, die Letzten sein ... Gott wird die Welt zusammenschlagen zu einer neuen Schöpfung.«

Goethe ist ein abschließendes Erlebnis. Jede Verwandlung in unserer langen Geschichte hat uns neue Zugänge zum seelischen Erleben, neue Reichtümer erschlossen. Aber alle standen für sich allein und isoliert da, alle waren maßlos und mit absolutem Anspruch, alle Erlebnisse waren Einbrüche, alle Genies gänzlich gleichgültig gegenüber einem Zusammenklang und gegenüber der Notwendigkeit, in den Menschen, in *einem* Menschen, nebeneinander wohnen zu müssen.

Andererseits leuchtet ein, daß jeder Gewinn zugleich ein Verlust der Harmonie und des Maßes war. Jedes Genie war zugleich in irgendeinem Sinne Zerstörer.

Wie sieht der so bereicherte und zugleich so zerstörte Mensch aus?

Wie retten wir unsere Harmonie, unsere Wurzeln in der Erde?

Das ist die Erkenntnis durch Goethe. Sie war zuvor nicht da. Und wie bei Beethoven genügt sein theoretisches Werk nicht: Er lebte das Exempel vor. Wer Goethes Leben kennt, steht staunend vor der Tatsache, daß das Schicksal jemandem gestattete, ein derartiger Mensch zu werden!

»Was kann ein Mensch?« rief Nietzsche.

Goethe hat die Frage mit seinem Leben beantwortet. Er hat uns ein *Maß* gegeben. Obwohl er der Inbegriff aller Erfahrungen und aller Erlebnisse ist, obwohl er »alle Dämonen verehren will und sich jeglichen Gott wünscht«, erdrückt er niemand, er zeigt nur lächelnd auf, wie das Produkt aller Erlebnisse aussieht, wieweit Harmonie noch möglich ist und wo das Höchstmaß an Glück liegt.

Seit Goethe orientieren sich die Menschen an seinem Leben und messen ihre Seele mit seinem geeichten Maß.

Goethes Ausgangsstellung war keine andere als die, die jeder von uns hat. Er durchraste die erste Zeit seines Lebens wie Faust, mit allen Fehlern, allen Illusionen, allen Widersprüchen, allen Mängeln, allem Ruinieren. Wir erkennen uns immer wieder in ihm.

Anders hätte er uns nichts lehren können.

Er kam nicht als Gott auf die Erde.

Aber er verließ sie — zu unserem Staunen — als Verzauberter.

JOHANN WOLFGANG VON GOETHE

Dr. jur., Rechtsanwalt,
Großherzogl. Minister der Finanzen,
Geheimer Legations- und Staatsrat
Geboren am 28. August 1749 in Frankfurt (Main)
Gestorben am 22. März 1832 in Weimar

Um die Mittagsstunde des 28. August 1749 wird Johann
Wolfgang Goethe in Frankfurt geboren.

Mit seinem ersten Schrei verwandelt sich das giebelige
Patrizierhaus am Hirschgraben, in dem man nur auf
Zehenspitzen gegangen war, in eine Kurierstelle.

Der Lotse, die Hebamme, geht von Bord. Der Vater tritt
wieder an seinen Platz.

J. Caspar Goethe, in seiner neuen Würde ebenso be-
schäftigungslos wie in seiner alten als »Kaiserlicher Rat«,
entsendet die Dienstboten mit der freudigen Nachricht
zu allen Freunden und Verwandten in alle Himmelsrichtungen Frankfurts, vor allem auf das Rathaus, wo
sein Schwiegervater Johann Wolfgang Textor als ober-
ster Richter residiert.

Rat Dr. jur. Goethe, wohlhabender Nachkomme von
Hufschmieden und Damenschneidern, und Stadtschult-
heiß Dr. jur. Textor, unbemittelter Nachfahre von Wissenschaftlern und Gelehrten, stehen dann gemeinsam an
der Wiege und betrachten das Kind mit dem gleichen
Gedanken: Hoffentlich artet es nicht *ihm* nach. Zwei
Welten!

Die Goethes sind von nagendem Ehrgeiz, mit dem Bil-
dungshunger frisch Umgesattelter, kritisch, systematisch,
beschäftigungsmanisch, ganz Auge.

Die Textors: lebenserfahren, genießerisch, temperamentsgeladen, beschwingt, bildungsgesättigt, seelische Feinschmecker, ganz Ohr.

Die Mutter des Kindes ist eine Textor, denkt der alte Herr beruhigt.

Ich aber werde ihn erziehen, denkt J. Caspar Goethe.

Johann Wolfgang ist kaum der Wiege entwachsen, da nimmt der Vater die Angelegenheit sogleich in die Hand. Systematische Belehrungen über die Welt der sichtbaren Dinge. Er zeigt ihm das Haus, er erklärt ihm die Gegenstände, er zeigt ihm die Stadt, er erklärt ihm Bilder. Was ist Italien? Was ist eine Uhr? Woher kommt der Regen?

Die Mutter, die junge, gute, lächelnde, erzählt ihm abends Märchen. Was ist ein Zauberer? Wer ist Dornröschen? Träumt er.

Als das Kind sieben Jahre alt ist, kurz nach seinem Geburtstag, tritt ein einschneidendes Ereignis ein.

Der dritte schlesische Krieg bricht aus! Franzosen kommen, die Goethes erhalten Einquartierung.

Sieben Jahre lang beherrscht dieses Dauer-Ereignis das ganze Haus. Auch in den Jahren danach tut sich noch vieles in Frankfurt.

1764 wird Joseph II. mit großem Pomp gekrönt.

Alles dies hinterläßt bei dem jungen Johann Wolfgang einen tiefen Eindruck.

Seine stärksten Erinnerungen sind immer im Sehen verwurzelt.

Er ist ganz Auge.

Er ist jetzt 16 Jahre alt.

Mit dem Aussehen eines jungen Apoll.

Er ist sehr gut erzogen. Er spricht mehrere Sprachen. Er ist aus wohlhabendem Hause.

Der Vater betrachtet ihn oft heimlich und versucht, ihn sich vorzustellen als alles das, was ihm selbst versagt blieb: als Ratsherr, als Richter, als Kammerpräsident. Aber es gelingt ihm schlecht. Immer ist das Bild dazwischen, wie der Sohn abends erschöpft nach Hause kommt und vom Französischen Theater, von den Freibilletts des Großvaters und den Desmoiselles zu plaudern beginnt.

Das Bild gelingt ihm einfach nicht.

Was geht hinter der Stirn dieses Jungen vor sich?

Er wird es sogleich erfahren, und es wird ihm Schrecken einjagen.

Mit 16 Jahren reist Johann Wolfgang zum Jurastudium nach Leipzig. Frankfurt entschwindet in der Ferne, in Leipzig entsteigt der Postkutsche das Urbild aller Flegeljahre. Niemand hat mit einer größeren Hypothek begonnen als dieser Johann Wolfgang Goethe. Den bunten schillernden Vogel sehen die Leipziger Familien, denen er empfohlen ist, mit kühlem Staunen.

Der Sechzehnjährige tändelt mit Stutzern durch die Straßen, der Siebzehnjährige lärmt durch die Weinkeller, der Achtzehnjährige amüsiert sich durch die Schlafzimmer. Im letzten Jahr steigert sich das Leben dieses Jungen zu einer Groteske von spießbürgerlichen Eheträumen mit Kätchen, obszönen Dichtungen, bohrenden Kunststudien, absurd zynischen und dann wieder wunderbaren Briefen. Eines Morgens, Juli 68, ist der Spuk zu Ende. Blutsturz.

Totenstille nach dem tösenden Lärmen.

An seinem 19. Geburtstag, kaum genesen, besteigt er die Eilpost und kehrt nach Hause zurück. Seine Ankunft am Hirschgraben gleicht der Ankunft des verlorenen Sohnes. Zwei Jahre lang sitzt er nun in seinem Dachstübchen.

Blick über den Main. Das verschrumpelte alte Fräulein von Klettenberg, Freundin des Hauses, strenge Pietistin, an seiner Seite.

Er läßt sich die Bibel kommen, er liest theosophische, kabbalistische und alchimistische Schriften.

Ich lebe, schreibt er, in einem empfindungsseligen Verkehr mit Gott und dem Heiland.

Der Vater betrachtet ihn mit düsterem Blick.

Der Sommer geht vorüber, der Herbst, der Winter, das nächste Frühjahr.

Es dürfte wohl so weit sein, meint der alte Rat. Der blasse Herr Sohn lächelt verbindlich.

Es wird die Universität Straßburg bestimmt. Leipzig erwähnt niemand, auch Wolfgang nicht. Er hat jene Zeit abgetan, wie man einen Handschuh abstreift.

Ein schlicht gekleideter, etwas scheuer junger Mann entsteigt in Straßburg der Postkutsche, ohne Blick für die Pariser Eleganz, den Versailler Zynismus, das studentische Treiben, die winkende pietistische Gemeinde.

Alles stößt er von sich ab.

Eine Zeitlang sitzt er so, eingesponnen fast wie ein Eigenbrödler, im Jus-Hörsaal, im medizinischen Auditorium, am Rheinufer, im Glockenstuhl des Münsters und in seiner Klause.

Eines Tages, einzig auf Grund einer zufälligen Begegnung, bricht der Kokon auf, und ein leuchtender Schmetterling dehnt sich in der Sonne. Der junge Goethe ist geboren.

Der Mann, dem er begegnete, war Herder.

Herder, universell gebildet, glänzender Kopf, faszinierender Redner, schließt ihm mit der Macht seiner Sprache die Herrlichkeiten der Kunst auf: Gotik, Homer, Klopstock, Bach, Shakespeare.

Goethe sitzt zu seinen Füßen, spricht kein Wort, hört nur zu.

Lichtgeblendet, flügelnaß und ein wenig torkelnd, so sieht ihn Herder.

Ja, so scheint es. Schon Rat Goethe hat nicht gewußt, was hinter dieser Stirn vorgeht.

Kaum ist Herder von Straßburg abgereist, reckt sich Goethe auf.

»Einzelne Menschen mögen einzelne Teile bearbeitet haben. Der Genius ist der erste, aus dessen Seele die Teile, in ein Ganzes zusammengewachsen, hervortreten.«

Ein sehr seltsames Wort von ihm aus dieser Zeit. Was soll das!

Geschwätz?

Denn was tut er? Was leistet er? Gar nichts.

Er geht aufs Land.

In Sesenheim verlebt er einige schöne Monate im Pfarrhof. Dort trifft er auf Friederike.

Zwischen ihm und des Pfarrers Töchterchen blüht jene Liebesidylle auf, die die Welt bis heute so entzückt hat.

Die Liebe zu dem Mädchen lockt die erste Lyrik aus ihm heraus.

Er besingt sie, er schenkt die Zettelchen ihr; es werden Liebeslieder, die klingen, als seien sie schon hundert Jahre lang unter den Dorflinden und an den Brunnen gesummt worden.

Ein Zettelchen lautet:

> *Erwache, Friederike,*
> *vertreib die Nacht,*
> *die einer deiner Blicke*
> *zum Tage macht!*
> *Der Vögel sanft Geflüster*

> *ruft liebevoll,*
> *daß mein geliebt Geschwister*
> *erwachen soll.*
> *Die Nachtigall im Schlafe*
> *hast du versäumt,*
> *so höre nun zur Strafe,*
> *was ich gereimt.*

Ein anderes:

> *Wie herrlich leuchtet*
> *mir die Natur!*
> *Wie glänzt die Sonne!*
> *Wie lacht die Flur!*
>
> *Er dringen Blüten*
> *aus jedem Zweig*
> *und tausend Stimmen*
> *aus dem Gesträuch*
> *und Freud und Wonne*
> *aus jeder Brust.*
> *O Erd', o Sonne,*
> *o Glück, o Lust . . .*

Welch ein Herz!

Glaubt er, daß er ein Dichter ist?

Er rührt nicht an diese Frage. Er schreibt nur seine »Berichte«, im übrigen *lebt* er.

Schon als er den ersten Schritt über die Schwelle setzt, zieht ihn die glückliche Atmosphäre der Sesenheimer Familie magisch an.

Er fiebert in allen Fasern, hier etwas von Glück und wunschloser Harmonie zu packen.

Er tritt ein und sieht sich suchend um — das Idyll ist verschwunden. Als er das Märchen berührte, erwachte es zum banalen Leben: Friederikes Herz steht in hellen

Flammen, der Vater ist in Beamtensorge, die Mutter voll reputierlicher Hoffnung.

Festgenagelt und entzaubert sitzt Johann Wolfgang nun abends unter der Lampe um den ovalen Tisch.

Das Ende der Idylle.

Eines Tages kehrt er nicht mehr zurück. Er reißt sich ohne Abschied los.

Zurück nach Straßburg.

Er macht die abschließende Doktorprüfung schlecht und recht mit einer Arbeit, die die Professoren eigentlich entsetzt, und steht eines Tages wieder vor den Eltern.

Dr. jur. Johann Wolfgang Goethe läßt sich am Hirschgraben als Rechtsanwalt nieder.

Sehr gesetzt. Er ist ganze 22 Jahre alt.

Er arbeitet auch an den »Frankfurter Gelehrten Anzeigen« mit.

Der Herr Rechtsanwalt schreibt natürlich sehr gediegen. Und kühl bis in die Fingerspitzen. C'est la vie. Und wahrscheinlich auch das Glück. Oder?

Geschichtliche und völkische Fragen interessieren ihn.

Er liest Bücher darüber, auch die Geschichte Gottfriedens von Berlichingen.

Er liest sie seiner Schwester vor. Er liebt das. Sie ist eine so vorzügliche »Echowand«.

Sie reden darüber, er erklärt ihr Szenen, es gibt ein Geplänkel, er macht ihr Personen vor, sie klatscht Beifall, er extemporiert, sie widerspricht — da geht er in seine Dachstube und schreibt in einem Zuge das Drama »Götz von Berlichingen« herunter. Er läßt es auf eigene Kosten drucken und gibt es, dem ersten Beispiel Klopstocks folgend, in die Buchhandlungen. Innerhalb von Tagen ist der Name des Dichters in aller Munde.

In jeder Postkutsche, die von Frankfurt in das Land hinausgeht, wandert ein Päckchen der dünnen Hefte mit, und als Johann Wolfgang im Mai 1772 nach Wetzlar kommt, ist sein Name auch dort schon ein Begriff.

»Hier kam ein gewisser Goethe aus Frankfurt an, seiner Hantierung nach Dr. Juris, 23 Jahre alt, einziger Sohn eines sehr reichen Vaters, um sich — dieses war seines Vaters Absicht — in Praxi umzusehen .. Gleich anfangs kündigten ihn die hiesigen schönen Geister als einen ihrer Mitbrüder an ... er ist ein sehr merkwürdiger Mensch.« Das ist ein Brief des jungen Herrn Kestner, Assessor am Reichskammergericht.

Seltsames Urteil. Goethe war zunächst nicht anders als andere Menschen. Wir wissen nicht mehr, was Kestner dazu veranlaßt hat. Jedenfalls hatte er gute Augen.

Kestner ist mit Charlotte Buff, einem reizenden, hausmütterlichen Seelchen, verlobt. Sie sind glücklich.

Goethe tritt auf und sieht dieses wunschlose Glück.

Da — da ist es wieder — Sesenheim!

Gepeinigt, voller Leidenschaft, wütend, mit dem Wunsch, wie ein Knabe die Blumen zu köpfen, steht er vor dem Anblick. Er macht kehrt, verläßt Wetzlar, er flieht. Er fühlt einen wilden Schmerz, obwohl er weiß, wie unsinnig und banal es ist.

Verstört kommt er am Hirschgraben an, steigt zu seiner Dachkammer hinauf und rast Seite um Seite herunter. Diesmal sind es keine Lieder. Es wird der »Werther«.

Das Buch erscheint und macht ihn mit einem Schlage weltberühmt. Eine Weile sitzt er noch dumpf und benommen da. Dann verwandelt sich die Erinnerung an den Aufruhr in ein Hochgefühl. An das Fenster seiner Dachkammer gelehnt und einem Gewitter zuschauend, schreibt er:

Bedecke deinen Himmel, Zeus,
mit Wolkendunst!
Und übe, dem Knaben gleich,
der Disteln köpft,
an Eichen dich und Bergeshöhn!
Mußt mir meine Erde
doch lassen stehn,
und meine Hütte,
die du nicht gebaut,
und meinen Herd,
um dessen Glut
du mich beneidest ...

Wie? Gott beneidet ihn? Das ist stark!

In einem Brief an Herder, seinen alten Straßburger Freund, dehnt und reckt er sich: »... Ich möchte beten, wie Moses im Koran: Herr mache mir Raum in meiner engen Brust.«

Aus seinem Freundeskreis schreibt jemand:

»Ein Besessener! Man braucht nur eine Stunde bei ihm zu sein, um es im höchsten Grade lächerlich zu finden, von ihm zu begehren, daß er anders denken und handeln solle, als er wirklich denkt und handelt ... so, wie die Saat reift.«

Während sie so über ihn reden, dreht er selbst sich um, steigt von seiner Dachkammer herunter und ist eines Morgens wieder Advokat.

Distanziert. Kühl.

Eine Zeitlang verläuft sein Leben äußerlich ruhig.

Er macht Ausflüge, treibt Sport, läßt sich ein bißchen bewundern, führt 28 Prozesse.

Privat studiert er, wohltemperiert, ein wenig die Griechen, ein wenig die Römer, ein wenig die Dichter, Maler und Musiker, die Philosophen. Er zeichnet frappant, er

ätzt in Kupfer, er formt in Gips und schneidet in Holz.
Es ist unklar, ob er es als eine Zeit des Lernens betrachtet und eine neue Vorstellung von den Möglichkeiten innerer Erlebnisse hat.

Wahrscheinlich nicht. Er ist 26 Jahre alt.

Er würgt zwar am »Faust« herum und beginnt mit der Niederschrift der Urfassung, aber in ihr bleibt noch alles im Äußerlichen stecken. In ihr ist Leipzig, Sesenheim, Wetzlar.

Das sind aber Dinge, die Millionen Menschen mit sich ausmachen.

Er legt das Manuskript auch prompt wieder weg.

Sein Blick scheint jetzt unmittelbar vor seine Füße gerichtet: Anerkennung, Bedeutung, Laufbahn, Dichterruhm.

Also wie jeder andere, der auf einem Gebiet früh Erfolg hat.

Er wird sich jetzt erst einmal den äußeren Rahmen schaffen. Er geht eine Verlobung ein.

Lili Schönemann ist jung, reich, schön, angesehen, Prototyp eines in der Gesellschaft fest verwurzelten Wesens, in dessen Familie man »einheiratet«.

Das macht aus Johann Wolfgang eine Zeitlang einen Mozartschen Kavalier.

Blumen.

Konfekt.

Redouten.

Prinzenbekanntschaften.

Plötzlich jedoch eine verdächtig leicht beschlossene Reise mit Freunden in die Schweiz. Dort trifft er den Weimarer Erbprinzen wieder, den er zuvor zufällig kennengelernt hatte.

Rückkehr.

Anscheinend alles unverändert. Lili wird in einigen Gedichten besungen, sehr schönen, sehr gekonnten.

Sie selbst ist auch unverändert. Schön, geistreich, gepflegt, spielerisch-distanzierend.

Blumen.

Konfekt.

Redouten.

Da trifft die Nachricht ein, daß der Erbprinz Regent geworden ist und Goethe zu sich nach Weimar lädt.

Eine Equipage des Herzogs wird geschickt. Goethe steigt ein, löst die Verlobung, fährt ab ...

Sesenheim der oberen Zehntausend. Wie damals.

Eine Flucht. Eine ahnungsvolle Flucht.

Aus dem »kurzen Besuch« in Weimar werden 57 Jahre.

Der Herzog, gleichaltrig, wird Goethes Freund.

Johann Wolfgang erwacht sofort wieder zu einem Feuerkopf.

Am Weimarer Hof wirbelt der Staub auf. Goethe entfesselt in dem jungen Herzog eine wahre Wonne, sich in Natürlichkeit und Lebenslust zu stürzen.

Hufeland, der spätere Arzt der Königin Luise, lacht sich eins und schreibt:

»Dieser junge 27jährige feurige Herr Doctor brachte eine wunderbare Revolution in diesem Orte hervor, der bisher ziemlich philisterhaft gewesen war und nun plötzlich genialisiert wurde. Es war kein Wunder. Man kann sich keinen schöneren Mann vorstellen. Dabei sein lebhafter Geist und seine Kraft, die seltenste Vereinigung geistiger und körperlicher Vollkommenheit, groß, stark und schön; in allen körperlichen Übungen: Reiten, Fechten, Voltigieren, Tanzen, war er der Erste. Ich habe nie etwas

Schöneres und Vollendeteres gesehen. Zu dem allen kam nun noch seine Gunst bei dem jungen Fürsten, der eben die Regierung angetreten hatte, und den er ebenfalls plötzlich aus seiner pedantischen, beschränkten, verzärtelten Hofexistenz ins freie Leben hinausriß, und damit anfing, daß er ihn im Winter eiskalte Bäder nehmen ließ, ihn beständig in freier Luft erhielt und mit ihm in seinem Land herumreiste, wodurch man auch genaue Kenntnis des Landes und der Persönlichkeiten erwarb. Die erste natürliche Folge dieser heroischen Kur war freilich eine tödliche Krankheit des Herzogs, aber er überstand sie glücklich.«

Aber Carl August ist nicht blind. Er sieht sehr wohl, daß da System drin steckt. Noch nie fühlte er sich so widerstandsfähig. Noch nie war er so genau über sein Land orientiert.

Er möchte, daß Goethe für immer in Weimar bleibt. Er kauft ihm ein Haus und macht ihn zum Rat.

In diesen Jahren ist Goethe selbst ganz in den Rausch des Staatsempfindens, des Gefühls für Staatsleben, gekommen. Er selbst brennt darauf, tätig in die große Maschinerie der Führung des Volkes einzugreifen.

Sofort findet er auch innerlich das Maß. »Das Maß«, das ihm fortan immer heilig sein wird.

Er bremst die Wildheit und das Robuste dieser Periode, er löst sich vorsichtig aus der privaten Sphäre des Herzogs, ja, er befiehlt ihm geradezu, nun ganz Fürst und Regent zu sein, sich zu distanzieren, zu arbeiten, zu regieren und souverän zu sein.

Carl August macht diese Wendung, sie gelingt auch einigermaßen, und erster Staatsmann mit ottonischem Geist wird Johann Wolfgang Goethe.

Lenker der Geschicke. Nicht zu viel gesagt.

Wohltäter. Erster Arbeiter.

Alles gelingt Goethe bis zur Vollendung, und der Herzog kann nicht besser fahren, als ihn zum Minister zu machen.

1782 übernimmt Goethe das Amt. Zugleich wird er in den Adelsstand erhoben.

Er arbeitet von morgens bis abends, rastlos. Er hat wenig Umgang: Carl August, Frau von Stein, Herder, sonst kaum noch jemand.

Seine Berichte und Akten: Klug, besonnen, klar, fachkundig.

Getreues Spiegelbild: seine Dichtung dieser Zeit. Er hat die ungeheure Begnadung, traumwandlerisch reflektieren zu können. So wird sein ganzes dichterisches Schaffen für die Nachwelt ein einziger gewaltiger »Bericht«. In dieser Zeit entstehen Iphigenie, Tasso, Egmont. Form-, maß- und sprachvollendet. Andante maestoso.

Seine Arbeitskraft muß unerschöpflich sein. Er selbst nennt es »tätig«. Nicht mehr. Tätig, das Wort erscheint von nun an immer wieder bei ihm, es ist geradezu sein Vermächtnis. Noch im hohen Alter wiederholt er immer aufs neue, daß man zu keinem Gebiet des inneren Erlebens kommen kann, ohne tätig zu sein. Es gäbe nur ein tätiges Glück.

Nun — er wird es uns ja zeigen. Es ist sein Auftrag des Schicksals.

Er ist jetzt alles das, was man sich dazu ersehnen könnte: Rat, Finanzminister, Präsident des Kriegskollegiums, Direktor des Bauwesens, Direktor der Kunstakademie, Schauspieler, Intendant.

Würde er immer noch sagen: Herr, mache mir Raum in meiner engen Brust?

Welche Frage! Er ist ja erst auf dem Wege.

In einer einsamen Stunde schreibt er:

> *Füllest wieder Busch und Tal*
> *still mit Nebelglanz,*
> *lösest endlich auch einmal*
> *meine Seele ganz ...*

Um 1783 bis 1786 herum kommt er in ein Stadium, in dem er sich die Reiche des Albertus und Kopernikus ganz aufschließt. Ausgelöst wird es durch eine Harzreise und die Begegnung mit dem Forscher Sömmering.
Goethe schwelgt in naturwissenschaftlichen Studien.
Die Abhandlung »Der Granit« ist noch stark dichterisch, aber er korrigiert sich selbst sofort und stößt weiter vor bis zum kahlen Kern Kopernikeischen Glücks, und wenig später präsentiert er der Öffentlichkeit seine anatomische Entdeckung des menschlichen Zwischenkieferknochens.
Immer weiter wird das Feld.
So steht es, als er am 3. September — er weilt gerade zur Erholung in Karlsbad — plötzlich alles von sich wirft und fluchtartig, ohne jemand zu verständigen, nach Italien abreist!
Das Sesenheim des Staatsmannes.
Die Angst, an einer Station steckenzubleiben und die Seele nicht »endlich einmal ganz« gelöst zu bekommen. Denn jetzt hat er die volle Weite, von der wir Menschen immer nur ein Stück besitzen, blitzartig überschaut.
Bis zum April 1788 bleibt er in Verona, Venedig, Bologna, Neapel, Sizilien, Rom. Völlig entrückt und verzückt. »Welche Seligkeit! Träum ich?« ruft er in den »Römischen Elegien«, »Phöbus rufet, der Gott, Formen und Farben hervor!«

Er malt und zeichnet, er schreibt die Iphigenie in Verse um, er schreibt den »Römischen Karneval« und die »Italienische Reise«.

In Weimar wartet der Herzog. Er wartet geduldig. Fast zwei Jahre.

Wird Goethe heimkehren, und wie wird er heimkehren?

Am 22. Juni 1788 ist Goethe wieder in Weimar.

Brief an den Herzog:

»Ich habe mich in dieser anderthalbjährigen Einsamkeit selbst wiedergefunden. Aber als was? ...« Und er fährt, der weltlichen Tüchtigkeit geschickt Tribut zollend, mit einem Lächeln und einem biblischen Zitat fort: »Ich kann nur sagen: Herr, hie bin ich, mach aus Deinem Knecht, was Du willst. Jeder Platz, den Sie mir aufheben, soll mir lieb sein.«

Carl August reicht ihm die Hand. Goethe wird wieder sein Ratgeber.

Dem Herzog ist längst klargeworden, daß Goethe ein Naturereignis ist, kein Beispiel, sondern eine Orientierung.

Eine Fülle von Werken entsteht. Er hat jetzt alle Bereiche: Ottos, Alberts, Dürers, Luthers, Kopernikus', Bachs, Klopstocks. Da ihm ein Gott die Gnade gab, uns davon in seinen Werken Bericht zu geben, wissen wir es. Mit der wachsenden Fülle wird seine Ruhe größer und seine einstmals so unbestimmte Sehnsucht kleiner.

Er schreibt die »Römischen Elegien«, er übernimmt das Hoftheater, begleitet den Herzog an die Front, erlebt den französischen Krieg, verfaßt seine »Beiträge zur Optik«, beruft Schiller zum Geschichtsprofessor, reformiert die Universität Jena, diskutiert mit Hufeland, schreibt eine Arbeit über die Knochenlehre, schreibt dazwischen seinen pädagogischen Entwicklungsroman »Wilhelm

Meister« in einem Zuge herunter, zieht den Komponisten Zelter zu sich heran und beginnt seine Studien zu
der berühmten und später so viel umstrittenen »Farben-
lehre«.

Da kommt Kant auf!

Goethes Werk berichtet, wie er ihn in sich aufgenommen
und eingebettet hat. Man kann geradezu beobachten, wie
er sich listig umsieht! Wie er die Tür zum Laboratorium
Gottes nur einen Spalt breit öffnet. Kopernikus! Keinen
Schritt weiter geht er in die Kälte.

Im 19. Jahrhundert des Materialismus wird man über
den »Dilettanten« lachen. Aber nach abermals hundert
Jahren wird das Lachen vergehen. Heute ahnt die Welt
schon etwas von der Größe seines lebenserhaltenden
Gefühls und der Kraft, mit der er unsere nahende Entzauberung von sich fernhielt.

Auf einem Spaziergang trägt er seine »Metamorphose
der Pflanzen« einmal Schiller vor.

»Das ist keine Erfahrung, das ist eine Idee!« ruft Schiller schroff abweisend mit dem Stolz des Wissenschaft-
lers.

Das geschieht im Juni 1794.

Im August schreibt Schiller bereits an Goethe, es werde
ihn Zeit kosten, alle die wunderbaren Ideen zu erfassen,
aber keine einzige solle verlorengehen.

Und wenig später kapituliert er vollständig. Sein scharfer Verstand erkennt den einzigartigen Mann, der solche
Erlebnisse besitzt ohne den Verlust des Daimonions.

Er erkennt, daß Goethe ihm weit überlegen ist. Was ist
sein eigenes Leben, sein eigenes Werk? Gerade jene
»Idee«, über die er so entsetzt war. Und Goethes Leben
und Werk? Jene »Erfahrung«. Alle Menschen werden
sich in seinen Teilen wiedererkennen, und sie werden

Goethes Werk aufblättern und nachlesen wie in einem Lexikon: Was kann der Mensch?

Der Reichtum und die Pracht aller Geniefeuer glühen in ihm auf. Es gibt Zeugnisse, mitunter nur ein paar Zeilen, da steckt die Vollkommenheit der Übereinstimmung mit der Welt drin, die Summe der abendländischen Ernte.

1797 schreibt er sein wundervolles Epos »Hermann und Dorothea«. Symbolisch: Das Epos beginnt, nachdem alle turbulenten äußeren Ereignisse der Vorgeschichte vorüber sind.

Weimar, ja eigentlich schon ganz Deutschland, erblickt in Goethe zu dieser Zeit bereits einen sich selbst Verzaubernden.

Auch er hat seinen Alltag. Wie alle.

Aber wie verwandelt sich bei ihm alles von selbst! Wie spielend leicht kehrt er immer wieder in die Verzauberung zurück: Vor seinem Fenster lärmen die Kinder, Goethe ist außer sich vor Zorn, er reißt das Fenster auf und schimpft — dann dreht er sich um, tritt zum Pult und schreibt:

»Ich komme bald, ihr goldenen Kinder ...«

Das ist der Blick durch ein Phänomen hindurch auf das Ur-Phänomen. Und in diesem Bereich gibt es keinen Widerspruch mehr und keine Disharmonie.

1801 — Goethe ist 52 Jahre alt — packt ihn plötzlich eine fast tödliche Krankheit.

Frau v. Stein in einem Brief an ihren Sohn:

»Er kann in kein Bett und muß in einer stehenden Stellung erhalten werden, sonst muß er ersticken. Der Hals ist verschwollen und dick und voller Blasen inwendig. Sein linkes Auge ist ihm wie eine große Nuß herausgetreten und läuft Blut und Materie heraus. Oft phantasiert er, man fürchtet vor einer Entzündung im Gehirn, ließ ihn stark zur Ader, gab ihm Senffußbäder, doch ist diese Nacht der Krampfhusten wiedergekommen ...«

Der Herzog holt alle Kapazitäten, die erreichbar sind, mit Sonderposten herbei.

Goethe liegt neun Tage lang im Delirium.

Es ist, wie wir heute wissen, eine Gehirnhautentzündung mit Ödem des Kehlkopfes und infektiöser Genickstarre.

Der Anblick ist schrecklich. So tief stürzt ihn die Natur.

Goethe — als es ihm besser geht — sieht die Besucher mit erschrockenen Mienen um sich herumstehen und weint.

Er weint aus Scham.

Endlich ist die schwere Zeit, in der er seelisch versagt zu haben glaubt, vorüber.

Er fährt zur Kur in Bäder.

Die Erholung geht langsam vor sich. Die Erschütterung ist doch sehr groß gewesen.

Das einzige, wonach er sich jetzt sehnt, ist Musik. Er läßt sich Johann Sebastian Bach vorspielen.

Es dauert noch eine geraume Zeit, bis Goethe aus diesem Ereignis mit gesteigerter Freude und neuem Tatendrang hervorgeht.

Davor liegt noch: 1805 stirbt Schiller. 1806 plündern Napoleons Soldaten Weimar, und eine marodierende Horde versucht Goethe zu erschlagen.

Jahre einer unheilvollen Zeit.

Nach dem Ereignis mit den französischen Marodeuren heiratet er Christiane, das Mädchen Christiane Vulpius, das er nach seiner Italienreise auf so schicksalsironische Weise kennengelernt hat. Sie hatte ihn um Protektion für ihren ausgerechnet Räuberpistolen schreibenden Bruder gebeten.

Nicht Kätchen, nicht Friederike, nicht Lili — Christiane ist *Italien.*

Eine einfache, vegetative Verbindung.

Langsam rangieren sich die Dinge draußen in der Welt wieder ein.

Napoleon empfängt ihn: Voilà un homme! Lächeln Goethes.

Langsam erwacht auch in ihm selbst wieder alles.

Nur der *tätige* Mensch ist für ihn die Form, in der man in der Welt steht.

Er übernimmt wieder Staatsaufgaben, forscht, schreibt, lehrt, musiziert, zeichnet, dichtet.

Es entstehen »Wahlverwandtschaften«, »Westöstlicher Diwan«, »Dichtung und Wahrheit«, »Zur Morphologie«, »Geschichte meines botanischen Studiums« und »Meteorologie«.

In diesen »Berichten« scheint nicht eins, es scheinen zehn pralle Leben darin zu stecken.

Und schließlich »Faust« I. Teil.

Verleger Cotta erwirbt sein Gesamtwerk.

Er sieht in ihm nur den großen Dichter.

Das ist natürlich.

Er hält ihn aber für einen so großen, daß er ihm eine halbe Million Mark zahlt.

Goethe ist alt, da holt ihn die letzte der deutschen Genietaten ein: Am 19. Juli 1812 steht er in Teplitz Beethoven gegenüber.

Vor einem Jahr schon hat er in Weimar seine Sonaten gehört. Sie waren vielleicht nicht sehr gut gespielt, aber es hat ihn wie ein Tornado überfahren.

Damals schon hat er geschrieben: »Es ist nicht anders möglich, was so auf der Kippe steht, muß sterben

oder verrückt werden, da ist keine andere Gnade.«
Nun hört er Beethoven selbst.

Die Erschütterung ist ungeheuer.

Sie ist so groß, daß er danach glaubt, ein Orchesterwerk
Beethovens nicht ertragen zu können, und auch bis an
sein Ende keines mehr zu hören wagt.

Ganz selten spielt ihm später Felix Mendelssohn-Bart-
holdy ein paar Sätze auf dem Klavier vor.

Immer winkt Goethe nach ein paar Minuten ab. Einmal
spricht er es aus:

»Bedarf ich eines Gottes, so ist dafür gesorgt.«

1816 stirbt Christiane. 1817 stirbt Charlotte von Stein.
1828 stirbt Herzog Carl August. 1830 stirbt Goethes
Sohn in Rom.

In großer Einsamkeit, mit nicht minder majestätischem
Stolz als Beethoven, lebt er sein Leben zu Ende. In Ein-
klang mit allem.

Es entstehen noch wundervolle Gedichte. Und die »Ma-
rienbader Elegie.«

Er vollendet »Wilhelm Meister« und »Dichtung und
Wahrheit«, den Bericht seines Lebens.

Die Sonne sinkt über Kerkyra, Odysseus wandert gelassen zum Strand, wo das Boot schon wartet.

1831 schließt er sein Lebenswerk mit dem 2. Teil des
»Faust« ab.

Im Frühjahr 1832 erkrankt er, erholt sich jedoch scheinbar noch einmal.

Aber es trügt.

Am Tage nach Frühlingsanfang, am 22. März 1832 — es
ist Mittag, er sitzt im Lehnstuhl und Ottilie, seine
Schwiegertochter, ist bei ihm und streichelt ihn — ent-
schläft er ruhig und ohne Kampf.

Odysseus ist entschwunden. Faust ist tot.

»La natura lo fece e ne ruppe la mole.«

»Die Natur erschuf ihn und zerbrach das Modell zu ihm.«

Als Goethe starb, hatte er ein völlig neues Bild des Deutschen geschaffen. Die Verzückung der Rahel Varnhagen und der Arnims, Brentanos und Schlegels, die einen wahren Goethekult trieben, galt dem Mann, der mit seinem Leben die höchstmögliche Existenz eines Menschen überhaupt aufgezeigt zu haben schien.

Er war ein phäakischer Gott gewesen, der 80 Jahre lang sein Wesen getrieben hatte unter modernen menschlichen Voraussetzungen. Seine Epoche war überzeugt, daß er schlechthin Maßstab des seelischen Glücksempfindens für alle Zeiten bleiben würde. Sie hat sich bis heute nicht getäuscht.

Er ist in den Abend hineingewandert wie niemand mehr. »Ihr glücklichen Augen, was je ihr gesehn, es sei, wie es wolle, es war doch so schön!« Diese immer fraglicher gewordene Gewißheit brauchten wir.

Obwohl anzunehmen ist, daß er die materialistische Entwicklung des 19. Jahrhunderts, von der ein Vierteljahrhundert noch in sein Leben fiel, nicht überblickte, wehrte sich in ihm alles dagegen. Sein ganzes Leben war ein einziger gigantischer Versuch, gegen den drohenden Verlust seelischen Reichtums und seelischer Dämonie den Übereinklang menschlichen disharmonischen Daseins mit den ewigen harmonischen Lebensgesetzen der Natur, den »Ur-Phänomenen«, zu finden. »Der Mensch muß wieder ruiniert werden!« hat er einmal dunkel aber wie unter einem Zwang gesagt. Er fühlte, daß für die Menschen wie für einen Baum immer aufs neue ein Winter kommen muß; daß nur dadurch neue Knospen und Zweige treiben.

Er war der erste, der vom Genie verlangte, es müsse den alten Menschen ruinieren! Auch er tat es, indem er ein Werk hinstellte, das uns auf allen nur denkbaren Gebieten neue Maßstäbe gab; Maßstäbe von einer Gültigkeit, die er zum erstenmal in der Geschichte unseres Lebens von der Gebundenheit an jeglichen Stil und dessen ästhetische Relativität befreite.

Seine Gesetze für Schönheit und seine Maßstäbe für menschliches Glücksgefühl gelten heute noch, und es hat den Anschein, als würden sie ausreichen bis ans Ende der abendländischen Kultur. So sehr sind sie der Seele des Menschen gemäß.

Große Männer vor Goethe haben uns gesagt, wer ein Christ ist, wer ein Zweifler ist, wer ein Dämon ist, wer ein Held ist, wer ein Suchender ist. Wieviel menschliche Varianten gibt es noch? Goethe hat uns zum erstenmal den Star gestochen, uns in die Klassifizierung zu retten. Er hat uns gesagt, was ein *Mensch* ist.

In seiner Totenrede auf Goethe sagte der große Philosoph Schelling: »In seinem Geist und seinem Herzen kann nun Deutschland für alles, wovon es in Kunst oder Wissenschaft, in der Poesie oder im Leben bewegt wurde, das Urteil väterlicher Weisheit, die letzte, versöhnende Entscheidung zu finden sicher sein.«

Hundert Jahre lang, von der »Sturm und Drang«-Zeit über die Klassik bis zum Ende der Romantik, war Goethes Wirkung ungeheuer groß. Auch die Menschen der Gegenwart sind von ihm geprägt.

Aber nach seinem Tode wurde eine Entwicklung deutlich, gegen die alle früheren Fragen und Sorgen belanglos erschienen. Es bahnte sich etwas ganz Merkwürdiges, in seinen Folgen zunächst gar nicht Überschaubares an.

Wir wissen heute, 100 Jahre später, was das bedeutete. Als Oswald Spengler es 1917 zum erstenmal mit wissenschaftlicher Genauigkeit darlegte und bewies, war es für den Verstand und die Augen aller zwar einleuchtend, aber dem illusionistischen menschlichen Selbsterhaltungstrieb und Lebenswillen schroff entgegengesetzt; so schroff, daß sich heute das Schauspiel seiner Verdrängung ins Unterbewußtsein bei ganzen Völkerscharen vollzieht. Es ist das Schauspiel, das *alle* untergehenden Kulturkreise erlebt haben und das infolge seiner Ausmaße die phantastischste Illustration zu dem Wort ist: Wen die Götter vernichten wollen, den schlagen sie mit Blindheit.

Was aber konnte man 1830, 1840, 1850 sehen?

Man erlebte, wie die riesige Masse des Volkes der Führung der bisherigen Mittlerschicht nicht mehr folgte. Fälle, die im ersten Augenblick so ähnlich aussahen, hatte es in der Geschichte schon vorher gegeben. Immer aber hatten bedeutende Männer den Kontakt, die Influenz wiederhergestellt und die Arbeit an der Verwandlung fortsetzen können.

Diesmal aber war es ein Stehenlassen der Führung. Die Masse kündigte den »Dressur«-Akt offensichtlich ein für alle Male auf.

Zwei äußere Ereignisse schufen für diese Entwicklung die handfeste Basis:

Seit am 17. März 1813 König Friedrich Wilhelm III. in seinem Aufruf »An mein Volk« zum erstenmal in der deutschen Geschichte nicht befohlen, sondern um Hilfe gerufen, *gebeten* hatte, und seit das Volk ihm diesen Gefallen getan hatte, war eine seltsame Veränderung in der Masse vor sich gegangen. Jenes Jahr und sein Ereignis wurden zu dem vermittelnden Erlebnis, um nachträglich noch an den Ideen der Französischen Revolution Geschmack zu finden. Es waren die äußerlichen Folgerungen jener Revolution, die praktische Nutzanwendung, die jetzt einzuleuchten und zu locken begannen.

Der Wirkstoff eines zwanzig Jahre zurückliegenden Ereignisses drang jetzt ein.

Es kam zu einer Umwälzung: einer völligen Umschichtung der Menschen und Mächte!

Bei Goethes Tode war sogar schon eine »Revolution«, die Revolte von 1830, vor sich gegangen. Man hatte nach dem Muster von Paris Schlösser in Brand gesteckt und Fürsten verjagt.

Das andere einschneidende Ereignis war die Industrialisierung. Die Erfindung zahlloser Maschinen hatte eine gänzliche Umstellung der Wirtschaft angebahnt. 1830 waren Industrialisierung und Entpersönlichung in vollem Gange. Durch beides, durch die politischen wie die wirtschaftlichen Veränderungen kamen Menschenmassen in Bewegung und *zur Macht,* die gänzlich ohne historisches »Gepäck« waren.

Mit einer Schnelligkeit, die zu Goethes Zeit noch niemand vorauszusagen gewagt hätte, veränderte sich die führende Schicht. Der Adel sank weitgehend zur Bedeutungslosigkeit herab, das Patriziat der Bürger verarmte, die Wissenschaft wurde mit festem Gehalt und Aufträgen engagiert, die Künstler dagegen verloren dieses Verhältnis, und ein hoher Prozentsatz von ihnen tauschte die Bohemefreiheit gegen das rapid fortschreitende gesellschaftliche Absinken ein. Der Rest begann einen Wettkampf um Originalität. »Produktion« begann über Leichen zu schreiten.

Diese beiden Hand in Hand gehenden Entwicklungen, die politische und die wirtschaftliche, sind, wie die Geschichte beweist, stets Begleiterscheinungen bei Kulturen, die sich in einem ganz bestimmten Zustand befinden. Es ist das Stadium, in dem eine seelische Bereicherung nicht mehr stattfindet. Das Stadium, in dem die unserer Erfahrung nach möglichen seelischen Bereiche erschöpft, das heißt: durchlaufen sind. So war es in Hellas, so war es im alten Rom. Nur kommt diesmal noch etwas hinzu, was dieser abendländischen und damit deutschen Kulturepoche etwas Endgültiges gibt. Wir werden es am Schluß des Buches noch sehen.

Die zur Macht gekommene Masse drückte in der Mitte des 19. Jahrhunderts bereits mit aller Kraft das Leben sowohl auf materiellen wie auf geistigen Gebieten in eine bestimmte Richtung. Rasch erkannten auch die traditionell zur Stelle stehenden verkrachten Intellektuellen ihre Organisationsmöglichkeiten. Schon bei den kommunistischen Regungen in Sachsen und Thüringen zur Zeit der Lutherischen Revolution war der berüchtigte »Bauer von Wöhrd« kein Bauer, sondern ein intellektueller Mönch gewesen. In der Französischen Revolution waren Mirabeau ein Graf, Marat ein Mediziner, Danton und Robespierre Juristen. Das winzige Wörtchen »de«, das Robespierre jahrelang in der Revolution widerrechtlich vor seinen Namen setzte, beweist, was die Lebensgeschichte aller dieser Menschen bei genauerer Untersuchung zeigt: daß ihre Triebfedern sehr oft der Haß der Enttäuschten und Zurückgewiesenen, die Machtlust der Gescheiterten war.

Die Umschichtung der Menschen im 19. Jahrhundert hat zahllose solcher Gestalten, die dem Arbeiter in Wahrheit wesensfremd waren, angelockt. Während der Arbeiter damals die Mechanisierung und Industrialisierung instinktiv noch erbittert bekämpfte und ablehnte, hatten die Organisatoren sehr bald bemerkt, daß die Weiterentwicklung ihre Macht nur noch vergrößern konnte. Als die nächste Generation herangewachsen war, gab es schon den »echten« Fabrikarbeiter, der es von vornherein war und nicht umgeschulter Handwerker.

Um diese Zeit begründete Dr. Karl Marx zusammen mit Engels und Lassalle eine »wissenschaftliche Lehre« für die Massen. Feuerbach stellte eine Philosophie des reinen Materialismus auf. Von zwei Seiten wurden dem Volk also hier die Zwecklosigkeit und angebliche Unsinnigkeit von jeglichem Idealismus und jeglicher Metaphysik dargelegt. In gleicher Richtung leistete die bereits weitgehend im Auftrage der Wirtschaft arbeitende Wissenschaft Hilfe, denn ihre Ambitionen gingen natürlicherweise in Richtung der Auswertbarkeit, des Nutzeffekts, der Entzauberung, der Messung. Der Materialismus griff mit Riesenschritten um sich. Kurzum, es war die Zeit, wo man das Gefühl hatte, seit Goethes Pantheismus und Natur-Irrationalismus seien tausend Jahre vergangen.

Die Veränderung der Menschen war eine so vollständige, daß man im ersten Moment vermuten *muß*, es sei als Ursache ein großer Beweger da.

Aber diese Frage ist schon oft untersucht und immer negativ beantwortet worden, zuletzt und am gültigsten von Oswald Spengler in seinem »Untergang des Abendlandes«.

Die ungeheure Veränderung kam nicht durch eine Vermehrung der Substanz, nicht durch Erwerbung einer neuen seelischen Fähigkeit zustande, sondern durch *Verlust!*

Auch wesentlicher Verlust kann verwandeln. Ein Verdorren kann die Silhouette eines Baumes selbstverständlich verändern. Es erhebt sich die Frage: Ist diese Entwicklung durch die Machtergreifung der Masse ermöglicht worden, oder ist die Diktatur der Masse erst die Folge des Verlustes einer seelischen Weiterentwicklung gewesen?

Eine Frage, deren Beantwortung müßig ist. Die Geschichte früherer Kulturen beweist, daß beides stets Hand in Hand geht. Eine Uhr läuft eben einmal ab. Eine Spannkraft ist eben eines Tages verbraucht. Das ist Schicksal.

Die kleine, früher führende geistige Schicht ist zunächst nie von dem Verlust betroffen, nur hat diese Tatsache keinerlei Bedeutung mehr; dafür sorgte das Schicksal durch die Aufstülpung der Massen.

In seelische Katakomben, oder wie man heute sagen würde: in die innere Emigration ging die einstmals tragende, nun zu einem kleinen, echolosen Kreis herabgesunkene Schicht.

Der Perpendikel schien aus der Seele wie aus einer Uhr ausgehakt. Wie es Sterbenden in der letzten Sekunde ergehen soll, so durchraste das Jahrhundert anscheinend noch einmal alles Gehörte und Gesehene. Die Stile und Manieren lösten sich in Windeseile ab, auf den Realismus folgte der Impressionismus, auf den Impressionismus der Pointillismus, auf den Pointillismus der Naturalismus, auf den Naturalismus der Expressionismus, auf den Expressionismus der Futurismus, auf den

Futurismus der Abstraktismus, auf den Abstraktismus die Neue Sachlichkeit, auf die Neue Sachlichkeit der Surrealismus, auf den Surrealismus der Existentialismus. Negermusik, Indianerplastiken, Insulanerbauten, chinesische Malerei, japanische Lyrik, indische Philosophie wurden in ganz Europa beheimatet. Wie im späten Rom aus allen Erdteilen die fremden Kulte die Übersättigten lockten, so füllten die Menschen jetzt gern russische Kathedralen, jüdische Tempel und mohammedanische Moscheen zu Gottesdiensten. Alles wurde von der Intelligenz ästhetisierend gemessen. Die Masse verachtete es.

Es ist eine Fülle von »Angeboten« auf ästhetischem Gebiet, die an unseren Augen vorüberfliegt: Anselm Feuerbach, Adolf Menzel, Wilhelm Leibl, Hans von Marées, Max Liebermann, Lovis Corinth, Max Slevogt, Nolde, Kirchner, Schmidt-Rottluff, Marc, Kokoschka, Hofer, Klee, Kolbe, Lehmbruck, Barlach, Mataré, Marcks; Klenze, Semper, Behrens, Pölzig, Hötger. Die Musik hetzt in zwei Generationen vom noblen Brahms über den rauschenden Wagner, den mathematischen Reger, über Mahler, Pfitzner, Richard Strauß bis kurz nach der Jahrhundertwende zu dem 12-Ton-»System« Schönbergs und der Atonalität Hindemiths.

Rasend sind die Schreibfedern und Schreibmaschinen in Bewegung. Aber fast niemand hat nach der Romantik etwas mitzuteilen, was über »schön«, »liebenswert«, »idyllisch« und »interessant« hinausgeht, niemand etwas, was über Goethe hinausginge. Büchner, Immermann, Mörike, Stifter, Keller, Freytag, Storm, Fontane, Raabe, Hebbel, Gerhart Hauptmann, Hofmannsthal, Rilke — Virtuosen, Sänger, Pantomimen, Eremiten — nirgends Verwandler.

Der offensichtlich hektischen Ruhelosigkeit stemmten sich konservative Kräfte entgegen, die seelisch nicht minder ohnmächtig waren. Von ihnen gingen die Versuche aus, vom Staatspolitischen her eine Stabilisierung, Erneuerung, Reformation herbeizuführen und den Anschluß an die, etwa mit Goethes Tod und Ende der Romantik, verlorengegangene große Linie früherer Zeiten einfach von der Ordnung her, also in einer Art ottonischem Sinne wieder zu bekommen.

Auch auf diesem Gebiet könnte man einen Augenblick lang die Vermutung haben, es sei ein Genie am Werke gewesen, denn 1870/71 gelang einem Mann eine Tat, die ihn allerdings wirklich unter die Größten einreiht. Ich meine Bismarck.

Jedoch es war, wie wir heute wissen, ein Intermezzo.

Seit Metternich nach dem Wiener Kongreß sagte: »Es ist mein geheimster Gedanke, daß das alte Europa am Anfang seines Endes ist. Zwischen dem Ende und dem Neuen wird es ein Chaos geben« — seitdem hatte man an den bestehenden Zustand der deutschen Staaten nicht zu rühren gewagt. Bismarck war der Mann, der versuchte, die Entwicklung zur Auflösung durch einfache Anknüpfung an die vor-napoleonische Zeit zu verhindern. Die Neugründung des Reiches war zu diesem Zeitpunkt zwar eine bewundernswerte Leistung, aber sie war verurteilt, wieder zu verschwinden. Nicht durch Bismarcks Tod verurteilt, nicht durch Wilhelm II. oder Bülow oder Bebel oder Scheidemann, sondern durch die zum gleichen Schicksal verurteilte ganze abendländische Kultur. Es war ein Nornenurteil, gar kein politisches.

Wäre das nicht so, so kann man vermuten, daß noch zwei andere Männer das »Zeug« zum Genie gehabt hätten — sofern es erlaubt ist, überhaupt so zwecklos zu spekulieren: nämlich Richard Wagner und Nietzsche. Für den beschwörenden, flehentlich um mystisches Schwelgen und seelisches Loslassen bittenden Wagner und den gegen alles Schwächliche, Weinerliche, Sterile, Bakterienfreie, Erloschene, Undämonische wütenden Nietzsche — für sie war dasselbe Schicksal vorbereitet wie für Bismarck. Von einem bestimmten Zeitpunkt ab, von dem Moment an, wo die Altersauflösung einer Kultur im vollen Gange ist, kommt kein verwandelndes Genie mehr. Jedem Versuch, der dem vielleicht nahekommt, hat die Natur allein schon durch die taube Barriere, durch die Hochstülpung der Masse, einen Riegel vorgeschoben.

War es damals schon so weit?

Vielleicht. Jedenfalls deutet alles darauf hin.

Aber wir werden sehen, daß das zwanzigste Jahrhundert dennoch einen Mann hervorbringt, dem eine Verwandler-Rolle zufällt. Wenn diese Beobachtung nicht trügt, sondern die Annahme richtig ist, so müßten wir vor einer gänzlich neuen *Ausgangs*-Situation stehen, die daraus abzulesen sein muß.

Und das glaube ich.

Bismarck aber hat nicht *einen* Deutschen wirklich verwandeln können.

Er hätte aber die halbe Welt verwandeln müssen. Auch Metternich hat mit seinem Wort vom »Ende« nicht so sehr die Staatenordnung Europas gemeint, als das Aufgezehrtsein der Substanz des Abendlandes, die Erschöpfung jedes Staates.

Bismarcks Werk war eine *virtuose* Tat.

Mit diesem Wort ist es in die Reihe der großen, der erstaunlichsten Schöpfungen eingestuft, aber nicht in die Reihe der Genietaten.

Bismarcks Werk paßt hervorragend, auch in seinem Qualitätsgrad und seiner Struktur, in das 19. Jahrhundert hinein. Kein zweites hat eine solche Fülle von Virtuosen hervorgebracht. Die gesamte staunenerregende Menge von großen Männern, die auf dem Felde der exakten Wissenschaften hervorschossen, waren fast ausnahmslos Virtuosen.

Die größten Leistungen unter ihnen haben das Format der Tat Gutenbergs oder Keplers oder Berthold Schwarz', des vermeintlichen Erfinders des Schießpulvers. Für die Situation ihrer Zeit gesehen, ist keine der neuen Entdeckungen und Erfindungen großartiger. Bedarf es nach dem Gesagten der Frage, ob auch nur eine von ihnen uns seelisch reicher gemacht hat?

Gauß und Weber erfanden den Telegraphen, Reis das Telephon, Siemens den Dynamo, Otto den Verbrennungsmotor, Benz und Daimler konstruierten das Auto, Bunsen und Kirchhoff entdeckten die Spektralanalyse, Hertz erforschte die elektrischen Wellen, Diesel erfand den Ölmotor, Linde verflüssigte die Luft, Röntgen entdeckte die durchdringenden Strahlen, Graf Zeppelin baute das erste Luftschiff.

Eine phantastisch anmutende Fülle von großen Geistern! Lauter einzelne Schritte in der, wie wir gleich sehen werden, nun vorgezeichneten Richtung. Die meisten davon äußerlichen Veränderungen dienend, viele unserer Bequemlichkeit, alle zusammengefaßt zu einem ganz und gar vagen Begriff: Fortschritt.

Fortschritt? Ein Wort, das sich mit dem Geniebegriff einfach nicht in einen denkbaren Zusammenhang bringen läßt. Versucht man es, so erlebt man, daß es sofort wesenlos wird.

Gegen Anfang des 20. Jahrhunderts schien die Technisierung, die Mechanisierung des ganzen Lebens und die Materialisierung der Anschauungen eine so vollständige, daß eine weitere Steigerung für alle resignierten Menschen undenkbar schien.

Nun — das neue Jahrhundert hat uns eines anderen belehrt. Das änderte jedoch nichts daran, daß die Menschen sich nicht mehr vorstellen konnten, wohin, schon rein äußerlich, die Dinge führen sollten. Wir wissen es heute, 70 Jahre später, ebensowenig.

Der absolute Wert alles dessen, was das 19. Jahrhundert geleistet und hervorgebracht hatte, begann zweifelhaft zu werden. Als die großen Weltkriege kamen, erwies sich, daß ganze Völkergruppen in der gleichen Lage waren wie wir — ob sie gesiegt hatten oder nicht: Eine gähnende Leere, eine plötzlich erschreckend nach der Rumorigkeit des 19. Jahrhunderts hervortretende Weltangst, Glaubenslosigkeit und seelische Verlorenheit war da.

Die Verfechter der materialistischen Philosophie waren inzwischen gestorben und hatten nur ihre Bücher hinterlassen. Man blätterte und suchte fieberhaft nach dem Honig, den man doch einst aus ihnen gesogen hatte.

Den exakten Wissenschaften widerfuhr etwas Ähnliches, etwas ganz und gar Entmutigendes und Verwirrendes: Die Grundlagen der klassischen Physik, der Stolz des Materialismus, begannen sich eines Tages zum erstenmal unter dem Rechenstift eines Mathematikers und dem Mikroskop eines Physikers aufzulösen.

Es war, als versänke der Boden unter den Füßen.

Jedoch nach einer Schrecksekunde arbeitete die Wissenschaft weiter — eben auf einer neuen Etage.

Dieser Vorgang war dazu angetan, sich zu wiederholen, und er hätte sich wiederholt, die Grundlagen wären langsam und schrittweise immer fragwürdiger und der ganze Denkvorgang der Menschheit zweifelhafter geworden; man wäre Schritt für Schritt in Gewöhnung mitgegangen, und der ganze Prozeß hätte uns noch lange trösten können.

Da aber kam ein Mann, der ihn mit einem einzigen Griff vorwegnahm und uns auf seiner flachen Hand zeigte.

Durch einen ungeheuren Denkakt deckte er uns auf — nicht, wo unser Erkenntnisvermögen heute steht oder morgen stehen wird —, sondern wie weit es jemals zu kommen überhaupt imstande ist, wenn wir nur das gesamte Erbe über Bord werfen!

Er führte zunächst den »alten« Verstand ad absurdum.

Er ging richtig davon aus, daß das Gesetz des Daseins allen bisherigen Kulturen eine bestimmte Art Leben und eine bestimmte Summe von Symbolen und Bildern zu geben bereit gewesen war und nicht mehr! Wobei das, was wir durch schärfstes, mühseligstes Forschen und Denken gefunden haben, je genauer wir es betrachten, sich um so mehr den frühesten, noch mythischen Vorstellungen der Menschheit wieder zu nähern beginnt. Unsere Erkenntnis ging bisher nicht eine gerade Strecke, sondern einen Kreis. Es stand der Menschheit frei zu wählen, wo sie stehen mochte. Aber sie konnte immer nur *einen* Punkt wählen. Sie »wußte« nirgends mehr oder weniger, die Summe der Kraft war immer gleich. Stand sie am Punkt der rechnenden Vernunft und Forschung, der lauter *materialistische* Folgen ermöglicht, so brauchte sie nur weiterzugehen, um wieder im Ausgangsstadium zu sein, das lauter *seelische* Möglichkeiten bietet.

Nun aber gelang es diesem Mann, einen Schritt auf dem

Wege zu einer absoluten Abstraktion zu tun, einer derartigen Abstraktion, daß sie der Sprung aus dem Kreise sein kann.

Von diesen komplizierten und schwierig auszudrückenden Vorgängen hat das Volk natürlich zunächst gar nichts verstanden. Eine wissenschaftliche Abhandlung war, wie zahllose andere zuvor, erschienen und hatte anscheinend gar keinen Berührungspunkt mit der Menge.

Da ist stets die Unverständlichkeit des Gebietes, da ist auch immer die Barriere der Masse, und dennoch pflegt die Wirksamkeit deutlich zu werden, wenn auch noch ahnungslos und schief und krumm: durch die unmöglichsten und normalerweise »verächtlichsten« Kanäle, über Mißverständnisse, über Skandale, über platteste Schlagworte. Das Schicksal bedient sich waidgerechter Mittel.

Der Mann, von dem ich spreche und der, da er noch vor kurzem mitten unter uns lebte, natürlich schwer zu erkennen und in seiner Stellung für die Zukunft der Menschheit schwer abzuschätzen ist, ist Albert Einstein. »Es ist alles relativ, sagt Einstein.« Eine blöde Phrase. Aber verachten Sie mir dieses Wort der Straße nicht! Mit gleicher Unwissenschaftlichkeit hat die Seele des Volkes Kopernikus anfangs nachzufühlen versucht. Mit der gleichen Unwissenheit hat die Masse Dürer erahnt. Und bestimmt ist es zum Erschrecken gewesen, was die Zöllner, Nachtwächter und Krämer an die Wände ihrer ersten gotischen Stuben gehängt haben.

»Es ist alles relativ, sagt Einstein« heißt: Wir ahnen jetzt unseren Größenwahn, aber wer hilft uns?

ALBERT EINSTEIN

Dr. h. c., Mitglied der Preußischen Akademie der
Wissenschaften, Universitätsprofessor
Geboren am 14. März 1879 in Ulm
Gestorben am 18. April 1955 in Princeton (USA)

Im Jahre 1880 hält mit Sack und Pack, Kisten und
Kasten die Familie Einstein, von Ulm kommend, Ein-
zug in die königlich bayrische Hauptstadt München.
Da ist Vater Hermann Einstein.
Ein fröhlicher Mann.
Da ist Onkel Jakob.
Ein ernster Mann.
Dann ist die Mutter da, Pauline, geborene Koch.
Und dann ist noch ein an ihrer festen Hand wackelnder
junger Mann von $1^3/4$ Jahren da, das ist Albert Einstein.
Die Familie will in München ihr Glück versuchen; in der
Großstadt hat es ein Jude leichter.
Sie ziehen nach Sendling hinaus.
Sendling liegt heute mitten in München. 1880 liegt es
an der Peripherie.
Die kleinen Leute, die dort wohnen, haben ihre Häus-
chen in Gärten stehen.
Über die Kronen der Apfelbäume blicken die dicken
Türme der Frauenkirche herüber.
Über dem Alten Peter geht die Sonne auf, hinter der
Theresienwiese, die gar nicht weit weg liegt, geht sie
unter.
In eines dieser Gartenhäuser ziehen die Einsteins ein.
Der Vater und Onkel Jakob gründen eine elektrotech-
nische Werkstatt.

Der eine, der Vater, ist Kaufmann, der andere, der Onkel, ist Ingenieur.

Der eine ist eigentlich ein Künstler, der andere eigentlich ein Philosoph.

Der eine liest statt der Geschäftsbücher und des Alten Testamentes Schiller, der andere grübelt über Mathematik nach.

Abends, nach getaner und mit vielen Stunden herrlichen, aber nutzlosen Sinnierens durchsetzter Arbeit, versammeln sie sich alle um die Petroleumlampe des gemeinsamen Wohnzimmers, und die Mutter spielt ihnen noch ein wenig auf dem Pianoforte vor.

So wächst das Kind Albert, ab 1881 von einem Schwesterchen begleitet, auf.

Lautlos.

Und sprachlos. Dies aus dem einfachen Grunde, weil es auch mit zwei Jahren erstaunlicherweise noch kein Wort zu reden imstande ist.

Auch später auf der Volksschule ist der kleine Einsteinjunge still und unauffällig.

Nach vier braven Jahren nimmt ihn der Vater bei der Hand, und beide wandern, angetan mit den besten Anzügen, in die Stadt zum Luitpold-Gymnasium. Es ist das Jahr, in dem gerade der junge, schneidige Kaiser Wilhelm II. den Kaiserthron bestiegen hat.

Auch auf dem Luitpold-Gymnasium ist man ziemlich schneidig.

Hier ist es nun nicht mehr so, daß der zarte, blasse, verträumte Junge unauffällig wäre. Wer so unauffällig ist, fällt auf.

Wie die meisten seiner Abstammung haßt er den Drill, verabscheut er die Schablone, fürchtet er die körperlichen Kraftproben.

Die Turnstunden sind die Hölle.

Die altsprachlichen Stunden sind eine Qual.

Französisch ist ein Rätsel.

Mathematik ist eine Strafe.

So beginnt der große Einstein.

Aber eines Tages ändert sich etwas.

Onkel Jakob behauptet, Mathematik und Physik seien etwas Wunderbares, voller Rätsel und Geheimnisse.

Er nimmt ein Blatt Papier und zeigt ihm einmal etwas von der Mystik der Zahlen.

Er geht mit ihm in die Werkstatt und läßt es in den Apparaten fauchen, knattern und sprühen.

Dann zieht er aus dem Bücherschrank die populärwissenschaftlichen Darstellungen von Aaron Bernstein und drückt ihm das kleine Buch in die Hand.

Ein Wandel tritt ein! Der still vergötterte Deutschlehrer wird still entthront. In den Schulpausen steht der Einsteinjunge in Gedanken versunken in einer Hofecke, in den Abendstunden sitzt er sinnend über Büchern und geht den Abenteuern der Zahlen und Formeln nach.

In dem Maße, wie er in anderen Fächern zurückfällt, eilt er der Klasse in Mathematik um Jahre voraus.

Wie das mit dem Abitur werden soll, liegt offensichtlich in den Sternen.

Da greift Merkur, der windige Gott der Kaufleute, in sein Schicksal ein.

1894 macht die väterliche Firma Pleite. Hermann Einstein hat zuviel Schiller gelesen, Onkel Jakob zuviel über das Fermatsche Problem nachgedacht.

Der Familienrat beschließt, Albert zunächst auf dem Gymnasium zu lassen, wenn es auch viel Opfer koste.

Sparbüchsen werden geöffnet, Porzellanschweine zerschlagen und jeder Pfennig gezählt.

Der Vater hofft, daß es reicht. Er gibt seinen Sohn in Pension. Die Brüder trennen sich, der Vater und die Mutter gehen außer Landes.

In Mailand hofft der alte Herr, noch einmal von vorn anfangen zu können.

Mühselig baut er sich in Italien wieder eine kleine Werkstatt auf.

Während er noch darüber nachgrübelt, wie er das Geld für Albert vier Jahre lang aufbringen wird, und während er ihn in seinem Studierstübchen in München wähnt, befindet sich der Sohn bereits auf der Eisenbahnfahrt nach Mailand. Dem Heimatlosen ist das Gymnasium unerträglich geworden. Er selbst ist auch schon unerträglich geworden. Er hat sich in seine Abwehr, in seinen Widerwillen und Haß immer mehr hineingesteigert. Was Hunderttausende ausgehalten haben und weiter aushalten — er glaubt es nicht zu können. Er will fliehen. Aber man kommt ihm zuvor und komplimentiert den lästigen Knaben selbst hinaus.

Ankunft in Mailand mit leeren Händen.

Er ist 15 Jahre alt.

Gewaltige, pubertätliche Gedanken stürmen hinter der blassen Stirn.

Die Welt ist schlecht! Man will ihn wohl ans Kreuz schlagen, wie?

Er erteilt der Welt einen Denkzettel:

Er legt die deutsche Staatsangehörigkeit nieder!

Der Vater sieht ihn an und seufzt.

Lächelt da jemand? Nun gut:

Er legt auch sein Judentum nieder und tritt aus der Gemeinde aus!

Jawohl!

So ein doller Bursche ist er.

Er bohrt die Hände in die Taschen und sieht sich erst einmal ein bißchen in Italien um.

Herrliches Land.

Nette Leute.

Alle Tage Sonntag.

So geht das eine Zeitlang unter den Augen des lächelnden Vaters, bis eines Tages, sehr schnell, das Schreckgespenst der Armut wieder vor der Tür steht.

Die Firma macht bankrott.

Der Sonntag hört mit einem Schlage auf.

»Preußen«, das so weit weg schien, ist überall. Es ist kein geographischer Begriff, es ist ein ethischer.

Das »preußische« Ὁ μὴ δαρεὶς ἄνθρωπος οὐ παιδεύεται ist ihm nach Italien nachgereist.

Albert Einstein muß schnellstens einen Beruf ergreifen.

Prüfungszeugnisse hat er keine.

Staatsangehörigkeit hat er auch keine.

Ein Handwerk versteht er nicht.

Handlangerarbeit ist hoffnungslos.

Die Universitäten sind ihm verschlossen.

Es gibt, sofern es der Vater doch noch durchhalten könnte, eine Chance: das Polytechnikum in Zürich.

Es genießt Weltruf. Es hat den Charakter einer rein naturwissenschaftlichen Universität und nimmt Studenten ohne Abitur an.

Albert reist hin.

Aufnahmeprüfung — er fällt durch.

Der alte Vater ist ganz verzweifelt.

Er sucht die letzten Franken und Lire zusammen und schickt seinen Sohn noch einmal auf die Schule.

Albert ist mürbe und fügsam.

Auf der modernen kantonalen Schule von Aarau macht er ein Jahr später das Abitur.

Es geht überraschenderweise ganz glatt.

Nun zieht er ohne Aufnahmeprüfung in das Polytechnikum ein.

Die Depression ist wie weggeweht.

Hochfliegende Pläne.

Was wollte der Vater? Ingenieur?

Unsinn. Er wird Physik studieren.

Der Vater nickt.

Zürich ist herrlich.

Die gesamte Donaumonarchie ist durch ihre unruhigen Geister hier vertreten.

Die ganze Schweiz ist voll von Emigranten.

Am Genfer See sitzt Uljanow-Lenin.

In Zürich ist Friedrich Adler.

Die jungen, langbemähnten Leute hocken nächtelang im Tabaksqualm beisammen und verteilen die Welt neu.

Unter den Studenten sitzt auch ein slawisch-verschlossenes Mädchen aus Serbien, die Studentin Mileva Maritsch.

Albert Einstein sitzt oft an ihrer Seite. Sie hört seine Reden, die sich für ihren Geschmack etwas zuviel um Physik drehen, mit unbewegtem Gesicht an.

Einstein ist gern gesehen in diesem Kreise.

Wenn er bloß nicht dauernd so hirngespinstige Fragen stellen würde.

Er fragt beispielsweise:

»Wenn man dem Lichtstrahl, der bekanntlich eine Geschwindigkeit von 300 000 km je Sekunde hat, mit der gleichen Schnelligkeit nacheilen und seine Geschwindigkeit während des Laufes neu messen würde, so erhielte man ein merkwürdiges Resultat. Ist euch das eigentlich klar? Die Messung würde ergeben, daß der Lichtstrahl *steht*. Kann mir einer sagen, was das bedeutet?«

So etwas fragt er nächtelang.

Niemand aus diesem Kreise kann es ihm sagen.

Selbst Professor Minkowski, der Mathematikdozent, an dem Einstein ahnungslos über dessen spätere Rolle vorübergeht, könnte es ihm nicht sagen.

Er wird sich die Frage später freundlichst selbst einmal beantworten müssen.

1900 macht er das Abschlußexamen als Physiklehrer.

Es ist geschafft.

Er bewirbt sich um eine Assistentenstelle.

Das Polytechnikum lehnt ab.

Er bewirbt sich an Schulen.

Sie lehnen ab.

Endlich bietet sich ihm eine Lehrstelle für Aushilfsstunden in Schaffhausen.

Wehenden Mantels, die Lungen voll Züricher Luft, den Schülern den Arm um die Schulter gelegt, betritt er das Klassenzimmer.

Wenig später ist er wieder entlassen.

Man hat einen Hilfslehrer engagiert, keinen Sokrates.

Es dauert bis 1902, da vermittelt ihm eine freundliche Seele einen Posten als Angestellter im Berner Patentamt.

Kopernikus als Kassenarzt — Einstein im Patentamt.

Er nimmt an.

Bern ist reizend, aber sehr langweilig.

Er beschließt, eine Familie zu gründen.

Er heiratet Mileva Maritsch, die ihm immer so gut zugehört hat.

Er erwirbt die Schweizer Staatsangehörigkeit.

Er wird ein Herr.

Er ist jetzt, 1904, 25 Jahre alt.

Immer noch fragt er: »Wenn man dem Licht mit einer

Geschwindigkeit von 300 000 km je Sekunde nachreisen würde...«

Aber er stellt die Frage nicht mehr laut.

In den Nächten sitzt er über den Berichten des Physikers Michelson, der mit der Lichtgeschwindigkeit experimentiert, Plancks, der soeben die Quantentheorie verkündet hat, und Minkowskis, der mit der Zeit als vierter Dimension rechnet.

Nachts studiert er Newton, Laplace, Hume, Mach; am Tage prüft er automatische Kartoffelschälmaschinen und elektrische Wärmeanlagen-Entwürfe.

Tagsüber beantwortet er Fragen. Nachts stellt er sie.

Er hat kein Laboratorium, er kann keine Versuche anstellen, er ist auch kein Experimentalphysiker. Infolgedessen bleibt ihm als Gebiet die theoretische Physik. Es ist just das Gebiet mit den unlösbaren Fragen.

Es sind die berühmten »Warum?«-Fragen, die berühmten »Und-dann?«-Fragen der Menschheit.

Die Chancen sind gleich Null.

Noch 365 Nächte lang grübelt und rechnet er, dann geschieht das Unerwartete, daß sich bei ihm eine Idee kristallisiert.

Sie wird immer klarer.

1905 schreibt er darüber einen kurzen Aufsatz.

Der Aufsatz wird veröffentlicht.

Er erregt Aufsehen.

Fieberhaft, innerlich glühend, äußerlich wie Nietzsche verbindlich und unscheinbar, arbeitet er in den Nächten weiter.

Er hat Mut gefaßt. Den Mut, Unerhörtes zu denken.

Seite um Seite und Blatt um Blatt bedeckt er mit Formeln und Zahlen.

Dann tritt er wieder an die Öffentlichkeit.

Er unterbreitet seine »Relativitätstheorie«.

Und gleich darauf, damit zusammenhängend, die »Theorie der Lichtquanten«.

Die Relativitätstheorie schlägt in den Universitäten wie eine Bombe ein.

Die Physiker und Mathematiker schließen sich in ihre Arbeitszimmer ein und arbeiten die Schrift des unbekannten Patentamtsangestellten A. Einstein durch.

Die Zeitungen merken, daß irgend etwas Erstaunliches gedacht, geschrieben oder geschehen ist.

Telefonate werden geführt, man läuft in die Universitäten und horcht auf den Wandelgängen.

Einige Professoren scheinen zu wissen, worum es sich handelt.

Sie erklären es, indem sie mit dem Besucher zwischen Auditorium und Dekanat fünfmal auf und ab gehen und zwischendurch auf die Uhr sehen.

Schlagzeile des nächsten Tages:

»Zeit dehnt sich und zieht sich zusammen.«

Die Professoren sind ungehalten. Das läuft ja alles ganz schief.

Aber haben sie den Satz nicht selbst gesagt?

Ja, ja, natürlich. Er stimmt auch, aber was soll sich die Bevölkerung darunter vorstellen!

Das ist alles noch nicht spruchreif, noch nicht geprüft. Es ist viel zu kompliziert, viel zu verwirrend. Ruhe, Ruhe.

Sie nehmen das Konzept unter den Arm und verschwinden wieder in ihren Arbeitszimmern.

Was ist geschehen?

Herr Albert Einstein, Angestellter des Patentamtes in Bern und Lehramtsberechtigter für Physik, hat mathe-

matische Beweise oder mindestens Grundlagen gefunden
für folgende Behauptungen:

1. Die Zeit ist eine reale physikalische Dimension. Der
   Mensch ist nicht ein dreidimensionales, sondern ein
   vierdimensionales Wesen.

Beispiel für die Schlichten im Geiste:
Wer einen Treffpunkt beschreiben will, muß unbedingt
zu allen örtlichen Angaben auch die Zeitangabe machen.

Beispiel für die Kräftigeren:
Ereignisse liegen nicht in der Zukunft; sie sind immer
da, wir begegnen ihnen auf unserem vierdimensionalen
Lebensweg. Treffen wir auf sie, so »finden sie statt«.

2. Es gibt kein absolutes Maß für Zeit, es gibt keine
   Gleichzeitigkeit.

Beispiel für die Schlichten im Geiste:
Wenn es in Europa 12 Uhr mittags ist, ist es in China
12 Uhr nachts.

Beispiel für die Kräftigeren:
Nicht nur die Feststellung einer Gleichzeitigkeit ist
praktisch unmöglich, solange es unmöglich ist, daß zwei
Dinge sich am gleichen Platz befinden, sondern der Begriff selbst ist ein Vorstellungsirrtum. Zwei Pistolen-
schüsse, am Anfang und am Ende eines langen Eisen-
bahnzuges zur gleichen astronomischen Zeit abgefeuert,
werden von einem Beobachter in der genauen Mitte des
stehenden Zuges als gleichzeitig empfunden; von einem
Beobachter im schnell fahrenden Zug jedoch als *nicht*
gleichzeitig gehört. Auch die objektivsten und genau-
esten Meßinstrumente registrieren eine Differenz. Das
bedeutet: Beobachtung, mechanische Messung und
mathematische Berechnung versagen. Damit versagt
alles verläßlich Reale, und nur wenn wir uns auf die
»feststehende« Erde statt auf den fahrenden Zug be-

ziehen, sind wir imstande, die »fehlerhafte« Differenz zu verstehen. Ein Lebewesen, das auf einem ständig fahrenden, nie haltenden Zug lebte, würde mit Recht den ganzen Tatbestand umgekehrt sehen.

3. Nicht nur Zeit, auch Raummaße sind relativ.

Beispiel für die Schlichten im Geiste:

Wer in einiger Entfernung ein Auto vorbeirasen sieht, macht die Beobachtung, daß die Räder eine ovale statt kreisrunde Form angenommen haben.

Beispiel für die Kräftigeren:

In einem rasch fahrenden gläsernen Zug steht ein Mann in einem Abteil und läßt eine Feder aus seiner Hand senkrecht auf den Boden fallen. Wir wollen annehmen, daß die Feder durch keine Luftbewegung vom senkrechten Fall abgelenkt würde. Sie schwebt langsam zu Boden. Diesen Vorgang mißt der Mann im Abteil mit photographischen und sonstigen Hilfsmitteln und desgleichen ein Mann auf freiem Feld außerhalb des Zuges. Es ergibt sich, daß der eine als Messung eine Gerade, der andere als ebenfalls »absolute« Messung eine Kurve als Fallweg der Feder erhält. Zwischen zwei Punkten ist jedoch die Gerade als kürzeste Verbindung logischerweise weniger lang als ein Bogen. Dennoch hat die Feder nur *einen* Weg zurückgelegt. Für das eine »Bezugssystem«, die Erde, hat dieser Weg eine andere Länge als für das andere »Bezugssystem«, die Eisenbahn. Das bedeutet: 1 m auf der Erde ist für den Mars nicht unbedingt von der Länge eines Meters, und der Mars hat absolut keinen Grund, dies als »Irrtum« zu betrachten. Es ist *eine* Wahrheit.

Für alle diese Erkenntnisse fand Einstein die mathematischen Relationsgleichungen.

1909 ringt sich die Universität Zürich zu dem Entschluß durch, dem Patentamtsangestellten die Stelle eines außerordentlichen Professors anzubieten.

Einstein nimmt an.

Mit Frau Mileva und zwei Kindern übersiedelt er wieder nach Zürich.

»Professor Einstein« ist jetzt olympfähig. Prag fragt bei Professor Max Planck an, was er von Einstein hält. Antwort: »Er wird als der Kopernikus des 20. Jahrhunderts gelten.«

1910 übernimmt Einstein in Prag die ordentliche Professur für theoretische Physik. Im federbusch-wallenden Dreispitz, goldverschnürt, schwört er den k. u. k. Amtseid.

Prag ist schön. Aber schwierig.

Die Nationalitäten prallen in diesen Jahren aufeinander. Es gärt.

Mileva fühlt sich sehr unglücklich als Slawin. Sie träumt beständig von Zürich.

Etwas geistesabwesend.

Albert Einstein ist eigentlich recht allein.

Freundlich, liebenswürdig, salopp und ebenfalls etwas geistesabwesend pilgert er jeden Morgen ins Kolleg.

Manchmal macht es ihm Freude.

Manchmal ist es eine Last.

Er arbeitet abends privat weiter. Seine Relativitätstheorie gefällt ihm nicht. Sie hat Lücken.

»Gefällt ihm nicht . . .«, »arbeitet abends . . .« — wie das klingt!

In Wahrheit ist es ein Grübeln und Rechnen, über dem andere den Verstand verlieren würden.

1911 lädt man den 32jährigen Professor zum erstenmal zu einer internationalen Tagung ein, an der nur weltberühmte Physiker teilnehmen. Sie findet in Brüssel statt.

Er bestaunt dort (ohne zu ahnen, daß er selbst bestaunt wird) Max Planck, den Schöpfer der Quantentheorie, Walter Nernst, den Entdecker des Nernstschen Wärmetheorems und Erfinder der Nernstlampe, Lord Rutherford, der hier schon den Nobelpreis für die Zertrümmerung des Stickstoffatoms hat, und Madame Curie, zweifache Nobelpreisträgerin für die Entdeckung der Radioaktivität.

Bescheiden, freundlich, liebenswürdig, salopp, schlurrt er zwischen den Befrackten herum.

Brüssel hat seinem Ruf genützt:

Zürich meldet sich wieder. Diesmal nicht die Universität, sondern das finanzkräftigere Polytechnikum.

1912 zieht er in jene Stätte als Professor ein, die ihn vor zwölf Jahren nicht als Assistent haben wollte.

Mileva ist glücklich, wieder in Zürich zu sein. Aber sie kapselt sich auch da ein. Sie ist ein Einzelgänger, sie hätte nicht heiraten sollen. Ist sie denn verheiratet? Gegenwärtig ist ihr Mann auf dem Sirius und berechnet die Ablenkung des Lichtstrahls durch Masse.

Ja, Einstein ist in seiner privaten Arbeit weitergekommen.

Auf einem naturwissenschaftlichen Kongreß in Wien hält er einen Vortrag, in dem er zum erstenmal über seine »spezielle Relativitätstheorie« hinausgeht zu einer »allgemeinen Relativitätstheorie«. Kein Satz, der nicht mathematisch belegt ist.

Die Versammlung ist recht bestürzt. Physikalische Gesetze schwinden unter den Händen. Einstein spricht beim Licht von »Masse« und wendet auch alle entsprechenden Gleichungen an. Nun muß man sich klarmachen, was das heißt: »Masse« pflegt man in Gramm und Kilogramm zu rechnen! Er beweist, daß Trägheit gleich Gravitation ist, er tauscht in Rechnungen wildfremde Gleichungen gegeneinander aus und erhält gleiche Resultate, er spricht von »gekrümmten Räumen« und wirft die ganze euklidische Geometrie als irdisch-scheinbedingt um.

Aufgewühlt reisen die grauhaarigen Herren von diesem Kongreß nach Hause.

Bescheiden, freundlich, liebenswürdig, salopp steht am nächsten Tage der Urheber der ganzen Aufregung wieder auf dem Katheder vor seinen Studenten und lehrt klassische, euklidische Geometrie.

Nach diesem Kongreß, im gleichen Jahre noch, treten für Einstein entscheidende Wendungen in seinem äußeren Leben ein: Planck und Nernst kommen persönlich nach Zürich gereist und bieten Einstein im Namen des Kaisers an, nach Berlin zu kommen. Sie bringen: Universitätsprofessur, Direktorat der physikalischen Forschungsabteilung des Kaiser-Wilhelm-Institutes und die Ernennung zum Mitglied der Königlich-Preußischen Akademie der Wissenschaften.

Einstein nimmt an.

Ende 1913 übersiedelt er in die Reichshauptstadt.

Nach Preußen, das er so gehaßt hat. (1919 nimmt er wieder die deutsche Staatsangehörigkeit an!)

Mileva weigert sich, mitzugehen. Es wird offensichtlich, daß sie sich auseinandergelebt haben.

Sie sind beide zu nüchtern und beide zu nobel, um unnötig darüber zu sprechen.

Einstein geht allein fort. Die Scheidung ist nur noch eine spätere Formalität.

Berlin! Weltkrieg! Revolution!

Es geht fast ohne Spuren an Einstein vorüber.

Er befindet sich zwar nicht mehr ganz auf dem Sirius. Stundenweise ist er auf der Erde. Er heiratet seine Kusine Elsa. Sie versteht keine Zeile von dem, was er schreibt. Aber sie versteht sein Leben auf dem Sirius.

1917 neue Erkenntnisse der allgemeinen Relativitätstheorie. Über die Grenzen hinweg, durch das Trommelfeuer der Fronten hindurch geht die Kunde davon in die ganze gelehrte Welt.

Gerade die Engländer arbeiten an den Beweisen für Einstein.

Der 29. März 1919 wird ein Tag, der in das goldene Buch der Wissenschaften eingeht.

Er bringt Einstein den größten Triumph seines Lebens! An diesem Tage findet an zwei Stellen auf der Erde eine totale Sonnenfinsternis statt.

An beiden Orten, unabhängig voneinander, nehmen die Engländer eine Messung vor, die beweisen oder widerlegen soll, daß das Licht beim Passieren eines Gravitationsfeldes, also zum Beispiel in der Nähe eines riesigen Körpers, wie der Sonne, sich selbst wie Masse verhält und abgelenkt wird. Einstein hat für die Sonne eine Ablenkungskraft von 1,75 Bogensekunden berechnet.

Dies ist einer der fundamentalen Sätze der allgemeinen Relativitätstheorie. Sie schlägt allen Erfahrungen und allen Vorstellungen ins Gesicht.

Die Wissenschaftler auf der ganzen Welt und mit ihnen Millionen interessierter, gebildeter Menschen warten auf das Ergebnis.

Die Engländer werden versuchen, mit untrüglichen Instrumenten Sterne zu sichten, die nach den klassischen physikalischen Gesetzen auf keinen Fall gesichtet werden dürften, weil ihr tatsächlicher Standort *hinter* der Sonne ist.

Wenn Einstein recht hat, müssen sie zu sehen sein.

Das Ereignis läuft ab.

Hinter verschlossenen Türen nimmt die englische Akademie den Bericht und die Photographien der Expedition entgegen.

Dann öffnen sich die Türen:

Die Sterne sind gesichtet! Die Lichtabweichung beträgt 1,64 Bogensekunden! Newton ist entthront!

Die Nachricht erreicht Einstein in seiner kleinen Berliner Wohnung.

Er hat eine Welt gestürzt!

Wie findet ihn dieser große Augenblick?

Oh — wie immer. Bescheiden, liebenswürdig, salopp. Kaffee trinkend und Pfeife schmokend.

Sein Weltruhm ist begründet. Die Riversidekirche in New York, die gerade ihre Idee verwirklicht, die Standbilder der größten Männer der Weltgeschichte in ihren Mauernischen aufzustellen, nimmt Einstein als einzigen unter den Lebenden in diese Reihe auf!

Mit dem Ruhm kommen Haß und Neid.

Wilde Kämpfe für und gegen seine Theorie erheben sich um ihn.

Der Mann auf der Straße führt seinen Namen im Munde.

In aller Bewußtsein schleicht sich etwas, was von seinem Gehirn ausging, und wenn es auch nur das Wissen ist, daß eine Welt zusammenstürzte, die bisher fest war.

Die Schüler lächeln, wenn dem Lehrer einmal das Wort »absolut« entschlüpft.

Einsteins Popularität wächst ins Ungeheure.

In diesen Jahren läßt er sich leider dazu verführen, sich

politisch zu exponieren. Er ist Pazifist durch und durch.
Er ist Demokrat.

Er ist Zionist.

1922 tritt er in die Völkerbundskommission ein.

1923 tritt er aus.

1924 tritt er ein.

Man schiebt ihn vor sich her.

Sieht denn niemand, daß er ein Parzival ist?

Seine Amerika- und Asienreisen 1921 bis 1923 beruhigen die Gemüter wieder etwas.

Die Universitäten, die Präsidenten und Königshäuser aller Länder empfangen ihn feierlich.

Es regnet Ehrendoktorate.

Er zieht den Kopf in sein salopp sitzendes Jackett ein und läßt es über sich ergehen.

Bei seinem Pariser Besuch lehnt es die Academie Française in beispielhaftem Chauvinismus ab, den »Boche« in den Reihen der »Unsterblichen« zu empfangen.

Auch da zieht Einstein den Kopf ein und läßt es über sich ergehen. Er winkt, als er es merkt, selbst vorher ab.

In Japan erreicht ihn die Nachricht, daß ihm der Nobelpreis für 1921 verliehen worden ist.

1924 ist er wieder zu Hause.

Es folgen ruhige Jahre der Arbeit. Er schließt seine Relativitätstheorie ab.

Andere gehen nun schon daran, ihm zu helfen.

Die I. G. Farbenindustrie baut in Potsdam den »Einsteinturm«, dessen Messungen seine mathematischen Sätze beweisen sollen.

1932 meldet sich Amerika!

Professor Flexner, Princeton, besucht ihn in seinem Landhäuschen in Kaputh an der Havel, auf der Einstein so gern mit seinem Boot segelt.

Flexner will ihn nach Amerika holen.

Einstein lehnt ab.

Noch lehnt er ab. —

Flexner sagt ihm: Es genügt ein Wort von Ihnen.

Der Tag, an dem Einstein das Wort sagen wird, ist näher, als Flexner ahnt.

Für den Herbst 1932 war sowieso eine kurze Reise nach Kalifornien angesetzt. Wie er ins Auto steigt und noch einen Blick auf das Haus zurückwirft, hat er das Gefühl, es nie mehr wiederzusehen.

Er *sieht* es nie wieder.

Am 30. Januar übernimmt Adolf Hitler die Macht in Deutschland. Die Nachricht erreicht Einstein in Amerika. Sie erschreckt ihn zutiefst. Was wird geschehen? Er ist Jude.

Er reist nach Ostende, um von Belgien aus, ohne erst irgend etwas abzuwarten, seine Angelegenheiten in Deutschland zu regeln.

In Berlin jedoch hat noch kein Mensch daran gedacht, irgendeine Konsequenz gegen Einstein zu ziehen.

Planck beschwört ihn, zurückzukehren.

Einstein versteift sich. Er lehnt brüsk ab.

Andere schalten sich ein.

Einstein schickt ihnen seine Demission in allen Ämtern.

Die Akademie wirft ihm unbedachtes Handeln vor. Sie erinnert ihn daran, daß er auch in USA nie ein gutes Wort für Deutschland gesprochen hat.

Der Vorwurf ist unberechtigt.

Einstein hat zuvor nie ein schlechtes Wort gesagt.

Nun aber verliert er gänzlich die Beherrschung.

Er läßt sich dazu hinreißen, dem alten, guten, noblen Planck als Präsident der Akademie einen letzten Brief zu schreiben, in dem es heißt:

»... ein gutes Wort für das deutsche Volk wäre eine Verleugnung aller Begriffe von Gerechtigkeit und Freiheit gewesen ... hätte zur Barbarisierung der Sitten und zur Zerstörung der kulturellen Werte beigetragen.«

Das Band ist zerschnitten.

Nun — ist er jetzt der Academie Française genehm?

Ja — Paris bietet ihm einen Lehrstuhl an. Aber Einstein dankt und fährt nach Amerika.

Flexner holt ihn als emeritierten Professor an das Institute for Advanced Studies in Princeton.

Langsam findet er sich in die Stille seiner Arbeit zurück. Das Leben in dem windgeschützten Institut und dem Studierzimmer seines kleinen Serienhauses erfährt 1936 noch einmal einen Stoß, der an den Fundamenten rüttelt: durch den Tod seiner Frau Elsa. Die Arbeit hilft ihm auch darüber hinweg.

Ja, er arbeitet wieder! An einer neuen Theorie, die weit über die Relativitätstheorie hinausführt!

Man hört davon reden, daß er rechnerisch und philosophisch zu den Urquellen, zu den tiefsten Wurzeln der Weltordnung vorgedrungen sei. Er sei auf Gesetze gestoßen, die die meisten unserer Erkenntnisse als Wahn aufdecken.

Wie mag es in dem Herzen dieses Mannes aussehen? So:

»Die Erkenntnis der Wahrheit ist herrlich, aber als Führerin ist sie so ohnmächtig, daß sie nicht einmal die Berechtigung und den Wert unseres Strebens nach Wahrheit zu begründen vermag. Hier stehen wir einfach den Grenzen der rationalen Erfassung unseres Daseins gegenüber.«

»Gewiß leugnet niemand, daß der Gedanke an die Existenz eines allmächtigen, persönlichen Gottes dem

Menschen Trost und Führung zu spenden vermag; außerdem ist er in seiner Einfachheit auch dem einfachsten Gemüt zugänglich.«

»Aber je mehr der Mensch von der gesetzmäßigen Ordnung der Ereignisse durchdrungen ist, um so fester wird seine Überzeugung, daß neben dieser gesetzmäßigen Ordnung für andersartige Ursachen kein Platz mehr ist. Er erkennt weder einen menschlichen noch einen göttlichen Willen als unabhängige Ursache von Naturereignissen an. Die Naturwissenschaft kann freilich niemals die Lehre von einem in Naturereignisse eingreifenden persönlichen Gott widerlegen, denn diese Lehre kann stets in jenen Gebieten Zuflucht suchen, in denen wissenschaftliche Erkenntnis bis jetzt noch nicht Fuß zu fassen vermochte. Aber ich bin überzeugt, daß ein solches Verhalten der Vertreter der Religion nicht nur unwürdig, sondern auch verhängnisvoll wäre.«

Als er die ersten Teile seiner neuen »Feldtheorie« veröffentlicht, versteht sie von tausend Mathematikern und Physikern einer. Das aufregende Ereignis von 1939, die erste Zertrümmerung eines Uran-Isotops durch die Deutschen Hahn und Strassmann, wirft keine der Einsteinschen Theorien um. Im Gegenteil. Seine alte, kleine mathematische Gleichung $E = mc^2$, die vor 20 Jahren so sensationell wirkte, ist der Wegweiser für alle neuen Forschungen gewesen.

Die USA nehmen die Arbeit an der Atombombe auf.

Einstein schreibt bald warnende Briefe an Roosevelt.

Parzival. Von Gefühlen hin und her gerissen.

Das Schicksal schreitet blind weiter. Der Krieg bricht aus, die große Zerstörung der alten Welt, der Heimat Einsteins, beginnt. Er erlebt sie, Amerikaner geworden, in seinem stillen Heim in Princeton.

Deutschland sinkt in Schutt und Asche.

Der alte 89jährige Max Planck hungert in einer Göttinger Dachkammer.

Kein Laut von drüben.

Er hebt den Kopf nicht, er hat ihn tief über seine Hand gebeugt, die Seite um Seite mit Zahlen und Formeln füllt.

»Heute lebe ich in jener Einsamkeit, die in der Jugend so schmerzlich, aber in den Jahren der Reife so köstlich ist.«

Er rechnet, rechnet, rechnet.

Er schreibt die Bilanz von zehntausend Jahren Denken. Am 18. April 1955 nimmt ihm der Tod die Feder aus der Hand.

ABSCHIED VON DEN GENIES
DER DEUTSCHEN

Der Teil, mit dem Einstein im alten wurzelt, wo er in der Sprache unserer Kultur spricht und auch sogleich verstanden wurde (»Es ist alles relativ«, sagt Einstein), ist das Belehrende über die Vergangenheit, die Belehrung über die Grenzen und die hoffnungslose Gebundenheit des Denkens aller bisherigen Kulturen.

In diesem Teil ist er der Pilger aus dem Schillerschen Gedicht, wo dem menschlichen Geist, der suchend ins Weltall hinauswandert, aus entgegengesetzter Richtung ein einsamer Pilger entgegenkommt und sich beide zurufen:

»Steh! Du segelst umsonst — vor dir Unendlichkeit!«

»Steh! Du segelst umsonst — Pilger, auch hinter mir!«

Aber diese Erkenntnis, die Meldung, die er von seinem Alleingang mitbrachte, macht ihn noch nicht zum Genie. Dergleichen Pilger gibt es mehr, auch Oswald Spengler war einer.

Die einfache Belehrung ist kein Geniewerk.

Niemals haben die reinen Ermahner und Warner die großen geistigen und seelischen Wenden herbeigeführt.

Wenn es ferner gesetzmäßig ist, daß Kulturkreise, die sich mitten im Untergang befinden, *keine* Genies in unserem Sinne mehr hervorbringen, eben weil keine Wandlung mehr erfolgt, so scheint die Vermutung, daß nicht Goethe, sondern Einstein unser letzter Verwandler ist, hiermit eigentlich unvereinbar.

Dann hat Spengler recht mit seinem Schluß, daß nach

uns wieder wie zuvor ein anderes, junges Volk, eine
junge Rasse »dran« ist.

Jedoch:

Es hat sich etwas ereignet, was dem widerspricht und
uns vor eine ganz anders geartete Zukunft zu stellen
scheint!

Was sich ereignete, eröffnet eine völlig neue Perspektive!
Wir werden sehen, daß Einstein plötzlich einen Platz
erhält, wie ihn nie jemand zuvor innehatte.

Was war geschehen?

Zweierlei.

Zunächst etwas sehr Einfaches, allgemein Bekanntes, es
liegt 500 Jahre zurück: Die Erde wurde entdeckt.

In solcher Situation befand sich die Menschheit, jedenfalls in den uns bekannten Zeiträumen, noch nie! Alle
bisherigen Kulturen waren Inseln gewesen!

An genau dem gleichen Zeitpunkt liegt das andere Ereignis: Das mathematische Abstraktionsvermögen
brach durch!

Als Nikolaus von Kues die Unendlichkeitsrechnung
fand, war er der erste Träger einer ganz neuen Fähigkeit menschlichen Geistes.

Auch in dieser Situation befand sich die Menschheit,
jedenfalls in den uns bekannten Zeiträumen, noch nie!
Alles Denken bisheriger Kulturen beruhte auf Bildern,
Gleichnissen und Übersetzungen.

Beide Ereignisse vollendeten sich nicht mit einem Schlag,
sondern in Jahrhunderten, so daß uns ihre Wucht gar
nicht klar wurde.

Tatsächlich aber war die Entdeckung der Erde der Anfang vom Ende jedes »Insel«-Daseins, und die Entdeckung jenes Abstraktionsvermögens der Anfang vom
Ende aller bisherigen Kulturen.

Die erste Folgeerscheinung ist klar. »Welt«-Kriege, »Welt«-Wirtschaftskrisen, »Welt«-Handel sind Begriffe, mit denen wir des Morgens aufstehen und des Abends schlafen gehen. Erschütterungen im Leben großer Staaten lassen Wellen um die ganze Erde laufen, reißen alle Kontinente hinein, lassen Kaffee-Ernten in Brasilien gleichzeitig mit Wollernten in Australien wertlos werden, lassen China verhungern, stürzen Arabien in Krieg und tragen die Folgen in das Leben der Schwarzen in dem entferntesten Dorf. Radios spielen in Bali, Kuckucksuhren ticken in Madagaskar, Hawaii-Polynesier sind US-Oberleutnants in Frankfurt, Mongolen studieren in Paris.

Die zweite Folgeerscheinung — daß das Abstraktionsvermögen der Anfang vom Ende *aller* bisherigen Kulturen sein muß — liegt nicht so deutlich auf der Hand. Um das zu verstehen, muß man sich klarmachen, daß die Basis aller bisherigen Kulturen eine Religion, ein bildhafter Glaube war. Alle Ebenen, auf denen sich das Leben der alten Kulturen abspielte: Denken, Forschen, Ethik, Moral — fußten auf Religionen; ja, Moral und Ethik, diese durchaus irdischen und der gesellschaftlichen Ordnung dienenden Elemente waren geradezu identisch mit dem Kern jeder Religion. Aber auf die wirklich echten metaphysischen Fragen nach dem Sinn des Universums gaben die Religionsstifter keine Antwort. Nirgends, weder im Christentum noch in den entferntesten anderen Religionen auch nur die Spur einer Erklärung für die doch überhaupt höchst fragwürdige Notwendigkeit eines Menschengeschlechts für den gedachten Gott dieser Religionen.

Natürlich nicht. Dies ist das Wesen aller bisherigen Religionen. Das ist ihr gemeinsamer Nenner.

Sie bilden eine *partikulare* Kulturwelt. Wir wollen es so nennen und darunter die ganze Fülle von Kulturen bis heute verstehen. Sie alle sind in ihrem innersten Wesen der Abstraktion feindlich entgegengesetzt. Glaubensbilder und Abstraktion sind unvereinbar.

Das heißt nun: Wenn eines Tages, gleich wann, der Durchbruch des absoluten Abstraktionsvermögens abgeschlossen sein wird, wird *keine neue* partikulare Kultur mit ihren Gleichnissen, Bildern und ihrer Moralreligion anbrechen. Es wird etwas kommen, was den Religionen, diesen Fundamenten aller partikularen Kulturen, unvereinbar entgegengesetzt ist; etwas, was sie *beendet,* was Ethik und Moral von der Metaphysik endlich trennt und wieder den irdischen Gewalten überläßt. Das wird ein ganz neues Verhältnis zu unserem Leben auf dieser Erde und zum Universum bringen; ein neues Verhältnis zum Sinn der Welt, der nun ohne bildhafte Gleichnisse begriffen werden wird.

Dies wird alle unsere Sinne stark verwandeln. *Wie* die seelische Verfassung oder gar die weltliche Organisation einmal aussehen wird, das kann niemand sagen. Es *wissen,* und *so sein,* ist in der Geschichte der Menschen stets eins und gleichzeitig.

Was in der gewiß nicht mehr allzu fernen Zukunft geschehen wird, wird auf der Bühne der *gesamten* Erde geschehen; zum erstenmal gesamt. Sie wartet darauf, sie wurde vorbereitet darauf! Die Erde bietet sich mit dem gesamten Geschlecht der Menschen dar. Es ist, als erachte das Schicksal die Zeit für reif, alle Menschen zusammenzubringen wie ein großes Kapital. Die Zeit ist da, *alle* Kräfte freizugeben für diesen neuen Akt des Weltenschauspiels. Nach zahllosen, voneinander unabhängigen Versuchen ist es soweit: Die Erde ist entdeckt, die Abstraktion ist durch Einstein vorexerziert. Was zuvor im Schoße der Zeit, sich sammelnd, gelegen hatte, was unter einem Aufblühen hier und da, unter einem ewigen Anlaufnehmen gewartet hatte, das wurde zu einem riesigen Lebensunisono aufgetan. So, wie man in der Musik »Unisono« versteht: Die ganze Vielzahl der Orchesterstimmen strömt zusammen auf eine gemeinsame Melodie auf gleicher Tonhöhe.

Kann es eine größere Fanfare geben?

Was morgen anbrechen wird, ist eine *unisone* Kulturwelt!

Die abendländischen Menschen und mit ihnen die Deutschen (mit ihrer Kultur gegenwärtig mitten im Untergang) werden *nicht* abzutreten brauchen, sondern noch einmal und *wieder* dabei sein!

Die Wehen waren bei jeder Geburt einer früheren Kultur rauh, die Schmerzen bei jedem Untergang groß. Diesmal werden sie doppelt so stark sein. Das »Interregnum«, der Zwischenakt, wird noch lange dauern, denn noch *haben* die alten Kulturen der partikularen Welt die Menschen.

Was wir gegenwärtig, in wilder Vermengung von politischen, wirtschaftlichen, geistigen und religiösen Ereignissen, erleben, ist der tragische Kampf einer Zeit, die als geistige Welt unison, gemeinsam werden soll und von untergehenden partikularen Kulturen mit verzweifelter Hoffnungslosigkeit in die letzten sinnlosen Wirren gestürzt wird.

Der Masse wäre die Verwandlung gleichgültig. Die wenigen Ahnungsvollen haben nichts dagegen, sie werden sich vertrauensvoll dem Unbekannten »anheimfallen« lassen. Aber wer sich wütend dagegenstemmt, sind die Religionen und ihre straffen Organisationen.

Gegen die anbrechende neue Epoche werden sich noch *alle* Kulturen der partikularen Welt, ihre Zeit abschließend, aufbäumen. Die christliche ist nicht die letzte. Sie ist bloß gegenwärtig der Wortkontrahent.

Von einem Abtreten zu sprechen nicht nur der deutschen oder der europäischen Kultur, sondern des ganzen christlichen Kulturkreises, zu dem als vorderste Spitze ja auch Amerika gehört, sich zu erheben gegen den Repräsentanten des »Fortschritts«, bedeutet heute, wie im Spätrom, noch ein gefährliches Unterfangen.

Die todkranke Zeit lebt wie alle Todkranken in dem Wahn, Husten sei immer nur ein Zeichen von Erkältung. Die Blindheit der Menge der Menschen ist in solch einer Epoche tragisch. Das ist die »Komplementarität«, die wechselseitige Ausschließlichkeit der Dinge. Beklagenswert, aber gesetzmäßig.

Warum scheint die Sonne nicht nachts, wenn wir sie brauchen, statt am Tage, wo es sowieso hell ist? Welche Frage!

Die Blindheit der Masse war im untergehenden Ägypten, im untergehenden Mesopotamien, im untergehenden Rom nicht anders. Leben wir denn nicht, fragten sie? Essen, trinken, rauchen, lachen, weinen, malen, schreiben, musizieren, singen wir nicht?

Die Kirchen klammern sich an Symptome, die für ein wieder steigendes Bedürfnis nach Frömmigkeit zu sprechen scheinen. Aber es ist eine typische Blüte Spätroms: *Alle* Versicherungsanstalten erleben einen Aufschwung! Man traut sich nirgends mehr etwas allein zu. Nur im Kollektiv vergißt man die Angst.

Die christliche Welt ist zutiefst glaubenlos geworden. Sie ist nur noch »besorgt«. Die Angst würde sie wenigstens zur Tat antreiben. Die Besorgnis, das viel Trivialere, wünscht nur noch beschwichtigt zu werden. »Wir sind Zeugen eines inneren Verfalls, der von der Erkaltung und Verwirrung des sittlichen Empfindens immer weiter hinabführt in die Tiefe... Vielleicht hat es nie in der Geschichte der Menschheit eine Stunde gegeben wie die gegenwärtige«, sagte Papst Pius XII., Oberhaupt von 300 000 000 Christen, düster in einer Radioansprache.

Nein, es hat in der Tat nie eine bedeutendere gegeben.

Jedoch, ihre Bedeutung liegt nicht darin, ob sie die billige Hoffnung erfüllt, die alten Kulturen mögen nicht vergehen, und speziell die Flamme des alten Glaubens möge nicht erlöschen.

»ER triumphierte einstmals über das herrschende Heidentum. Warum sollte ER nicht auch heute triumphieren?« fragte der Papst.

Vergißt man denn vollständig, daß man zu *allen* Zeiten in der gleichen Situation so gefragt hat?

So haben die Priester *aller* Religionen gehofft.

Das Schicksal ist darüber hinweggeschritten.

Der Bruch mit dem, was im alten Sinne religiös genannt wurde, das ist es, was die schweren Erschütterungen verursacht.

Jede der gegenwärtigen Religionen wird meinen, daß es *ihr* Kampf sei, daß mit ihr auch Gott falle. Aber es fallen nur seine vielen Bilder und die Versicherungspolicen.

Wir stehen mitten in diesem Prozeß, und die Frage, ob der Niedergang unserer Kultur »zufällig« mit den Auswirkungen jener beiden Ereignisse vor 500 Jahren heute zusammenfällt, oder ob jene Ereignisse ihr vorzeitig den Garaus machten, ändert nichts an den geschichtlichen Tatsachen.

Es ist nicht nur verzeihlich, sondern logisch, daß echte, wirklich echte Christen diese Notwendigkeit nicht sehen, ja, überhaupt nicht begreifen, wovon die Rede ist. Das hat mit ›Klugheit‹ nichts zu tun. Der gewiß kluge Dramatiker Hans Rehberg schrieb 1952: »Ich glaube weder an den ›Verlust der Mitte‹ noch an den ›Untergang des Abendlandes‹, ich höre nur ein unendliches Geschwätz darüber ... denn ich bin ein Christ.«

Wie schön, aber wie vergeblich.

Die große Verwandlung ist heute schon für sehr viele sichtbar. Arthur Koestler schreibt einmal: »Ich glaube, daß der Tag nicht fern ist, da das jetzige Interregnum schließen und sich eine neue »horizontale Gärung« entwickeln wird; nicht eine neue Partei oder eine neue Sekte, sondern ein unwiderstehlicher, weltumspannender Geist, eine geistige Springflut ... Sie wird wahrscheinlich unsere historische Ära abschließen, die Periode, die mit Galilei, Newton und Kolumbus begann, das menschliche Jünglingsalter ... Was es geleistet hat, ist gigantisch, und sein Todeskampf ist entsetzlich. Aber es kann nicht mehr lange dauern; das Stadium der Ermattung nähert sich.«

An diesem Wendepunkt steht Albert Einstein.

Was an ihm (nur) groß und bedeutend ist, liegt im alten verhaftet, und alle können es leicht *erleben*. Worin er für die Nachfolgenden, deren Augen nicht mehr die Augen von Menschen partikularer Kulturen sind, ein Verwandler war, *folgern* wir zunächst nur. Denn noch ist es nicht ganz so weit.

Die beiden Worte erinnern an unsere Gegenüberstellung von »sichten« und »erleben«. Die Erinnerung daran kommt nicht von ungefähr: Seine Stellung ist tatsächlich eine doppelartige.

Er ist in einem Sinne, an dem kaum zu zweifeln ist, das erste Genie aller, und in einem anderen Sinne der letzte Verwandler der Deutschen.

Seine Spur liegt *noch* und zugleich *nicht mehr* an unserer »Linie«.

Wir »sichten« ihn im Augenblick, wie man ein fremdes Genie sichtet. Dennoch werden wir ihn auch »erleben«, denn wir sind in dem Unisono mit drin.

Es mögen große Philosophen, große Forscher, große Staatsmänner kommen, keiner hat mehr während des »Interregnums« eine Möglichkeit, für unsere alte Kultur das zu werden, was Otto, Kopernikus, Luther und Bach für uns Deutsche waren.

Es mögen Maler und Musiker geboren werden oder schon unter uns sein, sie können groß, bewundert, geliebt und verehrt werden. Keiner von ihnen wird *mehr* sein, keiner von ihnen dem alten Herzen noch einmal eine Wendung geben, keiner einen neuen Schlüssel mitbringen. Alle Schlösser der alten Kultur sind aufgeschlossen.

Kein Mensch wird mehr für uns Deutsche ein Goethe werden.

Wie die Zeit *nach* der Wende aussehen wird, weiß niemand. Aber es ist schwer vorstellbar, daß sich der Lauf der Dinge, daß sich das Prinzip der »Linie« und der Sinnes- und Zeitenwandler im Unisono der Erde einfach noch einmal auf größerer Basis wiederholt, denn fast alle Völker haben es hinter sich oder werden es noch zuvor in Eile durchlaufen. Sind sie nicht schon dabei?

Ob später überhaupt Wandlungen im alten Sinne vorkommen können, ob Bereicherungen, ob Erschließungen *neuer* seelischer Welten — dann für alle Völker — möglich sind, kann niemand sagen. Diese Frage ist schon wieder ein Beweis unserer Gebundenheit an die bisherigen Vorstellungen, und daher falsch.

Ja, es erhebt sich sogar die bange Frage, ob eine zukünftige Zeit nicht vielleicht völlig ohne Organ sein wird für das, was in uns die Liebe zu unseren eigenen Verwandlern erweckt? Ob sie nicht ganz, ganz andersgeartete Menschen erschauen und bestaunen wird?

Wir aber können noch rückblickend die Leuchtfeuer unserer Genies erkennen, und wir sollten sie wie Noah mitnehmen, wenn wir uns im Geiste »einen Kasten von Tannenholz machen und Kammern drin und ihn mit Pech inwendig und auswendig gegen das Gewässer der Sintflut verpichen, und allerlei Speise zu uns nehmen, die man isset und die wir sammeln sollen, daß sie uns zur Nahrung sei, und die Arche besteigen«.

Vielleicht sind wir die letzten, die letzten für alle Zukunft, die die Möglichkeit noch einmal genießen, die historischen Genies der Deutschen zu verehren.

Vielleicht ist es ein *Abschied* von den Genies.

Es ist nicht ausgeschlossen, daß *nach* uns der Wunsch nicht mehr existiert, zu der stillen, wunderbaren Welt Dürers, Bachs, Goethes zurückzugrübeln, und daß für jene Menschen nach uns verschwunden sein wird die Welt des Sichversenkens in die Geister, die uns einmal bewegten; verschwunden die Welt des Meditierens, unbekannt die Welt der vollständigen Seligkeit der Beschränkung, der Demut, des Trostes und der Wunschlosigkeit vor dem Erhabenen.